HISTOIRES DE FAMILLES ET DE RÉSEAUX

La sociabilité au Québec d'hier à demain

Andrée Fortin
avec la collaboration de
Denys Delage
Jean-Didier Dufour
et
Lynda Fortin

HISTOIRES DE FAMILLES ET DE RÉSEAUX

La sociabilité au Québec d'hier à demain

Données de catalogage avant publication (Canada)

Fortin, Andrée

Histoires de familles et de réseaux : la sociabilité au Québec d'hier à demain

Bibliogr. : p.

ISBN 2-89035-089-4

1. Famille — Québec (Province) — Histoire. 2. Relations humaines. I. Titre.

HQ559.F67 1987 306.8'5'09714 C87-096361-9

Maquette de la couverture : Claire Senneville

Dépôt légal : Bibliothèque nationale du Québec, 3e trimestre 1987.

Première réimpression : 3e trimestre 1991

Imprimé au Canada.

Notre catalogue vous sera expédié sur demande :
Les Éditions Saint-Martin
4316, boul. St-Laurent, bureau 300
Montréal (Québec) H2W 1Z3
(514) 845-1695

Avant-propos

Raconter quelques histoires de familles du Québec, et à travers elles retracer l'histoire de la famille québécoise, voilà l'intention première de cet essai. Mais ce n'est pas tout ; en fait, la famille sert ici de prétexte pour parler de réseaux de solidarité et de sociabilité. Parler de familles sans parler de réseaux, ou vice-versa est à peu près impossible tant cela est lié dans la pratique, dans l'imaginaire et dans le discours. Au Québec, comme un peu partout sur la planète, la famille est traditionnellement le principal lieu de la solidarité et de la sociabilité.

C'est donc sous l'angle des réseaux qu'on parlera de la famille, c'est-à-dire qu'on examinera les relations entre différents groupes familiaux (d'une même parenté, d'un même voisinage ou tout simplement d'amis),et les échanges de biens, de services et de personnes qui s'y tissent. On ne dira à peu près rien de la dynamique intrafamiliale ; on s'intéressera avant tout à l'espace d'entraide, d'échange et de sociabilité formé par les familles.

Avant de poursuivre, il est important de préciser que parler de la famille comme on l'a fait aux paragraphes précédents constitue un piège. Une lecture, même superficielle, des statistiques démographiques révèle en effet une grande diversité des situations familiales. Si on pense immédiatement aux couples avec enfants quand on évoque la famille, il ne faut pas oublier que les familles monoparentales représentent 20 % du total de familles avec des enfants de moins de 18 ans.De plus, tous les couples n'en sont pas à leur première union et l'on retrouve un nombre croissant de divorcés remariés. Le revenu, le milieu rural ou urbain, ne sont pas non plus sans affecter profondément la vie de famille. C'est pourquoi il vaut mieux parler des familles plutôt que de la famille, puisqu'il apparaît difficile de lui donner une définition autre que « un ou des adultes vivant sur une base permanente avec un ou des enfants », comme l'ont appris, un peu à leurs dépens, les membres de la Commission consultative sur la politique familiale. Ces noyaux familiaux s'ouvrent évidemment sur la famille élargie, ou la parenté ; bien sûr la réalité du fondement de la famille est beaucoup plus riche que ne le veut cette définition qui ne tient compte que de l'unité de résidence. Il devrait bien être possible de formuler une définition plus compréhensive de la famille, recouvrant la diversité des situations familiales et situant la famille par rapport aux individus qui la composent et par rapport à la société globale. C'est, je l'espère, à une telle définition qu'on arrivera en conclusion. Pour le moment, il convient simplement de retenir la pluralité des situations familiales... on découvrira peu à peu au fil des pages que cette diversité n'est pas due à l'éclatement d'un modèle qui aurait été unique et monolithique, mais que, d'une certaine manière, elle a toujours existé.

Aborder la famille sous l'angle des réseaux, c'est se situer d'emblée dans une sociologie des acteurs. C'est postuler que la société n'est pas faite d'individus interchangeables, passivement modelés par l'ordre social, mais faite par des personnes, liées à un contexte précis, mais disposant d'une marge de manoeuvre pour la transformer. Le social n'est pas donné, immuable, institué une fois pour toutes, il est en perpétuel processus d'auto-institution ; les hommes et les femmes refont la société qui les avait faits [1].

Reprenons autrement. Au Québec les réseaux d'échange et de sociabilité ont été traditionnellement familiaux. Or la famille change : les divorces et les séparations (suivis ou non de remariage), la monoparentalité, la dénatalité. Les relations hommes-femmes, les rapports à l'enfance et à la vieillesse changent, ne serait-ce que structurellement. Quelles en sont les répercussions sur la vie familiale en général et sur la sociabilité en particulier ? Le désir de se pencher sur la famille pour y cerner des comportements se doublait donc de l'urgence d'étudier les comportements traditionnels avant qu'ils ne disparaissent. En effet la sociabilité actuelle — en grande partie familiale — repose encore sur la fécondité des grand-mères. Les nouvelles générations « frappées par la dénatalité », ne pourront reproduire le modèle de leurs parents, faute de frères et de soeurs en « assez grand » nombre. Est-ce la solitude qui attend les jeunes générations ou l'établissement de nouvelles formes de sociabilité ?

Une commission de consultation familiale, qui devrait être suivie d'un énoncé de politique familiale a succédé au Livre vert sur la famille de 1984. Le nombre imposant de groupes (plus de 1000) ayant participé à cette consultation révèle que l'exercice de réflexion sur la famille se fait collectif.

Dans les années 70 on avait proclamé la mort de la famille ... théoriquement ; dans les années 80, on parle de repli sur la famille, de conservatisme, en même temps que de mort démographique d'une certaine famille — qu'en est-il au juste ?

Avant de brosser le portrait de la famille actuelle ou plutôt des familles actuelles, on va remonter un peu dans le temps, pour dégager la figure de la famille d'autrefois, puis observer son évolution depuis la Seconde Guerre mondiale et surtout depuis la Révolution tranquille afin de connaître les changements qui sont survenus et la raison de ces changements.

Parler de réseaux familiaux, c'est aussi parler de l'espace dans lequel ils se situent et qu'ils balisent autant que celui-ci les balise. La sociabilité ne peut s'étudier qu'*in situ* : le contexte urbain, géographique, communicationnel a une grande influence sur le fonctionnement des réseaux, sur leur structuration et leur restructuration constante. L'analyse, centrée sur la famille et la parenté débordera donc souvent sur le milieu social plus général, sur le quartier, la ville, insérant ainsi non seulement les réseaux dans la ville, mais les relations sociales et interpersonnelles à l'intérieur de rapports sociaux globaux.

Pour mener à bien cette entreprise, il a fallu retourner aux sources de la sociologie québécoise, réinterroger les pionniers, puis « aller voir parmi le monde » ce qui se passait dans les familles d'aujourd'hui.

C'est moi-même qui ai coordonné l'ensemble de la démarche et rédigé le manuscrit, à l'exception de trois sections écrites par Denys Delâge. Mes remerciements vont, bien entendu, à toute l'équipe sans laquelle la réalisation des entrevues — et en grande partie leur analyse — aurait été impossible : Nicole Bilodeau, Louise Brunet, Lynda Fortin, Luc Lafontaine, Madeleine Morin, Carolle Plamondon. C'est en juin 1983 que commençait cette exploration alors que Denys Delâge, Jean-Didier Dufour et moi plongions dans un préterrain, mettions en forme un questionnement théorique et une grille d'entrevue. À l'été 1984, alors que la mononucléose me clouait au lit, Jean-Didier Dufour a supervisé le travail de terrain. Par la suite, Lynda Fortin, Louise Brunet, Denys Delâge, Jean-Didier Dufour et moi avons participé à l'analyse préliminaire. Madeleine Morin a vu à l'élaboration des cartes du chapitre 4 ; celles-ci ont été réalisées par madame Louise Marcotte du Laboratoire de cartographie de l'Université Laval.

Entre-temps, comme nous nous interrogions sur la nouveauté de certaines pratiques, madame Nicole Gagnon nous a offert ses entrevues réalisées en 1962-1963. La démarche s'est faite historique ; grâce à ce point de comparaison dans le passé, il était possible d'évaluer le changement.

D'autres remerciements vont à Simon Langlois et Michel de Sève pour nous avoir encouragés, Denys et moi à nous lancer dans cette folle aventure ; à Yves Hurtubise et Jean-François Pouliot pour les échanges sur les coopératives ; à Nicole Gagnon pour sa générosité, au Conseil québécois de la recherche sociale (CQRS) et au Conseil de recherche en sciences humaines (CRSH), pour leur générosité ... d'un tout autre ordre (financier on l'aura deviné), à Diane Brassard, Ginette Carrier et Diane Morency qui ont dactylographié le tout, à Colette Carisse et Francine Saillant pour leur complicité et à Éric Gagnon, mon interlocuteur le plus patient et mon lecteur le plus sévère.

Andrée Fortin
Juin 1987

Note

[1] Ici je me rattache à ce courant de sociologie critique exposé par Marcel Rioux dans son *Essai de sociologie critique*, Montréal, Hurtubise, HMH, 1977, et développé en particulier par Cornélius Castoriadis dans *L'institution imaginaire de la société*, Paris, Seuil, 1975 et dans la lignée des recherches menées collectivement par Jean-Pierre Dupuis, Andrée Fortin, Gabriel Gagnon, Robert Laplante, Marcel Rioux dans *Les Pratiques émancipatoires en milieu populaire*, Québec, Institut québécois de recherche sur la culture, 1982.

1

La famille rurale d'autrefois

Quand on évoque la famille québécoise d'autrefois, qualifiée souvent de traditionnelle, ce qui ne la rend pas « traditionaliste » pour autant, c'est à la famille rurale qu'on pense immédiatement. Il n'y a qu'un demi-siècle, après tout, que le Québec est majoritairement urbain. Après la Seconde Guerre mondiale, alors que plus de la moitié de la population vivait en ville, l'idéologie agriculturiste continuait de proclamer que les Québécois ont pour vocation collective l'agriculture, activité familiale s'il en est une. Tenir une ferme, un homme seul n'y songerait pas et un couple sans enfant n'y suffirait pas ; une ferme, c'est une entreprise familiale [1]. Bien. Mais tout le Québec rural était-il agricole ? Ne comprenait-il pas aussi des pêcheurs, des travailleurs forestiers ?

Si on veut se faire une idée de ce qu'était cette vie familiale d'autrefois, nous devons recourir aux observations de sociologues, d'anthropologues, et parfois de romanciers ; ces observations et ces témoignages sont beaucoup plus rares, hélas ! que les discours exaltant la vie familiale, les vertus domestiques et le monde agricole. L'idéologie conservatrice du 19e et du début du 20e siècle [2], véhiculée principalement par le clergé, brosse un tableau idyllique de la vie campagnarde. Des romans, quoique parsemés d'observations ou de pointes de réalisme, se font l'écho de ce discours religieux ; par exemple *Jean Rivard, le défricheur* (1874), de Antoine Gérin-Lajoie, *La terre paternelle* (1846), de Patrice Lacombe, ou même *Trente arpents* (1938) de Ringuet [3]. Dans ces romans, la ville est immanquablement décrite comme un lieu de perdition alors qu'à la campagne, la vie est rude, mais elle est saine pour ne pas dire sainte. Parions que tout n'y est pas si rose, comme laisse entrevoir *La Scouine* (1918) d'Albert Laberge, seul « roman noir » du terroir, fausse note vite oubliée et qu'on ne ressortira que dans les années 60. Parions encore que tous les cultivateurs n'ont pas été aussi prospères et heureux que *Jean Rivard* et que ceux qui ont choisi l'exil aux États-Unis, à Montréal ou à Québec ont connu des conditions de vie plus difficiles.

En effet, si le Québec reste majoritairement rural jusqu'au début du siècle, (au recensement de 1931, le Québec est désormais urbain) il ne faut pas oublier que, selon des estimations, au moins 500 000 personnes l'ont quitté pour les États-Unis entre 1861 et 1901 [4]. Si à ce demi-million de Québécois on additionne ceux qui ont choisi Québec, Montréal, Drummondville, Louiseville ou une autre ville industrielle, force est de conclure que la campagne ne retient plus ses fils et ses filles.

Il ne faudrait donc pas idéaliser ce passé rural ou lui prêter une trop grande homogénéité. À côté des villages anciens et relativement prospères de la vallée du Saint-Laurent, il y a ceux qui ont été fondés dans une deuxième vague de la colonisation (comme le fameux « Rivardville » fondé par Jean Rivard) et même dans une troisième qui s'est faite dans le sillage et à la remorque des compagnies forestières. Les dernières colonies ont souvent été fondées dans des régions moins fertiles et n'ont jamais connu la prospérité et la sérénité promise aux émules de Jean Rivard [5]. La complémentarité entre le travail forestier et le travail agricole se muait souvent en une dépendance du travail agricole par rapport au travail forestier.

> Le mode préindustriel d'exploitation de la forêt n'offrant pas aux immigrants une base suffisante à leur établissement en permanence, ceux-ci ne pouvaient que se tourner vers la seule activité possible dans les circonstances : l'agriculture de subsistance [...]. Si le travail de la forêt obligeait au travail de la terre, l'agriculture d'auto-suffisance imposait de se tourner vers la forêt, source unique d'un indispensable revenu d'appoint, sans lequel la vie même sur les terres fût rendue impossible (Séguin, 1977, p. 49-50).

Il ne faut pas oublier non plus que le monde rural, c'est aussi celui des insulaires et des riverains du Saint-Laurent qui devenaient autant pêcheurs et marins sinon plus qu'agriculteurs.

Cette diversité du monde rural est trop souvent oubliée, aussi bien par le discours « officiel » agriculturiste que par les observateurs plus anciens, s'attachant à la description de la partie du monde rural la plus près du modèle idéal, comme l'étude de Léon Gérin le fils de Antoine Gérin-Lajoie (1898) sur l'habitant de Saint-Justin, village prospère de la vallée du Saint-Laurent. De plus, on a souvent l'image d'une pérennité du monde agricole, et même d'un certain immobilisme. « Au pays de Québec rien n'a changé. Rien ne changera » disaient les voix de Maria Chapdelaine...déjà à la lecture de ce roman, Menaud le maître-draveur bondit ! [7] Quand on y pense bien en effet, ce monde rural a toujours été en pleine transformation. Au moment de la conquête, le Canada, comptoir commercial et poste militaire, n'a pas encore trouvé sa vocation agricole. En 1840, moins de 100 ans plus tard commence l'exode rural vers les « États » et vers les villes en général. En 1931, un autre siècle ne s'est pas encore écoulé et le Québec est urbain.

Parler de *la* famille rurale d'autrefois alors que le milieu rural n'a jamais été homogène ou stable (à cause des mouvements de population, de l'industrialisation, de la pénétration de la radio puis de la télévision), est une entreprise délicate. Pour la mener à bien, on s'appuiera sur les travaux de Gérin sur Saint-Justin et Charlevoix (1898, 1932), de Miner sur Saint-Denis de Kamouraska (1939), de Rioux sur l'Île Verte et Belle-Anse, en Gaspésie (1954 et 1961), de Garigue sur Saint-Justin (1970), de Fortin sur Sainte-Julienne (1971), de Lemieux sur l'Île d'Orléans (1971) et de Verdon sur le Lac-Saint-Jean (1973). On me pardonnera, j'espère, quelques longues citations, mais il faut dépoussiérer l'image de notre passé, trop souvent basée sur les discours idéologiques et normatifs. Je laisserai ici la parole à des observateurs de la vie familiale et non pas à ses définisseurs théoriques que se veulent le clergé ou la bourgeoisie.

On peut retenir quatre caractéristiques de la vie de la famille rurale d'autrefois.

1. D'abord la famille rurale d'autrefois est une unité de production. L'exploitation agricole, comme on le mentionnait ci-dessus, est une entreprise familiale. La participation de chacun et chacune est indispensable : hommes et femmes, adultes et enfants, tous sont mis à contribution, même les aïeuls qui s'occupent de façon privilégiée de leurs petits-enfants (voir Rioux, 1954, 1961). Par ailleurs, on observe une assez stricte spécialisation des tâches féminines et masculines. Tout ce qui concerne « l'intérieur » : la nourriture, les vêtements (y compris le filage...), l'éducation des enfants, etc. relève plus spécifiquement des femmes, et les travaux « extérieurs » : agriculture, pêche ou défrichage, des hommes. Il ne faudrait pas prêter à cette polarisation intérieur/extérieur une trop grande portée. Les femmes s'occupent souvent du jardin, des petits animaux (poulailler) ; les

hommes en plus de construire les maisons fabriquent des meubles, des instruments divers et font des « radous » (petits travaux).

Cette division sexuelle des tâches et des responsabilités est pondérée dans bien des cas, par le fait que l'homme est partagé entre des activités forestières et agricoles, ou maritimes et agricoles. La femme se retrouve donc périodiquement avec l'entière responsabilité de l'exploitation familiale.

2. Si l'Église et l'État subordonnent les femmes à leurs époux, il n'en reste pas moins que celles-ci, pour reprendre la jolie expression de Léon Gérin sont souvent très « entendues », aux deux sens du mot : ce sont des personnes de « bon entendement »... et quand elles ont quelque chose à dire, leur opinion est bien entendue par les gens concernés.

> [...] la mère, femme très entendue, l'esprit dirigeant de la maisonnée à ce qu'il me paraissait bien, comme du reste on l'observe fréquemment chez l'habitant. (Gérin, 1898 ; repris dans Rioux et Martin, 1971, p. 56)

Une heureuse exception ? « Énergique et entendue », l'épouse de l'habitant de Saint-Justin l'est également.

> Toutefois, cette autorité des pères de familles ne paraît pas aussi entière, ou du moins ne se manifeste pas par des signes aussi sensibles que dans les provinces de France d'où sont venus les ancêtres. Au Canada, elle est limitée, nous allons le voir, par l'ascendant acquis à la mère, l'indépendance des enfants, et je dirais aussi, par le prestige plus grand du curé. (*Ibid.*)
>
> **La mère**
>
> Mme Casaubon est une femme énergique et entendue. Elle paraît occuper dans la famille une position à peu près égale à celle du père. Les soins du ménage et la gouverne intérieure du foyer lui sont spécialement confiés. Plus instruite que son mari, elle est chargée de la lecture et de la correspondance ; elle préside aux exercices de piété et récite à haute voix les prières dites en commun.

M. Baudrillard (Populations agricoles de la France, Vendée, p. 184) nous montre le paysan vendéen attablé et mangeant pendant que sa « créature » se tient humblement debout à ses côtés pour le servir. Telle n'est pas la position de la femme d'habitant à St-Justin. Elle est bien encore désignée familièrement « créature », mais ce terme n'a pas ici une signification avilissante. Elle peut bien parfois ne pas être à la table pendant que les hommes mangent ; mais c'est plutôt parce qu'il y a presse d'ouvrage, que la table est trop petite et le service trop limité. Elle ne se considère pas l'inférieure de son mari.

En vertu de son contrat de mariage, les biens qu'elle a apportés en dot, ou qui lui sont échus depuis le mariage lui restent propres. Elle coopère avec le mari à la confection du testament, et en cas de survivance lors de la dissolution de la communauté par la mort de son conjoint, elle entre en possession de la moitié des biens accumulés pendant le mariage par le travail des époux, et elle acquiert la jouissance viagère (ou durant viduité) de la part laissée par son mari. Fait significatif, son mari manque rarement de la consulter avant de conclure le moindre marché. [...]

Les enfants

— Je me rappelle avoir entendu dire à un religieux originaire de la province de Maine (France), que dans les bonnes familles de son pays, on ne permettait guère aux enfants d'élever la voix dans le cercle de la famille. Rien de tel ne s'observe ici. Des Français récemment arrivés au Canada m'ont exprimé leur surprise de l'absence de contrainte des enfants canadiens en présence de leurs parents. Cette liberté d'allure n'exclut pourtant pas chez ces enfants une réelle déférence pour leurs pères et mères. Un jour chez Casaubon [...] (Léon Gérin, 1932 ; repris en 1968 ; p. 86 et 87).

Gérald Fortin fait plusieurs années plus tard le même genre d'observations à Sainte-Julienne.

La famille québécoise rurale serait donc plus égalitaire que ne le laisserait croire l'idéologie religieuse ou la loi. Il semble que la complémentarité des rôles féminins et masculins crée un relatif équilibre dans le couple.

> En entrant dans le ménage, Louise s'empara du ministère de l'intérieur... [...] Le cultivateur canadien ne fait rien sans consulter sa femme ; c'est un des traits caractéristiques des moeurs de nos campagnes (A. Gérin-Lajoie, 1874 ; repris en 1977, p. 181 et 185).

Si on peut parler de patriarcat officiel — et les dispositions légales et religieuses ne laissent pas de doute là-dessus — on remarque en pratique une famille plus égalitaire, une place plus grande laissée à la femme que le discours officiel ne le laisserait croire. Ce ne serait pas la seule fois où il y aurait, comme le souligne Rioux « un fort décalage entre les modèles idéaux énoncés par l'Église et les comportements réels » (Rioux, 1961, p. 56).

3. Une troisième caractéristique de la famille rurale, relevée par tous les auteurs, est la cohabitation des générations. Si tous font la même observation, tous ne s'entendent pas cependant sur l'interprétation à donner à ce phénomène. La famille québécoise est-elle une « famille souche » comme on l'avait cru d'abord, une famille « communautaire » (au sens de Leplay [8]) ou quelque chose d'autre ? La famille souche est celle où le patrimoine familial se transmet, indivis, du père à un de ses fils et où le fils et son père continuent à cohabiter jusqu'à la mort de ce dernier ; les autres enfants quittent le foyer pour s'établir ailleurs ou prendre d'autres métiers. Miner décrit bien le mécanisme de transmission de la ferme à un fils ni trop jeune, ni trop vieux, ce qui permet au père de l'exploiter le plus longtemps possible. Transmettre la terre au fils aîné signifierait se retirer dans la force de l'âge, aussi le pousse-t-on, autant que possible, vers les études ; quant aux plus jeunes, on tentera de les établir sur une autre terre, ou de leur faire apprendre un métier.

La cohabitation semble la règle. Tous les enfants n'habitent pas avec leurs parents puisque c'est le cas seulement de celui qui reprend la ferme familiale mais les parents vivants habitent tous avec un de leurs enfants, surtout s'ils sont veufs ou malades.

> En 1886, j'ai compté à St-Justin :
> 138 familles de 1 ménage
> 78 familles de 2 ménages (sic)
> 8 familles de 3 ménages
> 2 familles de 4 ménages
> soit 188 cas groupés contre 138 cas isolés
> (Gérin, 1932 ; repris en 1968, p. 57).

Rioux compte à l'Île Verte en 1912, 19 familles nucléaires contre 20 cas de cohabitation et en 1940, 25 familles nucléaires contre 16 familles cohabitant ; il rapporte le cas à Belle-Anse de quelques jeunes filles refusant un époux à cause des beaux-parents éventuels avec lesquels elles devraient cohabiter.

Dans le modèle de la famille souche, cette généralisation de la cohabitation dans les campagnes va de soi : la famille est « ensouchée » à la terre qu'on se transmet de génération en génération, les enfants autres que l'héritier quittant souvent le village. Cependant, il ne faudrait pas sauter trop vite aux conclusions ; Léon Gérin raconte la mésaventure qui lui est arrivée dans sa recherche de la famille souche. Gauldrée-Boileau, au milieu du siècle dernier avait cru trouver à Saint-Irénée une famille souche des plus classiques ; quand Gérin retourne à Saint-Irénée quelque 60 ans plus tard, il apprend avec stupeur que la souche a été déracinée !

> Cinq ou six ans ne s'étaient pas écoulés depuis la visite de Gauldrée-Boileau et l'encre n'était pas encore sèche sur cet éloge dithyrambique de la famille souche québécoise, que le fameux « centre traditionnel » des Gauthier de St-Irénée était délaissé, la maison « débâtie » et les membres du groupe familial, dispersés, ou transplantés au loin. (Léon Gérin, 1932 ; repris en 1971, p. 60)
>
> Mais quelle est donc la catastrophe, m'écriai-je, quel est le revers de fortune qui a terrassé le fort d'entre les forts, qui l'a déraciné du sol natal, lui et les siens ? Mon interlocuteur me regardait d'un air surpris. Mais Monsieur, finit-il par dire, il n'y a pas eu de revers de fortune. Isidore n'était pas en mauvaises affaires ; son unique mobile en s'éloignant d'ici était l'espoir d'améliorer ses propres conditions d'existence et d'assurer l'établissement futur de ses enfants. Il s'est fixé dans la vallée du Saguenay, et je vous assure que ses descendants y ont grandement prospéré. (Idem, p. 49)

Dans cette expédition où il entraîna tous ses enfants, le père Isidore Gauthier allait rejoindre un de ses frères qui l'avait précédé de quelques années. Ce frère ne se comporte pas autrement que le héros du roman du père Gérin-Lajoie ; parti « ouvrir » une région, une fois lui-même établi et son avenir assuré, il y fait venir sa famille, ses frères en particulier, pour qu'ils s'y établissent à leur tour.

L'esprit de famille et la solidarité vont donc au-delà de la souche ; ce sont tous ses enfants, idéalement, que le père souhaite établir, et pas seulement l'héritier de la terre paternelle ; les frères ne sont pas ligués les uns contre les autres, jaloux de l'héritier ; au contraire ils s'entraident, se refilent des tuyaux ; ils préféreront même, dans l'espoir de jours meilleurs, sacrifier l'héritage et s'établir ensemble « en pays neuf ». Ce ne sont pas que les fils qui émigrent, mais des familles entières qui se transplantent d'une région à l'autre [9].

4. Enfin, on arrive indirectement à la quatrième des caractéristiques de la famille rurale pertinente dans le cadre de cette démarche : les réseaux, l'ouverture de la famille sur « le monde ». Tous les auteurs qui ont étudié la famille rurale, insistent sur son importance comme unité de base de la société canadienne-française :

> La parenté se trouve donc sous-jacente non seulement aux divisions partisanes et à la compétition politique, mais aussi au degré d'information, au degré de richesse et au degré de solidarité sociale dans chacune des localités (Lemieux, 1971, p. 120).

La famille comme unité de base, oui, mais comme monade, repliée sur elle-même, non. Elle s'ouvre d'abord sur la parenté, qui constitue la fréquentation privilégiée : le sang « oblige ». Miner cite l'exemple de cultivateurs qui vont recourir systématiquement à la main-d'oeuvre familiale, même s'il faut aller la chercher dans un autre village.

> Un autre qui avait besoin d'un maçon préféra également payer plus cher et obtenir les services d'un parent (Miner, 1985, p. 105).

Des frères se donnent un coup de main ; s'ils habitent la même localité, ils peuvent partager de l'équipement agricole (voir Lemieux, 1971). La parenté n'est toutefois pas qu'un lieu d'entraide, elle est aussi celui du contrôle social :

> [...] Ce paroissien qui se plaint des excès de boisson alcoolique lors des danses parce qu'on y invite des gens trop « éloignés ». « L'éloignement » dans ce cas ne réfère pas à la distance spaciale, mais à la distance parentale. Des jeunes gens trop « éloignés » [dans les relations de parenté] ne sont pas soumis au contrôle de la famille (Miner, 1985, p. 108).

La parenté est une première « ouverture » sur le monde social en général, et comme ce social, elle est ambivalente : le contrôle social est l'envers d'une solidarité familiale, et d'une mobilité géographique qui se fait toujours des filières familiales, aussi bien en ce qui concerne les migrations d'une région à l'autre que celle vers les « États ».

La famille s'ouvre aussi sur le voisinage. Dans un village comme Saint-Justin, les voisins de rang sont « près » à plusieurs titres : on les invite aux noces « intimes » ; Gérin, à qui on doit cette observation, affirme cependant que cette intimité des voisins de rang n'est pas généralisable à l'ensemble des villages qu'il a étudiés. Il n'empêche que le voisin demeure un personnage d'autant plus important qu'on est loin du centre du village : en cas de problème, c'est obligatoirement sur lui qu'on doit compter, on a intérêt à cultiver son amitié. Le voisinage est une relation privilégiée, au sens géographique à tout le moins. Comme la parenté, le voisinage est un espace de contrôle social aussi bien que d'entraide. Rioux nous décrit comment à Belle-Anse les villageois s'observent par leurs fenêtres et parlent les uns des autres quand ils se rencontrent. Ce contrôle social, il est important de le remarquer, n'explique pas nécessairement une acceptation inconditionnelle selon les normes de l'Église catholique. Rioux se plaît à multiplier les exemples de divergence entre les normes et les pratiques ; pour lui, solidarité et sociabilité l'emportent toujours sur les normes.

> Une femme adultère qui a quitté son mari et ses enfants revient avec son nouveau conjoint dans la communauté dont elle s'ennuie. Le curé qui l'a mise au ban défend qu'on lui loue une maison. On passe outre à cet ordre et on l'accueille et lui loue une maison comme si de rien n'était. Commentaire : Comme dans le cas de l'attitude envers les enfants illégitimes, la sociabilité l'emporte sur les normes (Rioux, 1961, p. 58-59).

Notons au passage que parenté et voisinage se recoupent souvent. Rioux fait remarquer qu'à l'Île Verte, tout le monde est plus ou moins parent ; les calculs de Vincent Lemieux sur l'endogamie insulaire à l'Île d'Orléans sont éloquents. Mais il n'y a pas que dans « les isolats », les îles ou les régions éloignées que la parenté envahit le voisinage. La pratique de la migration pan-familiale, évoquée plus haut, fait qu'une région nouvelle peut compter plusieurs membres d'une même parenté. Enfin, même dans des villages ni trop nouveaux, ni trop isolés, comme Saint-Denis-de-Kamouraska, Miner remarque des groupes de « parents » qui se fréquentent assidûment.

Le voisinage, au sens « large » de gens d'un même village ou de villages voisins a aussi une grande importance « en ville ». En effet, quand s'effectue une migration assez importante dans une ville (ou dans une région, comme dans l'Abitibi dans les années 30), on s'y retrouve par village ou région, on envahit un fragment d'espace urbain (une rue, un ou des pâtés de maisons) ; on y conserve l'accent, les traditions, on entretient des échanges systématiques de personnes et de nouvelles avec la région d'origine, on y effectue le contrôle social allant de pair avec cette solidarité. À Montréal, on retrouve des rues de Gaspésiens ou de Madelinots. Des « éclaireurs » arrivent en ville, « guettent » logements et emplois pour leur parenté ou les gens de leur région ; si l'emploi est disponible avant le logement, on les héberge, on les accueille, on leur loue une chambre. On recrée, très exactement, et en un sens différent de celui dont on parlera plus loin, « un village en ville ».

> [...] les groupes plus ou moins régionaux qui se forment à l'intérieur d'une grande ville [...] présentent plusieurs des caractéristiques des petites communautés dont l'anthropologie fait son objet d'étude. Si l'on en juge par les individus qui reviennent à Belle-Anse, on peut supposer que la communauté urbaine dont ils font partie est très stable et qu'elle n'entame pas leurs attitudes et leurs systèmes de croyance (Rioux, 1961, p. 31).

Quant aux amis, on en entend peu parler dans les études sur la famille rurale, sauf par Verdon qui remarque que :

> Le terme « oncle » s'étend à des hommes sans aucun lien ni consanguin ni affinal mais qui sont de grands amis du père, et du père uniquement. Ces amis sont d'anciens membres du groupe de pairs et ils étaient désignés au chapitre du mariage, au rang des « relations paritaires ». De la même façon « tante » s'applique aussi à la femme de cet ami (Verdon, 1973, p. 154).

Si on entend aussi peu parler des amis, c'est que dans le monde rural, ils sont choisis soit dans le voisinage, ou parmi la parenté. Dans le bassin familial étendu, créé par la revanche des berceaux, on fréquente de façon privilégiée certains des frères et soeurs, certains des oncles et tantes, pour des raisons d'affinités, comme le souligne Garigue. Si on ne choisit pas sa famille, quand elle est nombreuse, on peut choisir qui, dans sa famille, on fréquentera davantage.

Voilà donc qui complète ce portrait, très schématique, de la famille rurale « d'autrefois » qui nous fournira des points de comparaison importants pour comprendre la famille urbaine. En terminant, il faut remarquer que les auteurs cités insistent tous longuement sur la même caractéristique : la famille comme unité de production.

Notes

[1] Encore aujourd'hui, sans une main-d'oeuvre familiale « bon marché », il demeure très difficile de gérer une exploitation agricole de petite ou moyenne taille ; s'il fallait rémunérer tout-un-chacun, ne serait-ce qu'au salaire minimum, ce serait rapidement la banqueroute. Voir Bruno Jean, *Agriculture et développement dans l'est du Québec*, Québec, Presses de l'Université du Québec, 1985.

[2] Marcel Rioux, « Sur l'évolution des idéologies au Québec » dans *Revue de l'Institut de Sociologie*, n° 1, 1968, p. 95-124.

[3] Antoine Gérin-Lajoie, *Jean Rivard, le Défricheur, suivi de Jean Rivard, économiste*, Montréal, Cahiers du Québec, Hurtubise HMH, 1977 ; Patrice Lacombe, *La terre paternelle*, Montréal, Cahiers du Québec, Hurtubise HMH, 1972 ; Ringuet, *Trente Arpents*, Montréal, Fides, 1938 ; Albert Laberge, *La Scouine*, Imprimerie modèle, 1918 ; repris aux Éditions de l'Actuelle, Montréal, 1972.

[4] Jean Hamelin, éd., *Histoire du Québec*, Montréal, Éditions France-Amérique, 1977.

[5] Dans Gérald Fortin, *La fin d'un règne*, Montréal, Hurtubise HMH, 1971, p. 61, on trouve une carte intitulée « classification socio-économique des municipalités agricoles du Québec ». Bien que dressée à l'époque de la Révolution tranquille, cette carte met bien en évidence la diversité du monde agricole et du monde rural en général.

[6] Voir Normand Séguin, *La Conquête du sol au 19e siècle*, Montréal, Boréal Express, 1977, et Gérald Fortin, *op. cit.*

[7] Voir Louis Hémon, *Maria Chapdeleine*, Montréal, Boréal, 1980, p. 198 (1re édition, 1914) et Félix-Antoine Savard, *Menaud Maître-Draveur*, Montréal, Fides, 1982, p. 20-21 (1re édition, 1937).

[8] Le premier théoricien de la famille, Frédéric Leplay, avait dès 1870 introduit une typologie des familles. Au début des années 80, deux essais de Emmanuel Todd remettent cette typologie à l'ordre du jour : *La troisième planète*, Paris, Seuil, 1983 et *L'enfance du monde, structures familiales et développement*, Paris, Seuil, 1984 ; pour une critique de ce modèle et une réflexion sur son adéquation à famille québécoise, on lira avec plaisir Michel Verdon « Autour de la famille-souche, Essai d'anthropologie conjecturale » dans *Anthropologie et Sociétés*, vol. 11, n° 6, 1987, p. 137-160.

[9] Voir Gérard Bouchard, « La dynamique communautaire et l'évolution des sociétés rurales québécoises au 19e et 20e siècles : construction d'un modèle » dans *Revue d'histoire de l'Amérique française*, vol. 40, n° 1, 1986, p. 51-71.

Bibliographie

BOUCHARD, Gérard, « Les systèmes de transmission des avoirs familiaux et le cycle de la société rurale au Québec du XVIIe au XXe siècle » dans *Histoire Sociale - Social History*, vol. XVI, n° 31, mai 1983, p. 35-60.

FORTIN, Gérald, *La fin d'un règne*, Montréal, Hurtubise HMH, 1971.

GARIGUE, Philippe, *La vie familiale des Canadiens francais*, Montréal, Presses de l'Université de Montréal, Mtl, 1970.

GAULDRÉE-BOILEAU, Charles-Henri-Philippe, « Paysan de Saint-Irénée » dans *Les ouvriers des deux mondes*, Tome V, première partie, 1985, p. 51-108; repris dans SAVARD Pierre, « Paysans et ouvriers québécois d'autrefois », *Les cahiers de l'Institut d'histoire*, n° 11, Presses de l'Université Laval, 1968, p. 19-76.

GÉRIN, Léon, « L'habitant de St-Justin » dans *Mémoires de la société royale du Canada*, 2e série, tome IV, 1898, p. 139-216; repris dans FALARDEAU, J.C., ed., *Léon Gérin et l'habitant de St-Justin*, Montréal, Presses de l'Université de Montréal, 1968, p. 51-128.

LEMIEUX, Vincent, *Parenté et politique, l'organisation sociale dans l'Île d'Orléans*, Québec, Presses de l'Université Laval, 1971.

MINER, Horace, *St-Denis, un village québécois*, Montréal, Hurtubise HMH, 1985.

RIOUX, Marcel, *Description de la culture de l'Île Verte*, Ottawa, Musée National du Canada, Bulletin n° 133, 1954.

RIOUX, Marcel, *Belle-Anse*, Musée National du Canada, Ottawa, Bulletin n° 138, 1961.

RIOUX, Marcel et Yves MARTIN éd., *La société canadienne-française*, Montréal, Hurtubise HMH, 1971.

VERDON, Michel, *Anthropologie de la colonisation au Québec*, Montréal, Presses de l'Université de Montréal, 1973.

VERDON, Michel, « Autour de la famille souche. Essai d'anthropologie conjecturale » dans *Anthropologie et Sociétés*, vol. 11, n° 1, 1987, p. 137-160.

2

La famille urbaine d'autrefois

Sur la famille urbaine canadienne-française d'autrefois, les témoignages sont encore plus rares que sur la famille rurale. Pourtant elle existe cette famille urbaine, bien avant le début du siècle, moment où elle devient visible pour les penseurs sociaux. À cause de son mode de peuplement, la Nouvelle France fut urbaine et commerçante avant de devenir rurale et agricole. Ce ne sera qu'en 1760 que les Canadiens se feront massivement cultivateurs.

UN PIONNIER OUBLIÉ

Au tout début du siècle, l'abbé Stanislas Lortie, professeur de philosophie et de théologie à l'Université Laval, préoccupé par les questions sociales et politiques, publie une monographie intitulée « Compositeur typographe de Québec, Canada (Amérique du Nord), salarié à la semaine dans le système des engagements volontaires permanents d'après les renseignements recueillis sur les lieux en 1903 » [1]. Comme cet article est fort peu connu et que, selon toute vraisemblance, il s'agit du premier compte rendu d'une observation d'une famille urbaine canadienne-française, on en reproduira ici quelques extraits.

Philéas vit dans le quartier Saint-Jean-Baptiste de Québec en compagnie de son épouse et de ses deux fils d'une vingtaine d'années. Ses deux filles, plus âgées, sont mariées et mères de famille. « Le père de Philéas avait neuf enfants, six garçons et trois filles ; six sont encore vivants : quatre garçons et deux filles. Il était mécanicien, ce métier de tradition dans la famille, est exercé encore aujourd'hui par un des fils et deux de ses petits-fils (dont un des fils de Philéas) » (p. 97).

> Philéas, le troisième des garçons, est né à Saint-Roch de Québec le 10 août 1848. Il reçut sa première éducation dans sa famille, puis il fréquenta l'école d'un instituteur de grande réputation. Après sa première communion, il entra à l'école des Frères des écoles chrétiennes, où il continuera ses études jusqu'à l'âge de quatorze ans.

Alors, il commença son apprentissage comme typographe dans les ateliers d'imprimerie du *Journal de Québec*. Il y passa cinq années, après lesquelles, devenu compagnon, il se rendait, au mois de mai 1867, dans la ville de Rimouski. Il revint à Québec, puis travailla à Lévis... puis il entra en 1878 aux ateliers du journal l'*Événement*, où il travaille encore au moment où Lortie le rencontre.

> En 1884, le père de Philéas mourut. Sa veuve continua à tenir maison avec un garçon et ses deux filles qui étaient institutrices. En 1888, celles-ci, fatiguées de l'enseignement, allèrent avec leur mère demeurer chez Philéas qui leur donna le logement et la nourriture pendant dix-huit mois, sans exiger aucune rétribution. Après ce repos, les deux filles reprirent leur classe et se mirent en pension ; mais, la mère resta chez son fils jusqu'à sa mort arrivée le 18 février 1901.
>
> Le mariage de Mathilda et d'Anna, filles de Philéas, ne les a pas beaucoup éloignées de la maison paternelle ; elles demeurent toutes deux dans la paroisse Saint-Jean-Baptiste, Anna à un petit quart d'heure, Mathilda à quelques pas du logis des parents.
>
> Les deux garçons s'occupent de faire des épargnes qui puissent leur permettre de prendre femme et de s'établir d'une manière convenable [...] (p. 98).
>
> En effet, il arrive assez rarement, dans les familles ouvrières, que le père puisse économiser lorsque retombe sur lui seul tout le fardeau de la dépense familiale, et ce n'est que grâce aux gains des enfants que les parents peuvent un peu plus tard se constituer une réserve pour leur vieillesse. [...] D'ailleurs, si les parents devenus vieux n'ont pas de revenus suffisants pour subsister par eux-mêmes, les enfants les reçoivent volontiers en leur foyer (p. 99).
>
> La famille n'a guère pu réaliser d'économies aussi longtemps que les enfants n'ont pas été en état de travailler, et

> même, dans les années qui ont suivi, les salaires réunis ne pouvaient que suffire à solder les dépenses du ménage [...].
>
> Dès que les recettes ont été assurées suffisantes aux soins du ménage et que les enfants ont pu pourvoir eux-mêmes à leurs besoins, leur père leur a fait, moyennant une pension, abandon de leur gain propre (p. 87).

Philéas, ouvrier typographe, n'appartient pas, en effet, à l'élite ouvrière. Son salaire, tel que précisé dans le « tableau indiquant le salaire moyen des ouvriers à Québec » (p. 126-129), le situe non pas parmi les plus pauvres des ouvriers, mais néanmoins un peu en deçà de la moyenne. En 1903, Québec est la troisième plus grande ville du Canada ; l'agitation ouvrière commence à s'y faire sentir. Cependant, note Lortie :

> Les ouvriers à Québec, occupent une position réellement enviable. Un très grand nombre d'entre eux sont propriétaires ; ainsi, dans le quartier Saint-Sauveur sur 1 800 propriétaires, à peu près 1 600 sont des ouvriers (p. 83).

* * *

Si on tente de réunir ces observations, on remarque que la famille de Philéas est encore une unité de production : les salaires des enfants et des parents sont mis en commun pour subvenir aux besoins qui sont ceux d'une famille élargie, puisqu'on héberge la vieille mère de Philéas. La famille choisie par Lortie, de souche urbaine (Philéas est né à Saint-Roch, en plein centre de Québec) pratique donc la cohabitation des générations, ou plutôt l'accueil par la famille de célibataires et/ou veufs apparentés, phénomène caractéristique de la vie rurale. « Les parents se sont mariés en 1872 ; la femme habitait alors avec sa famille chez son oncle, curé de la paroisse des Écureuils... » (p. 83). On remarque aussi que Philéas accueille, pendant un an et demi, ses deux soeurs institutrices, victimes de *burn-out*, sans leur demander un sou... Les solidarités familiales servent de « sécurité sociale ».

Le père de Philéas pratiquait le même métier qu'un de ses fils et que deux de ses petits-fils. On serait tenté de parler ici de reproduction sociale. Cependant, Lortie nous met en garde.

> Il n'y a pas ici ce que l'on appelle en France des différences de classe. Nous sommes tous fils de la plèbe, et les hommes qui occupent aujourd'hui les hautes positions dans le clergé, la magistrature, la politique, l'administration et le commerce,

> sont tous sortis des entrailles du peuple [...] On peut voir dans une réunion de famille cette égalité et cette fraternité qui existent entre toutes les classes. Dans la même famille, en effet, on trouve des prêtres, des juges, des députés, des cultivateurs, des ouvriers de tout métier (p. 118).

Ces remarques vont dans le même sens que celles de Hughes dans *La rencontre de deux mondes*, qui observe une relative mobilité sociale au Québec ; ainsi le vicaire est le fils d'un cultivateur du village voisin et en général, le clergé est issu du monde rural. Certaines familles se serrent la ceinture pour faire étudier un de leurs fils, parfois c'est le curé qui paie. Malheureusement, le système a ses ratés et l'appel de la vocation ne se fait pas toujours entendre ; le jeune homme se dirige alors vers une autre profession. Cette filière de mobilité, même si on ne doit pas exagérer son importance, donnait néanmoins, à chaque génération, la possibilité à des fils d'ouvriers ou de cultivateurs de quitter leur milieu.

La mobilité que Lortie et Hughes repèrent au Canada français n'est pas qu'occupationnelle, elle est aussi géographique : « Le Canadien français aime son pays, sa maison, sa famille, cependant cet amour s'allie très facilement avec le goût des voyages et l'immigration ne l'effraie nullement. Il y a autant de Canadiens français aux États-Unis qu'au Canada ».

Si Philéas n'a pas été jusqu'à s'expatrier, on peut remarquer que la quête d'emploi l'a forcé à se déplacer plusieurs fois, à déménager à Rimouski et à Lévis. Lortie ne nous dépeint pas un milieu fermé ; on voyage au Québec et ailleurs. En ce qui concerne les habitants de la ville de Québec, « chaque personne fait annuellement son pélerinage à Sainte-Anne-de-Beaupré » où se rencontrent des gens « de toutes les parties du Canada et des États-Unis » (p. 116).

Des réseaux de parenté élargie ou des relations avec le voisinage, Lortie ne dit à peu près rien, à part que les filles de Philéas habitent près de chez leurs parents et que : « Les réunions du soir constituent une des récréations les plus ordinaires de la famille. Voisins, parents ou amis, réunis, passent la soirée en des amusements divers. Les jeux de cartes sont très en honneur » (p. 95).

Voilà donc quelques traits de la famille ouvrière du début du siècle que nous retrouvons sous la plume de Stanislas Lortie. Cette famille est-elle vraiment typique ? Jusqu'à quel point ? Pour le savoir ainsi que pour compléter ce portrait, qui tout imbu du modèle du sociologue français Le Play, nous apprend beaucoup de choses sur les conditions de vie matérielle de la famille et peu sur la sociabilité, on devra examiner d'autres sources.

En fait, il faudra patienter jusqu'à la fin des années 40 pour que des sociologues de l'Université Laval s'intéressent à la famille urbaine ; cela donnera naissance à diverses monographies de paroisses, réalisées par les étudiants, ainsi qu'à un article de Falardeau et de Lamontagne (1947) sur le cycle de vie des Canadiens français, où ils constateront la survie, en ville, de traits caractéristiques de la vie rurale : famille nombreuse, cohabitation, etc. [2]

HISTOIRES DE FAMILLES

Ce n'est qu'à la fin des années 70 qu'on en saura plus sur la famille urbaine d'autrefois. Ce sont alors les historiens qui s'intéressent à l'économie familiale, au cadre de vie familiale, à la consanguinité, à la sociabilité en général. Les sources qu'ils scrutent à la recherche d'indices sur la vie de famille sont très diverses : recensement (Bradbury, 1983), registres paroissiaux (Ferretti, 1985) ou diocésains (Fournier, 1983), cahiers de prône (Ferretti, 1985), extraits de journaux d'époque (Bradbury, 1983). Peu à peu on lève le voile sur cette famille urbaine, celle des quartiers populaires de Montréal, principalement. Les travaux les plus intéressants en la matière, parce que basés à la fois sur des données numériques très précises et sur des histoires de vie nombreuses, sont ceux, déjà classiques, de Tamara Hareven (Hareven, 1982). Celle-ci ne s'est pas penchée sur la famille canadienne-française en tant que telle, mais sur les employés d'une usine de textile de la Nouvelle-Angleterre au tournant du siècle ; pour une large part, ces ouvriers sont des émigrants canadiens-français. Hareven, en plus des histoires de vie — dont plusieurs réalisées en français — qui permettent de retracer les migrations familiales, la composition des ménages et la dynamique de la parenté, dispose des registres du service du personnel de la compagnie à l'étude. On peut ainsi, entre autres choses tout aussi passionnantes, repérer des clans familiaux à l'intérieur de l'usine et même jusque dans des ateliers bien précis.

L'image des Canadiens français qui ressort de cette étude est celle de familles qui migrent selon les filières de la parenté, et qui maintiennent longtemps le lien avec la région d'origine et la famille demeurée au pays. Longtemps après le départ et l'installation aux « États », des personnes, des biens et des services continuent à circuler entre le pôle canadien et le pôle américain de la parenté. Dans la ville industrielle, la famille n'est pas atomisée mais renforcée. En l'absence à la fois de syndicat et de sécurité sociale, c'est la famille et la parenté, en se serrant les coudes, qui survit en tant qu'unité : les individus esseulés sont à la merci de la maladie, du chômage saisonnier, d'une naissance imprévue. Pour faire face aux situations difficiles, on aura tendance à revendiquer, à réactiver le moindre lien de parenté qui permettra l'entraide, donc la survie.

La famille demeure une unité de production, dont tous les membres sont mis à contribution : les salaires trop faibles des chefs de famille ne suffisent pas à faire vivre une famille nombreuse. Dans des pages remarquables, Hareven décrit les stratégies d'embauche familiale qui font l'affaire à la fois de la famille (qui place ses membres dans des ateliers où ils seront pris en charge, initiés, dépannés par des membres de la parenté) et de la compagnie (qui n'a plus à se préoccuper de la formation ni de l'apprentissage... et peut exercer un meilleur contrôle sur ses travailleurs via le groupe). On voit ici que la famille profite de l'industrialisation et que les entreprises profitent des familles ; celles-ci demeurent des lieux d'apprentissage et de socialisation au monde du travail.

En lisant Hareven, on découvre la souplesse de l'organisation familiale ; on a l'impression que la famille rurale canadienne-française s'est transplantée en Nouvelle-Angleterre, dans un contexte industriel, sans être bouleversée dans son fonctionnement ; mieux, que ce sont les solidarités familiales traditionnelles qui permettent cette adaptation, sans trop de douleur, au nouveau contexte. Ce portrait de la famille franco-américaine ressemble beaucoup à celui de la famille rurale ; il n'y a pas de contradiction entre le pôle québécois rural et le pôle américain et industriel, mais une continuité. Cependant, on ne pourrait pas généraliser d'emblée les conclusions de Hareven sur les Franco-américains dans une ville mono-industrielle, à l'ensemble des Canadiens français urbains, d'autant plus que l'industrie textile, plus que d'autres, semble avoir misé sur l'embauche familiale. Reste que, hors contexte, on pourrait croire que certaines phrases de Hareven sortent tout droit des ouvrages de Gérin ou de Miner. Dans un premier temps, les Canadiens français sont imperméables au *melting pot* américain : on va et on vient entre les deux côtés de la frontière, comme si de rien n'était. « Il n'est pas rare de rencontrer une personne ne parlant pas un mot d'anglais et d'allure complètement provinciale qui soit née en Nouvelle-Angleterre pendant un séjour de sa famille dans quelque ville industrielle » (Hughes, 1945, p. 82).

Que la famille rurale migrante ait traîné dans ses bagages son mode de vie familiale, on ne s'en surprendra pas. La question qu'on peut se demander, c'est combien de temps survivra cette famille à l'air de la ville ? Une fois que des enfants naissent en ville, y grandissent, qu'adviendra-t-il de la vie de famille ? Prendra-t-elle des allures plus urbaines ?

La réponse à toutes ces questions est loin d'être évidente. Par chance, dès 1960, Nicole Gagnon (Gagnon, 1963, 1964, 1968) et Gérald Fortin (Fortin, 1962) se les posent. La famille urbaine, voilà ce que voulait étudier Gagnon quand elle entreprit en 1962 une série d'entrevues ; elle cherche alors à rejoindre des « vraies » familles ouvrières et urbaines, c'est-à-dire les familles dont les deux conjoints ainsi que les parents de ces derniers, sont nés à Montréal. En pratique, elle aura du mal à trouver des couples où les six personnes concernées (deux parents et quatre grands-parents) sont toutes nées en ville ; parfois certains y auront été élevés ou y seront arrivés assez jeunes. Néanmoins, ce souci de « souche urbaine » lui permettra d'éliminer de son échantillon les migrants trop récents. Ces entrevues réalisées auprès de femmes de 17 à 71 ans (en 1962), permettent de remonter jusqu'au début du siècle pour quelques-unes et au moins jusqu'à la crise dans la majorité des cas. Ces femmes ont été rencontrées parce que leur mari (et dans quelques cas leur fils ou leur père avec qui elles habitent, d'où les écarts d'âge) travaille pour une des quatre compagnies faisant l'objet d'une étude plus vaste sur l'ouvrier canadien-français (Voir Fortin, 1962). Ces entrevues n'avaient été analysées que « quantitativement », dans le but de constituer une typologie des familles ouvrières. Vingt ans plus tard, leur transcription nous a généreusement été transmise par madame Gagnon pour que nous les analysions dans une perspective de réseau et de sociabilité.

UN IDÉAL TYPE DE LA FAMILLE OUVRIÈRE QUÉBÉCOISE D'AVANT LA RÉVOLUTION TRANQUILLE *

Tracer un portrait de la famille ouvrière de 1960, voilà qui est risqué car le monde ouvrier est loin d'être homogène et comme dit une

* La fin de ce chapitre est une version modifiée d'un article paru dans *Recherches Sociographiques* (Fortin, 1987).

des interlocutrices de Nicole Gagnon : « *Le milieu ouvrier, on y appartient, mais je pense que là-dedans, il y a des classes aussi* ».

On essaiera donc, avec toutes les nuances qui s'imposent, de tracer ce portrait ; puis, tenant compte des variantes et des variations, on se demandera qui s'écarte du modèle, qui change et comment s'effectue ce changement.

Un enracinement dans le quartier

Si on a pu affirmer dans le chapitre précédent que la famille rurale n'était pas vraiment une famille souche, que souvent même, elle n'hésitait pas à sacrifier l'héritage pour que tous les fils ou tous les frères puissent s'établir ensemble en nouvelle terre, paradoxalement, la famille urbaine semble moins mobile, et même très « ensouchée » à son quartier. « *On a toujours resté par ici* » revient dans la bouche de plusieurs ; non seulement a-t-on grandi dans le quartier, y est-on très attaché, mais on n'envisage pas de le quitter ; en 1962 et en 1963, dans l'effervescence « pré-Expo 67 », on s'inquiète beaucoup des démolitions.

En général, on est fier de son quartier et on se plaint de l'image véhiculée par les médias.

> *Tout le monde était assez enragé, ils ont montré tout ce qu'il y a de plus laid, les vieilles maisons, les guenilles sur la corde à linge ; tout le monde en a des guenilles, faut bien les laver comme le beau linge ; au lieu de montrer notre belle école, notre Centre de Loisirs, ils ont même montré un vieux club avec des femmes chaudes, et des nègres qui se battaient ; ce club-là il n'est même pas dans la paroisse Saint-Henri, ils ont voulu en installer un, tout le monde a protesté. Saint-Henri, c'est pas pire qu'ailleurs, des choses comme ça on peut en avoir dans n'importe quelle paroisse.*

Parfois, on est moins enthousiaste, mais l'idée est la même : « *Ici, c'est pas pire. Il se passe des affaires ici, des meurtres, des batailles, des viols, mais c'est plutôt de l'autre bord du pont* ».

Un tricot serré

En fait, ce n'est pas qu'au quartier en tant que tel qu'on est attaché, ni aux maisons ; c'est que le quartier est enserré dans les mailles des réseaux de parenté. Il n'est pas rare pour une femme d'avoir plusieurs membres de sa parenté, sinon dans le même immeuble du moins dans le pâté de maisons, ou au plus « loin », dans la paroisse. Cette proximité de la parenté fait le bonheur de plusieurs. — « *Vos enfants qui sont mariés, ils restent près d'ici ? — Oui, pas mal aux alentours, je les vois à tous les jours, il y a toujours une de mes filles qui vient faire un tour* ».

En fait, ce qui ressort le plus dans la vie des familles, c'est justement l'importance de la parenté en général et en particulier de la famille d'origine, c'est-à-dire les parents, frères et soeurs des conjoints. Les deux familles d'origine constituent l'essentiel des relations sociales : ce sont elles qu'on reçoit, qu'on visite, avec qui on joue aux quilles ou on va à la campagne. Le noyau de base de relations est entièrement familial. La famille d'origine loge souvent à proximité, elle est présente jusque dans le milieu de travail. Par ailleurs, on fréquente davantage la famille de la femme. « *Je vais chez ma mère, quasiment à toutes les après-midi, je fais ses commissions, elle ne peut plus beaucoup sortir. Je reviens pour préparer son souper [...]* ».

Pour les femmes au foyer, l'environnement familial prend une importance cruciale ; celles-ci ne sont pas clouées dans leurs cuisines, mais comme on (doit) quitte(r) ses amies de filles en se mariant, les fréquentations familiales deviennent d'autant plus importantes puisque ce sont souvent les seules. D'où l'importance pour la femme d'être « proche de son monde », de son univers de relations. Près de la moitié des femmes rencontrées par madame Gagnon habitent le quartier où elles ont grandi, quelques autres dans celui où leur mari a grandi. Les autres ne se répartissent pas « au hasard » ; parfois elles vivent dans le quartier adjacent à leur quartier d'origine (Saint-Henri — Verdun ; Centre-Sud — Le Plateau — Rosemont). Les « migrations » ne se font pas au hasard ; on ne s'installe pas dans un quartier où on n'a pas de famille ou qui n'est pas voisin de celui où on a de la famille. Même le passage à la banlieue se fait très souvent sous ce mode familial.

> *J'ai ma soeur juste à côté, et mon frère un peu plus loin, ma mère au bout de la rue, elle reste avec une de mes soeurs qui est veuve. Ça fait plus désennuyant. — Ah toute la famille est rendue ici, sur la Rive-Sud, qui est-ce qui a eu l'idée de démé-*

nager ? — Tout ensemble, c'est mon frère qui est venu le premier, mais ils avaient acheté le terrain ensemble.

La proximité de la famille est importante pour les femmes au foyer. S'éloigne-t-on de son monde, même pour un quartier plus chic, que la déprime guette.

— Il travaille loin d'ici, votre mari ? — Oui, dans le nord. Mais avec son auto, c'est pas compliqué. C'est pour ça qu'on a déménagé dans le nord (Parc Jarry) quand on est partis de chez ma mère. Mais je suis ennuyeuse. On était tout seuls, on connaissait personne, alors mon mari a dit : « si tu aimes pas ça, on va revenir ». Ah, j'ai un bon mari, je ne peux pas me plaindre. Ici les logements ne sont pas comme dans le nord, mais on est chez nous. [...] Ma mère reste juste en face.

Le travail domestique est d'autant plus vécu comme un enfermement qu'on est loin de « son monde ». La cuisine peut fort bien être « ouverte sur le monde »... mais sur un monde bien précis : le monde familial (plus celui des bonnes voisines), ce qui ne se remplace pas.

On remarque donc, dans les quartiers populaires, l'omniprésence de la parenté qui se confond avec le voisinage ; mais le voisinage en tant que tel importe aussi.

L'envers de la médaille

On a sa famille dans le quartier, mais on est pris avec celle des autres ! On ressent le poids du quartier :

J'aime pas la mentalité des gens, ça passe leur temps à placoter les uns des autres. C'est comme à la campagne, les gens restent loin mais les nouvelles voyagent vite, ici c'est pareil, mais les nouvelles c'est tout changé. — Vous connaissez pas mal tout le monde ici ? — Oui, tout le monde se connaît ; je voudrais bien que vous veniez ici l'été, tout le monde est sur son perron ou sur le balcon et puis ça se guette. — Les gens ici, ce sont des parents ? — Oui, ça se fréquente entre eux et ça parle des voisins.

Ce n'est pas « par hasard » que des familles se retrouvent dans le voisinage : « *[...] ici, les logements sont guettés, aussitôt qu'il y en a un de libre, c'est de la parenté qui s'installe* ». Et il n'y a pas que les logements qui sont guettés par les clans familiaux. En lisant ces entrevues plus de 20 ans après leur réalisation, on se trouve transporté dans l'univers de Michel Tremblay. Une fille-mère raconte :

> *L'été passé, j'étais sur le perron à discuter avec lui de ce qu'on ferait du petit ; il y avait une femme en haut qui nous guettait derrière sa jalousie. Je lui ai crié qu'elle la rouvre, elle comprendrait mieux.*

Du choix et de la contrariété

Si souvent on choisit d'habiter près de sa famille et on « guette » des logements pour elle, si on est attaché au quartier au point de ne pas songer à le quitter, on peut remarquer que d'une certaine façon on est coincé. Comme dirait Bourdieu[3], on choisit le nécessaire ! En effet, la sélection des quatre entreprises à partir desquelles fut construit l'échantillon ne fut pas totalement arbitraire ; dans deux cas, le salaire versé aux ouvriers les maintient près du seuil de la survie (ce qui pose de graves problèmes dans les cas où la maladie frappe la famille, à cette époque d'avant la « castonguette ») et près de l'entreprise ; ils résident tout près de leur lieu de travail. Deux autres compagnies offrent de « bons » salaires ; la porte est ainsi ouverte à la mobilité géographique et sociale : lorsque le revenu est assez élevé, on peut se permettre de choisir son lieu de résidence, de demeurer dans son quartier d'origine et/ou de travail, ou de s'installer en banlieue.

Ainsi dans le quartier Centre-Sud, plusieurs familles résident dans des logements appartenant à la compagnie pour laquelle l'homme travaille ; d'autres dans des logements laissés à la spéculation et voués à plus ou moins long terme, à cause des travaux reliés à l'Expo ou à la nouvelle maison de Radio-Canada, à la démolition. Dans le Centre-Sud, à Griffintown et à Saint-Henri, les conditions de vie sont souvent difficiles : pas toujours de salle de bain, ni d'eau chaude, des fournaises à l'huile, etc.

Le « choix du nécessaire » se manifeste de la façon suivante : on ne désire pas quitter le quartier où on a des attaches multiples, mais c'est là où le loyer est le moins cher et on épargne des frais de transport. Quand le revenu augmente, on a la tentation de s'en éloigner, mais pas n'importe comment : on suit des filières de migration qui consistent à aller dans le quartier adjacent, si on fait le saut en banlieue, on le fera en groupe. Il ne faut pas trop s'éloigner ou sinon s'éloigner en groupe, sans quoi la famille et en particulier la femme risque fort de s'ennuyer de son monde. C'est ainsi qu'une augmentation de revenu n'entraîne pas nécessairement la mobilité géographique ; parfois, on choisit vraiment de rester dans son quartier d'origine, pour des impératifs non pas monétaires mais de sociabilité.

Le rapport à l'espace n'est pas simple ; quitter le quartier où la parenté réside est quelque peu téméraire en l'absence de services sociaux de « maintien à domicile » ou d'assurance-maladie. La parenté, en effet, est le lieu de l'entraide, il est important qu'elle soit proche.

Proximité et cohabitation

La famille est importante, on vient de le dire, tout d'abord parce qu'elle est proche ; un petit calcul ici est fort révélateur : dans 48 cas sur 73, au moins un membre de la parenté reste *proche, par ici, pas loin*, ou *dans la paroisse*). Dans 16 de ces cas, on a affaire à un ménage complexe où cohabitent trois générations, ou plus rarement le frère ou la soeur d'un conjoint avec le couple ; le cas le plus fréquent étant la cohabitation mère-fille (qui comprend parfois celle parents-fille, le père n'étant pas mentionné explicitement ; à plusieurs reprises, on dit « *je vais chez ma mère* » pour « *je vais chez mes parents* » ; il n'est pas toujours clair si le père est vivant). Seize cas sur 73, voilà qui n'est pas marginal ; d'autant plus que 22 autres personnes ont mentionné, sans que la question ne leur ait été posée explicitement qu'ils ont déjà cohabité avec leurs parents (ou une soeur, dans un cas). La cohabitation a donc déjà été vécue à un moment ou l'autre par 38 familles, c'est-à-dire plus de la moitié de celles rencontrées. Gagnon, dans son article de 68, dit que la famille n'est qu'un « moment » dans le vie du couple urbanisé ; on pourrait faire le même type d'affirmation en ce qui concerne la cohabitation ; quoique transitoire, elle n'en est pas moins « normale » — au sens statistique du terme —, soit pour un jeune couple peu fortuné ou au moment où l'on doit prendre soin d'un vieux père ou d'une vieille mère. La cohabitation prend fin quand le parent décède, quand le logement devient trop petit à cause de la naissance des enfants, ou plus rarement, quand survient une chicane.

Cette situation est d'autant plus « normale » du point de vue de parents, veufs et veuves plus particulièrement, que ceux-ci, s'ils n'habitent pas chez ceux de leurs enfants interrogés, résident souvent avec un autre de leurs enfants. On a dénombré 16 cohabitations actuelles et 45 références à une cohabitation passée ou à celle de frères ou de soeurs... pour un total de 61 familles (au moins, car en dehors des cohabitations actuelles, l'information n'a pas été recueillie systématiquement). Si on tient compte de ce que cette information n'a pas été recueillie systématiquement, que 10 des personnes rencontrées ont perdu leurs parents en bas âge et quelques autres les ont perdus dans leur jeunesse, avant ou juste après leur mariage, on peut dire que dans la famille ouvrière traditionnelle, la cohabitation des parents avec un de leurs enfants est la règle !

Cette cohabitation peut être le fait d'un jeune couple peu fortuné qui « reste » chez les parents de l'un ou l'autre conjoint après le mariage ; d'autre part, c'est à peu près systématiquement, que lors du veuvage d'un parent, un de ses enfants le prenne avec lui. Chez ces ouvriers, il n'y a pas de patrimoine à transmettre, on ne peut donc pas parler de famille souche, mais il faut admettre que l'industrialisation et l'urbanisation n'ont pas détruit les liens familiaux. Ce n'est pas nécessairement l'amour filial qui fait qu'on cohabite ; des raisons financières jouent également. En effet, la cohabitation est plus répandue dans les milieux plus pauvres [4]. Cependant, il est clair qu'à travers cette situation, des liens très forts se créent, et que la perte d'un parent avec qui on habitait « depuis toujours » est très douloureuse (à moins que, le vieux parent étant très malade, ce ne soit vécu comme une délivrance). La famille est un lieu de support, et devient indispensable dans le processus de prolétarisation. C'est ce qu'avaient observé Anderson en Angleterre et Hareven en Nouvelle-Angleterre [5], qui vont même jusqu'à dire que l'industrialisation a renforcé la famille.

La famille vient en aide non seulement aux vieux parents mais aussi aux orphelins qui sont souvent pris en charge par leur tante, leur marraine ou leur grand-mère. Une dizaine de personnes rencontrées par Nicole Gagnon avaient perdu leurs parents en bas âge ; deux seulement se sont retrouvées à l'orphelinat, les huit autres ont été adoptées plus ou moins formellement par des membres de leur parenté. La cohabitation, des jeunes et des vieux, semble limitée aux membres de la parenté, et on ne trouve aucune mention de chambreurs ou de pensionnaires non apparentés, contrairement à la situation du Centre-Sud de Montréal au tournant du siècle, telle que décrite par Ferretti [6] ou Bradbury [7].

La sphère domestique et la sphère économique

L'entraide familiale, cause et effet de la proximité géographique, ne se limite pas à la sphère domestique, elle s'étend aussi à celle du travail. Quand on a une « bonne job », on essaie de « parler pour » les gens de sa famille, de les faire entrer au service de son entreprise. Ici encore, on n'a pas un phénomène marginal puisqu'il touche 36 des 73 familles rencontrées. Le plus souvent, ce sont les pères qui « placent » leurs fils ou leurs filles dans l'entreprise où ils travaillent ; on remarque aussi que dans plusieurs cas, les conjoints se sont connus au travail. Si 36 personnes ont parlé de travail en compagnie de membres de leurs familles ou de leurs conjoints, il y a 46 mentions de ce phénomène ; dans certains cas, on travaille avec son frère et avec son père. « *À la Textile, on a travaillé là de mère en fille et de père en fils* ». Certaines compagnies ont été investies, presque noyautées par des clans familiaux :

> *Le plus vieux [de mes enfants], il travaille avec son père, à la Dominion Textile [...] J'ai lâché l'école à 12 ans ; [...] J'étais en 7e, je suis rentrée à la Dominion Textile. Je travaillais avec les soeurs de mon mari, c'est comme cela que je l'ai connu.*

Cette importance des clans familiaux dans les usines de textile a déjà été remarquée à Manchester au début du siècle par Hareven [8] et à Saint-Jérôme dans les années 70 [9]. Le sens de cet investissement familial dans la sphère du travail ? Encore l'entraide :

> *J'haïssais assez ça à la Dominion. On n'avait jamais le temps d'arrêter, les bobines c'était toujours vide. Des fois mon mari, quand il avait fini son ouvrage, il était obligé de m'aider. J'aime bien mieux l'ouvrage de maison. — Les contremaîtres vous poussaient dans le dos ? — Non par exemple ; c'était un homme bien smart : quand il voyait que j'arrivais pas, il allait chercher mon mari « va aider à ta blonde ». [...] C'est mon mari qui m'a fait rentrer là.*

On retrouve donc ici le phénomène observé par Hareven en Nouvelle-Angleterre : dans le cas des grandes entreprises comme celles de textile, il existe une régulation familiale du travail qui fait l'affaire des compagnies qui trouvent une main-d'oeuvre déjà socialisée au travail via ses réseaux familiaux. Quant aux familles, cela fait aussi leur affaire de pouvoir placer leurs membres dans une entreprise donnée. On voit donc que famille et industrie s'épaulent et se renforcent mutuellement.

Le fait de travailler avec des membres de sa famille ne se retrouve pas que dans les grandes industries, on l'observe dans la PME également ; ainsi des frères travaillent ensemble dans la réparation de téléviseurs, des beaux-frères sont chauffeurs de taxi pour la même compagnie etc.

Règle générale, la famille d'origine, la parenté, constitue le milieu de vie, en ce qui concerne la vie de quartier autant que la vie de travail. À cet égard, il faut souligner, dans cette famille ouvrière d'autrefois, la coupure très marquée entre la sphère domestique et la sphère économique, qui constituent respectivement l'espace des femmes et celui des hommes. La séparation entre ces sphères est telle qu'on a envie de parler de non-rencontre entre elles et, consécutivement, de non-rencontre entre les hommes et les femmes. (D'où l'expression de matriarcat, utilisée par Nicole Gagnon en 1964 pour qualifier la mainmise féminine sur la sphère domestique). En général, on remarque l'absence des hommes du discours des femmes, à moins d'un questionnement explicite, ou d'un couple sans enfants, ou de jeunes mariés. Les femmes décrivent un univers féminin ; elles parlent de leurs pères, frères ou fils autant, et pas plus, que de leurs époux.

À la question « *Est-ce qu'il vous aide dans la maison ?* », la réponse est presque invariablement : « *lui a son ouvrage, moi j'ai la mienne* ». La situation est beaucoup plus vécue comme un partage social du travail que comme un confinement des femmes. « L'ouvrage de maison » relève des femmes ; le « bon mari » n'est pas celui qui aide sa femme (sauf en cas de maladie), mais celui qui rapporte sa paye à la maison et ne boit pas. Le mauvais, par opposition, c'est celui qui boit sa paye.

Il est de mise, pour le bon mari, de remettre sa paye à son épouse, qui elle, la gère [10]. On a beau dire que ce pouvoir de gestion n'est pas grand, et que gérer la pauvreté n'est pas de tout repos, mais on constate que la reine du foyer n'a pas qu'un titre symbolique, elle est régente et intendante. La femme dépend de la paye de l'homme, mais c'est elle qui la gère, ne lui redonnant que ce dont il a besoin pour ses « petites dépenses ». Pour certaines, il s'agit même d'une condition préalable au mariage.

Tout ceci n'empêche pas que les femmes sont en contact avec la sphère économique. La plupart ont connu le marché du travail avant leur mariage, ou jusqu'à la naissance du premier enfant ; elles avaient souvent interrompu leurs études très jeunes, avant même la fin du cours primaire, pour aider leur famille, soit en « gagnant », soit en aidant leur mère malade ou fatiguée pendant quelques mois ou quelques années avant « d'aller gagner ».

Quelques-unes travaillent encore ; dans certains cas, étant donné le maigre salaire du mari, elles n'ont pas vraiment le choix, mais aussi souvent, elles aiment cela. Le rapport qu'elles entretiennent avec le marché du travail est assez ambigu, et le discours oscille entre l'idéologie dominante et des rationalisations d'un comportement fort éloigné de cette idéologie. Celles qui n'ont pas d'enfants ou dont les enfants ont quitté la maison sont plus enclines à aimer le travail à l'extérieur, l'ouvrage de maison étant plus vite expédié, et la maison « vide » toute la journée. Voici un exemple qui met bien en relief les ambivalences et rationalisations du discours d'une femme de 42 ans qui n'a pas d'enfant :

> *Mais avec le salaire que mon mari fait, il faut bien que je travaille. Soixante dollars par semaine, on ne va pas loin. [...] — Vous aimez votre travail ? — Oui, je travaille dans les ceintures. Mais j'aime mieux le travail de maison. J'ai commencé à travailler à 27 ans, j'aidais ma mère à la maison. [...] — Vous vous entendez bien avec les femmes qui travaillent là ? — Oui, on s'accorde bien, c'est comme une famille, on est juste une dizaine. — Et le patron ? — On ne le voit pas souvent, il a un remplaçant, un garçon qui a juste 20 ans, je l'ai comme pris sous ma protection. C'est comme les autres, souvent elles me demandent conseil, je suis la plus vieille là-dedans. [...] — Vous n'avez pas envie d'arrêter de travailler ? — J'aimerais bien ça, je vais attendre qu'on ait acheté un set de salon. [...] J'aime mieux l'ouvrage de maison. La place d'une femme mariée, c'est à la maison. [...] on pourrait s'arranger avec son salaire, mais il faudrait se priver. [...] — Vous, vous êtes assez payée ? — Oui, je gagne plus que mon mari. J'ai pour mon dire, s'ils payaient plus les hommes, les femmes resteraient à la maison c'est leur place qu'elles aient des enfants ou non.*

Certaines sont heureuses d'avoir quitté le marché du travail. « — *Vous avez arrêté de travailler tout de suite quand vous vous êtes mariée ? — Ah ! oui, je me mariais pour me lever tard* ». D'autres le regrettent ; on ne peut donc pas généraliser à ce sujet.

Avant de conclure sur la famille ouvrière d'autrefois, il convient de présenter quelques personnages familiaux.

Le bon mari

Le bon mari, on l'a dit, c'est d'abord et avant tout, celui qui donne sa paye à sa femme, par opposition à celui qui la boit toute. Si les mauvais maris semblent rares, quelques-uns sont évoqués :

> *Je ne suis pas chanceuse, j'ai eu deux maris et ils sont partis. [...] Ils sont morts. Le premier, je suis restée 24 ans avec, j'ai eu 22 enfants ; le deuxième, je suis restée 10 ans avec. [...] — Vous avez dû avoir de la misère à élever tout ce monde-là ?— Je les ai élevés comme j'ai pu, mon mari ne s'occupait de rien, et j'ai été en journées. — Vos enfants vous aidaient pas ? — Non, c'était pas des aideux. — Votre mari était toujours parti ? — C'est pas ça, mais il buvait. Boit pis boit, à l'hôtel et à la maison ; c'était un bon travaillant à part ça. — Il ne vous donnait pas de paye ? — Il m'en donnait quand il en restait.*

On ne doit pas se surprendre de la réponse de sa fille quand on lui demande la qualité la plus importante d'un bon mari : « *Qu'il gagne bien son argent pour faire vivre sa femme et ses enfants. — Votre mari, il vous donne sa paye ? — Il me la donne, l'enveloppe avec* ».

Une veuve remariée raconte une expérience semblable :

> *Votre mari, est-ce qu'il vous aide dans la maison ? — Quand j'ai été malade, il m'a fait tout mon ménage, la vaisselle. Moi, j'étais pas habituée à ça, me faire servir. — L'autre ne vous aidait pas ? — Non ! Il ne pensait qu'à se faire servir. Et puis mon mari, il ne gagne pas un gros salaire, mais il me donne toute sa paye. L'autre, des fois, il ne donnait rien. [...] — J'ai toujours travaillé, j'ai été obligée d'arrêter quand je me suis cassé la jambe [...]. — Vous auriez aimé continuer ? — Oui, c'est ennuyant rester toute la journée dans la maison. — Vous travailliez parce que vous aimiez ça ? — J'étais obligée, mon mari ne me donnait pas d'argent.*

Des expériences passées, on parle avec sérénité. Mais quand on est pris dedans, il est plus difficile de garder son sang-froid, et une des interlocutrices de Gagnon fond en larmes en racontant son histoire. L'entrevue se déroule à l'heure du souper, le mari est à la taverne ; il rentrera saoul. Les enfants sont délinquants, les fils suivent l'exemple du père et la femme doit travailler pour boucler le budget. Elle se prépare à déménager ; une de ses filles vient de se marier et sans sa pension, la famille n'a plus les moyens de garder le logement. À partir du récit de l'épouse, on comprend que le mari bat les enfants, fait des avances à ses brus...

Le bon mari se découvre en contrepoint à ces portraits : celui qui donne sa paye, qui aide sa femme quand elle est malade (en temps normal, la femme ne veut pas d'aide : « il fait son ouvrage, je fais la mienne »). C'est aussi celui qui est prêt à déménager pour que sa femme habite plus près de sa famille. Il peut bien aller à la taverne, avec son argent de poche, celui que sa femme lui laisse, et à condition de ne pas y aller trop souvent, et de filer doux ! « *Des fois avec un de mes beaux-frères, ils vont à la taverne du coin [...]. Du moment que je sais où il va...* »

La relation de couple n'est pas valorisée en tant que telle ; rien sur l'amour romantique... Ce n'est pas là que « ça se passe » dans le couple. Celles qui sont bien mariées se déclarent chanceuses, les autres sont résignées. On est encore bien loin du « Renouveau conjugal » en 1962 ; le divorce est encore très rare ; et quand on est mal mariée, on endure, on essaie de se ménager une vie.

La ménagère heureuse

La femme au foyer n'a pas besoin d'un homme pour être heureuse ! Tant que la paye rentre, c'est ce qui compte. Si elle habite près de sa famille, sa vie sociale et affective est comblée. Elle peut d'autant plus s'épanouir dans sa sphère que, comme on l'a dit ci-dessus, l'univers féminin et l'univers masculin ne se recoupent que très occasionnellement. L'homme et la femme peuvent très bien chacun vaquer à leurs activités sans se nuire mutuellement et ne se rencontrer que lors des occasions plus officielles : les fêtes de famille, par exemple. La vie, la relation de couple est à toutes fins pratiques inexistante. Bien sûr, la femme aura un pincement de coeur à avouer qu'elle est mal mariée, mais, si le mari donne la paye, « tout va bien ». Ce mari-là, qui fait sa vie et donne sa paye ou du moins une partie substantielle n'est pas nécessairement décrit comme un mauvais mari.

Dans plusieurs cas, on a l'impression qu'on peut décrire la vie de couple comme une coexistence pacifique. Ce qui rend la femme malheureuse, ce n'est pas nécessairement le succès ou l'échec de la vie de couple.

La mère martyre

Nicole Gagnon note au sujet de cette femme : « La bonne femme semble assez romancière, se contredit, semble toujours en mettre plus que moins. Se conçoit comme la mère toute puissante, indispensable, maltraitée ». Cette mise en garde prise en note, écoutons le récit de cette femme qui cumule toutes les misères [dit-elle] :

Vous étiez dans les plus vieux chez vous ? — La plus vieille, malheureusement. — Comment ça ? — Mes frères et soeurs (cinq en tout), c'est tout moi qui les ai élevés ; mon père buvait, ma mère quand on était à la campagne, elle était toujours partie chez l'un et l'autre, et quand on était à Montréal, elle était toujours au cinéma. Elle me laissait garder les autres, j'avais juste 10 ans. Elle disait : « j'ai ma petite mère à la maison ». Et puis, quand je me suis mariée, ils sont venus rester ici ; mon père en dehors de ça, c'était pas un méchant homme, mais quand il prenait un coup, il pouvait partir pour un mois. — Votre mari, ça ne l'ennuyait pas ? — On ne laisse pas crever un chien, alors eux autres, ils avaient rien à manger et pas de place où aller. Et puis, il y a ma belle-mère qui a resté 20 ans ici, elle était paralysée et aveugle, fallait que je la traîne sur mon dos pour aller à la toilette, elle était comme un enfant, elle salissait tout, fallait que je lui tienne les mains pour pas qu'elle graisse la toilette. Et, pendant ce temps-là, mon petit garçon qui avait les jambes dans le plâtre qui criait aussi, et le bébé qui avait envie de pisser, tout le monde en même temps. Elle avait une plaie qu'il fallait que je soigne, et mon garçon aussi, il est né infirme. [...] Ma fille la plus vieille a 25 ans, elle est mariée, elle a trois enfants, elle reste à Ville Saint-Michel. — Vous la voyez souvent ? — Avec mes enfants (trois) à la maison, je ne peux pas y aller beaucoup ; là elle a les jambes dans le plâtre et voudrait que j'aille m'occuper des petits. [...] — Il y a une de mes belles-soeurs, je ne lui parle plus, quand ma belle-mère est morte, elles sont venues ici : moi, je l'avais gardée ici, et elle donnait son argent à une de ses filles qui riait d'elle ; quand elle allait la voir, elle se cachait pour ne pas lui ouvrir la porte, la vieille avait tous les doigts gelés. J'avais tout fait ; elle m'a traitée de sans coeur parce que je ne les gardais pas à souper. Je leur ai dit « c'est vrai que j'ai plus de coeur, je l'ai tout usé. Vous autres, vous en avez, vous ne l'avez pas dépensé ». Depuis ce temps-là, je

> *ne la vois plus, mon mari lui y va, c'est sa soeur. Je lui dis « vas-y ». Là il y a ma mère que je vais peut-être prendre, elle reste chez ma soeur, mais elle ne veut plus la garder. Ça va me faire encore ça sur le dos. — Elle n'est pas paralysée ? — Non, mais elle est aveugle.*

Ici, pas de problèmes financiers, pas de problèmes de couple, mais des responsabilités familiales écrasantes, qui empêchent la femme de « s'épanouir » vraiment dans sa sphère domestique.

En effet, la cohabitation se fait souvent par obligation, soit morale — il semble cruel de confier une vieille mère, malade, paralysée ou aveugle même, à une institution — ou plus prosaïquement par obligation financière. « *Avec ma fille qui s'est mariée, c'est mon loyer qui s'en va* ». La famille élargie, en effet, ce n'est pas toujours l'harmonie, tout n'y est pas rose. Il ne faudrait pas l'idéaliser. Ainsi, Nicole Gagnon a rencontré la mère d'un jeune ouvrier qui cohabite non seulement avec sa mère, veuve, mais avec son frère, séparé, la fille de quatre ans et demi de ce dernier, et le frère de sa mère, à sa pension. Dans ce cas, la femme ne se considère nullement comme une mère martyre, mais tout cela lui fait pas mal d'ouvrage !

En fait, souvent il est difficile de démêler les raisons économiques et les raisons réelles qui font qu'on reste ensemble. Parfois, c'est l'habitude qui tient les gens ensemble ; comme il y a des vieux couples, il y a de vieux ménages composés, où on n'envisage plus de se séparer. En effet, parfois en vieillissant, il est plus rassurant d'être entouré de son monde dans un quartier qu'on connaît bien. Certaines femmes vieillissantes ne sortent même plus faire l'épicerie : elles la font par téléphone.

Le couple sans enfant

On a déjà mentionné que la vie de couple n'était pas valorisée en tant que telle. Mais, bien entendu, elle prend une importance marquée chez les couples stériles. C'est le seul moment où on remarque la présence importante d'amis.

> *On fait des partys souvent le samedi soir. C'est des femmes qui travaillent avec moi, on reçoit chacun notre tour. [...] des amies de fille que j'ai toujours gardées depuis que je vais à l'école, et des anciennes voisines.*

On a davantage besoin de se retrouver en groupe.

L'été passé, on a acheté un camp. Je ne l'aurais pas acheté si mes soeurs n'avaient pas été pour venir. Tout seul, c'est plate. C'est pas que je m'ennuie avec mon mari, mais on a plus de plaisir à être au moins deux couples. Pourvu qu'on ait notre chez soi le soir.

Ici donc, la relation de couple existe (par défaut d'enfant ?) et une femme sans enfants déclare que pour elle, la plus grande qualité d'un mari, c'est « *qu'il soit prévenant pour sa femme* ».

UNE FAMILLE IDÉALISÉE ?

À la suite de ces considérations générales sur la famille ouvrière, on peut se demander si on n'a pas idéalisé la famille d'autrefois.

En effet, quand on évoque cette famille d'autrefois, on pense souvent à une famille nombreuse, harmonieuse... La mémoire se fait sélective. On oublie les couples stériles (les démographes nous disent qu'ils sont de l'ordre de 10 %). On oublie aussi les tensions dans les couples qui cohabitent avec les parents ou les beaux-parents. Le divorce était encore dans les années 60 un phénomène exceptionnel ; l'échantillon étant formé à partir des listes de travailleurs, c'est bien sûr qu'on n'a rencontré que des couples ou des veufs et des veuves vivant avec un enfant. Mais, si les interlocutrices de Gagnon n'avaient pas connu elles-mêmes une séparation, elles en mentionnent plusieurs autour d'elles ; il s'agit parfois d'un frère, d'une soeur, d'un cousin ou même des parents, qui sont séparés ; on fait aussi allusion à des gens « accotés ». Il ne faut pas oublier non plus, que plusieurs couples, même s'ils sont encore officiellement mariés ont des vies très séparées, des loisirs et des activités distincts ; cela est assez difficile à évaluer de façon claire et précise, mais il est sûr que la séparation de la sphère domestique et de la sphère économique, en cas de tension dans le couple, permet la « coexistence pacifique » de conjoints qui vaquent chacun à leurs affaires.

On oublie aussi qu'en cette époque d'avant l'État-providence, où les factures médicales devaient être acquittées par le malade ou sa famille, on s'endettait parfois lourdement, quand on ne négligeait pas de se faire soigner jusqu'à ce qu'il soit trop tard [11]. Les conditions de sécurité, la salubrité des milieux de travail laissaient fort à désirer. La mort et la maladie faisaient des ravages dans les familles. Il n'était pas rare de perdre l'un ou l'autre de ses parents en bas âge ;

plusieurs « orphelins » ont connu un « deuxième lit », des adoptions plus ou moins formelles dans la parenté élargie.

Un autre domaine qu'on a peut-être « enjolivé » est celui de la religiosité des générations précédentes. Au début des années 60, l'Église a perdu son emprise. Bien sûr, il y a les Dames de Sainte-Anne et les ligues du Sacré-Coeur. Mais, on a des réserves : « *À l'école ici, ils montrent quasiment rien que du catéchisme, c'est bien beau, mais quand ils vont aller travailler, ils ne leur demanderont pas leur diplôme de religion, mais leur diplôme de 10e et s'ils savent l'anglais* ».

Une vocation est ressentie plus comme la perte d'un enfant que comme un honneur, encore qu'on se console en se disant qu'au moins il ou elle sera assuré-e de ses trois repas par jour. Parfois, on se contente de dénoncer la messe dominicale qui prend des allures de parade de mode plus que de cérémonie religieuse, ou encore on tombe carrément dans l'anticléricalisme, pour aller jusqu'à avouer qu'on ne pratique pas. Si on remet les choses en perspective et qu'on n'idéalise plus la famille d'autrefois, on se dit que les choses n'ont peut-être pas tant changé que cela : les couples mal assortis se séparent plus facilement désormais, et du « matriarcat » on est passé à la monoparentalité... En fait, la différence fondamentale semble être dans le nombre d'enfants par famille et la cohabitation qui ne se fait plus dans le même logement, mais dans des logements voisins.

DES FAMILLES EN TRANSITION ?

Ce ne sont pas toutes les familles cependant qui correspondent au portrait que l'on vient de tracer ; quelques-unes s'en écartent même de façon marquée. Nicole Gagnon parle de l'émergence d'« un nouveau type de relations familiales [12] » en faisant référence à deux phénomènes, étroitement liés : 1. la famille comme simple « moment » dans la vie du couple, par opposition à la situation antérieure, alors qu'un taux de fécondité élevé combiné avec une mortalité précoce faisaient qu'un couple était susceptible d'avoir des enfants auprès de lui à la maison toute sa vie ; 2. l'apparition d'une structure de compagnonnage par opposition au « matriarcat » et à l'étanchéité des sphères domestique et économique : « les valeurs sont partagées par l'homme et par la femme. Surtout le couple est une réalité d'un autre ordre et antérieure à celle du ménage [14] ».

Qui sont ces couples, comment peut-on les caractériser ? En fait, on peut dégager trois facteurs qui font dévier l'esprit de famille traditionnel et favorisent le passage à une structure de compagnonnage. Les deux premiers sont d'ordre structurel, et d'une certaine façon engendrent des exceptions qui « confirment la règle » ; le troisième, de caractère socio-économique, amène à parler véritablement de changement.

1. *La présence ou l'absence de parenté.* Certains couples sont coupés géographiquement de leurs familles d'origine, ou sont issus de famille de petite taille : enfants uniques, ou qui n'ont qu'un ou deux frères ou soeurs, ou encore qui sont les seuls survivants d'une famille nombreuse (ici l'âge, donc le cycle de vie intervient).

Ainsi, deux couples trouvent leur espace de sociabilité dans un club social. Dans le premier cas, il s'agit d'un couple sans enfants, elle a un seul frère, marié à une « Anglaise » : « *on s'accorde bien mais c'est pas le même genre* ». Sa mère est morte quand elle était jeune ; elle n'a pratiquement plus de famille. Son mari semble être dans le même cas. Il est né aux États-Unis, la seule famille qu'il fréquente, c'est une soeur de sa première femme. Le deuxième cas est celui d'un couple assez âgé, dont les enfants ont quitté le foyer : « *On est comme tous des frères là-dedans* » explique la femme parlant de ce club social. Dans le troisième cas, c'est l'armée qui est le pôle de sociabilité : elle a perdu sa mère toute jeune, et sa parenté vit dans les Cantons de l'Est ; lui, comme toute famille, n'a plus qu'un frère.

Ce sont là les trois seuls cas où la sociabilité passe principalement par des associations. Dans les trois cas, on a l'impression d'exceptions qui confirment la règle : en l'absence de famille, on s'en réinvente une. (Quant à la seule enfant unique de l'échantillon, c'est vers ses voisines qu'elle s'est tournée ainsi que vers ses belles-soeurs.)

2. *La présence ou l'absence d'enfants.* L'absence d'enfants fait que le couple se retrouve face à face ; on a alors davantage tendance à fréquenter des amis. L'homme est alors présent dans le discours de son épouse par opposition aux couples avec enfants où la femme parle volontiers de ceux-ci, bien plus que de leur père ! On ne boude nullement la parenté ici, on la fréquente comme tout le monde, mais tout se passe comme si le temps que les autres passent avec leurs parents, eux le passent avec des amis. Pour les couples sans enfants, la fréquentation d'amis n'est pas équivalente à un rejet de la parenté.

3. *L'importance du revenu.* L'influence de ce facteur peut se combiner avec les précédents ; une fois les enfants partis, le niveau de vie

augmente. De plus, dans les couples sans enfants, les femmes travaillent plus souvent à l'extérieur et on dispose alors d'un double revenu.

Ce revenu plus élevé peut se combiner avec une éducation supérieure à la moyenne, mais l'éducation seule ne suffit pas à faire passer à la classe moyenne, comme l'indique bien le contre-exemple suivant : la femme la plus scolarisée rencontrée par madame Gagnon, une infirmière, a une vie familiale et une sociabilité tout ce qu'il y a de plus « traditionnel » ; mariée à un ouvrier, elle ne pratique pas sa profession ; le revenu familial est donc assez modeste.

Bref, le passage à une sociabilité moins centrée sur la parenté (toutes choses égales par ailleurs) et davantage sur le couple et les amis serait beaucoup plus lié au revenu et au passage à la classe moyenne, qu'à une « modernisation des mentalités ».

On ne peut que regretter l'absence d'études sur la classe moyenne et aisée du début du siècle qui nous aurait fourni un point de comparaison. Ici, c'est la sociologie de la littérature qui peut venir en aide à la sociologie de la famille ; dans une analyse du roman québécois de la première moitié de ce siècle, J.-C. Falardeau écrit : « Les rares familles dans lesquelles le personnage important est le père sont de type bourgeois. [...] À l'inverse les familles où le personnage dominant est la mère sont en général de condition ouvrière [15] ». Quelques pages plus loin, il parle de familles « bourgeoises et patricentriques » et « ouvrières et matricentriques » [16].

Entre ces deux pôles, la classe moyenne serait par excellence le lieu du « campagnonnage ». Ce passage à un type de sociabilité divergeant du modèle traditionnel, s'il fallait l'attribuer à la Révolution tranquille, ce ne serait donc pas tant comme effet de la modernisation que comme celui de la mobilité structurelle [17] : on pourrait le caractériser de différentes façons.

A — On s'éloigne du centre-ville, pour aller vers la banlieue — où on construira éventuellement soi-même sa maison — ou du moins vers des quartiers « moins sales », « moins tassés ».

B — L'identification à ces quartiers ne se fait pas sur la base traditionnelle de la paroisse. Plusieurs de ces « banlieusards » ne vont pas à la messe dans leur paroisse de résidence, mais d'origine. On s'identifie au quartier, à la municipalité : Ville Saint-Pierre, Lachine, Lasalle... alors qu'au centre-ville, on ne dit pas Centre-Sud, mais « Sainte-Brigide », ni le Plateau, mais « Immaculée Conception ». Cesser de fréquenter sa paroisse de résidence, cesser de s'y identifier, c'est rompre avec un pôle d'intégration traditionnel. On peut se demander si aller à la messe dans la paroisse d'à côté n'est pas l'étape précédant l'arrêt de la pratique religieuse.

C — Un autre aspect lié au passage de la classe moyenne est plus inattendu. Alors que traditionnellement, la femme gérait le (maigre) budget, chez les plus fortunés, c'est le mari qui s'en occupe, ou du moins s'en occupe-t-on à deux, et cela est souvent le résultat d'un souhait de l'épouse qui trouvait l'exercice stressant.

À mesure que le revenu familial augmente, la gestion se fait de plus en plus à deux pour aboutir souvent uniquement comme responsabilité masculine. Gérer le revenu apparaît aux femmes comme un fardeau dont elles se débarrassent volontiers, mais ce faisant, elles renforcent leur dépendance financière, car non seulement c'est l'homme qui gagne, mais c'est lui qui décide de l'attribution des sous... On voit donc que le passage à la classe moyenne s'accompagne d'une perte de contrôle de la femme sur la sphère domestique au profit de l'homme (donc d'une plus grande dépendance et aliénation de la femme).

D — Un revenu plus important permet une plus grande indépendance matérielle mais aussi une « indépendance » vis-à-vis de la famille. La famille est le lieu de l'entraide ; si on se permet de s'en éloigner, géographiquement et affectivement, c'est qu'on est davantage à l'abri des coups durs.

E — De nouveaux types de loisirs apparaissent qui s'inscrivent dans la société de consommation et non plus seulement dans l'univers relationnel (c'est-à-dire qui ne sont plus des soirées « en famille ») : on fait de la photo, du bricolage, on écoute du jazz ou de la chanson française. On joue encore aux quilles, mais en plus de ce sport généralement pratiqué en groupe (groupe de travail et/ou de famille), d'autres sports plus individuels apparaissent : le ski, la culture physique. On se cultive ; on ne lit plus que des romans d'amour ou des journaux, mais de la vulgarisation scientifique, on s'abonne à *Sélection* ; on suit des cours de culture générale... de haute cuisine ou de haute couture.

F — On voit donc moins la parenté ; on voit plus les amis de travail, les voisins, les amis d'enfance... en couple. Il n'y a plus cet univers de femmes qui ne rencontre à peu près jamais celui des hommes ; on entre dans un univers de couples. On ne va pas chez son amie de femme ou sa voisine quand son mari est là : on « respecte » sa vie de couple. Ce scrupule est tout à fait étranger à la mentalité traditionnelle, et n'est possible que si on croit au couple, si on le valorise en soi, « en dehors » de la famille.

Ici on n'est plus en présence d'exceptions qui confirment la règle, mais d'une autre règle que l'on devine chez les ouvriers plus aisés et qui serait celle de la classe moyenne.

CONCLUSION EN FORME DE COMPARAISON

Au milieu du 20e siècle, au Québec, la famille urbaine n'est pas très différente de la famille rurale. En 1947, Lamontagne et Falardeau parlaient de survivances du mode de vie rural en ce qui concerne l'équation entre l'unité domestique et l'unité de production-consommation, en particulier. Chose certaine, pour des survivances, elles sont drôlement bien intégrées à tout un mode de vie urbain.

Si on reprend les quatre éléments retenus au chapitre précédent pour caractériser la famille rurale, on peut établir plus systématiquement la comparaison.

La famille urbaine n'est plus à proprement parler une unité de production, quoique dans ses couches les plus pauvres, les enfants sont vite mis à contribution : on les envoie travailler, leur salaire est soit remis entièrement à leurs parents, soit en partie sous forme de pension. Cette pension n'est pas un luxe pour les parents, c'est elle qui permet de payer le loyer, le chauffage, parfois les médicaments. Graduellement, cette production familiale se double d'une consommation familiale qui deviendra plus évidente et importante à mesure que les années passent.

Les femmes — les mères — continuent à jouer un rôle prépondérant dans les familles. Si elles sont opprimées, ce n'est pas tant par leur mari que par leurs obligations d'entraide doublées de faibles revenus. On a parlé de l'existence de deux sphères : l'une plus proprement liée au monde familial et interpersonnel où règnent les femmes. L'autre, celle de l'économie, du marché du travail, où les femmes font des incursions, mais qui est davantage masculine. Il faut souligner deux choses :

- les femmes ne sont pas « enfermées dans leur cuisine » ; cette cuisine s'ouvre sur le monde familial et celui du quartier ;
- les femmes gèrent les relations familiales et les relations sociales « significatives » à l'intérieur de la sphère domestique. À l'homme n'est laissé que le « refuge » de la taverne.

La femme est « ministre de l'intérieur ». L'enquête Tremblay-Fortin sur la consommation des ménages québécois réalisée en 1960 a révélé que seules les femmes étaient à même de répondre aux questions sur le budget familial. On a vu aussi que la cohabitation des générations ne disparaît pas en ville même dans une deuxième et troisième génération d'urbains. Au tournant de la Révolution tranquille, c'est encore la règle. Par ailleurs, on serait tenté de dire que la ville, si elle ne renforce pas la cohabitation, renforce, en général, les liens familiaux. Dans un quartier du centre de Québec ou de Montréal, on peut fort bien avoir tous les frères et soeurs, plus quelques oncles et tantes, dans un rayon de 10 minutes à pied. Bien sûr, ce n'est pas le cas pour tous, mais il ne s'agit pas d'un phénomène marginal. À la campagne on peut bien rester dans le même village que sa parenté, mais on ne peut pas l'avoir à quelques minutes à pied étant donné l'étalement spatial que commande la vie rurale et, en particulier, l'agriculture. De plus, la revanche des berceaux ayant créé un surplus de population que le monde rural n'était pas capable d'absorber, une partie de la population devait, à chaque génération, s'exiler. Or, la ville absorbe le surplus de la population ; en ville, on peut « garder » près de soi une plus grande partie de la parenté.

Dans le monde rural, les distances faisaient qu'on devait composer également avec les voisins ; en ville c'est la même chose, mais ils sont souvent trop près et on entretient avec eux une relation ambivalente. Idéalement, les voisins sont des parents. Du voisinage, ce ne sera qu'eux qu'on retiendra ; ce n'est qu'en leur absence que se créeront des liens avec un voisin ou une voisine « sur qui on peut compter » et « qui n'est pas comme les autres ». En ville, bien sûr, les réseaux familiaux sont souvent « exposés » à d'autres milieux et à d'autres réseaux ; paradoxalement, on les sent parfois plus refermés. Ainsi dans les entrevues réalisées par madame Gagnon on ne parle jamais des Anglais ou des autres communautés culturelles montréalaises. Le monde familial se serre les coudes, se replie sur lui dans un geste qui peut être vu comme de l'autodéfense, ou comme de l'autosuffisance. Les autres, ce sont « les étrangers » terme qui désigne globalement ceux avec qui on n'a aucun lien de parenté et tous les Anglais et les immigrants. Les étrangers ce sont ceux envers qui on n'a pas d'obligation. Le monde familial est en effet toujours celui de l'échange, de l'entraide... et du contrôle social.

On sent la continuité entre la vie urbaine et rurale. À plusieurs égards on serait donc tenté de parler de la famille canadienne-française, avec sa variante rurale, majoritaire jusque vers la crise, puis principalement urbaine. Que les chantres de la « race » dorment en paix ; les Canadiens français n'ont point été « dénaturés » par la ville — jusqu'à la Révolution tranquille à tout le moins.

Mais il serait temps de faire entendre quelques fausses notes pour troubler cette quiétude. Hareven qui pose la continuité entre la famille canadienne-française immigrante aux États-Unis, et celle décrite par Miner ou Gérin demeurée au Québec, parle aussi à l'occasion des autres immigrants en Nouvelle-Angleterre : les Écossais, les Irlandais, les Allemands... pour qui, à part la distance avec leur mère patrie qui ne permet pas des allers-retours fréquents, le mode de vie est très semblable à celui des Canadiens français. On ne trouve pas de spécificité canadienne-française marquante [19]. Mettons que c'est le vent d'Amérique qui souffle pour tout le monde. Comment alors expliquer qu'à la lecture de l'ouvrage classique de Young et Willmott [20] sur des quartiers ouvriers de Londres au début des années 50 on a l'impression de lire l'analyse des entrevues de Nicole Gagnon réalisées à Montréal en 1962 ? La différence principale entre Anglais et Canadiens français est dans le nombre d'enfants : les Européens pratiquent le malthusianisme depuis plus longtemps. Mais le rapport à la parenté, la place prépondérante des femmes (*Mum* diront Young and Willmott) dans une sphère domestique « parallèle » à la sphère économique, tout cela est présent dans les deux cas.

On pourrait faire également des parallèles très serrés avec la famille française urbaine [21] ou avec la famille immigrante en Amérique du Nord.

À la veille de la Révolution tranquille, la famille urbaine québécoise des milieux populaires a gardé plusieurs caractéristiques d'un mode de vie antérieur rural. Mais le mode de vie qui en résulte n'est pas spécifique au Canada français, il serait plutôt caractéristique du monde ouvrier dans une société industrielle.

Quand la modernisation s'accélérera, quand viendront avec la Révolution tranquille, l'État-providence et son cortège de prestations, la planétarisation de l'angoisse atomique, là ça va changer. C'est ce que l'on verra dans ce qui suit.

Notes

[1] S.A. Lortie, « Compositeur typographe de Québec Canada (Amérique du Nord) salarié à la semaine dans le système des engagements volontaires permanents, d'après les renseignements recueillis sur les lieux en 1903 » dans Pierre Savard, éd., « Paysans et ouvriers québécois d'autrefois » *Les cahiers de l'Institut d'Histoire*, n° 11, Presses de l'Université Laval, 1968, p. 79-150.

[2] Maurice Lamontagne et J.-C. Falardeau, « The Life-Cycle of French Canadian Urban Families » dans *Canadian Journal of Economics and Political Science*, Vol. XIII, No. 2, May 1947, p. 233-247.

[3] Voir Pierre Bourdieu, *La distinction*, Paris, Minuit, 1979.

[4] Michel Tremblay met en scène une telle famille dans son roman *La grosse femme d'à côté est enceinte*, Leméac, 1978.

[5] Tamara K. Hareven, « Les grands thèmes de l'histoire de la famille aux États-Unis » dans *Revue d'histoire de l'Amérique française*, vol. 39, n° 2, automne 1985, p. 185-209 et Michael Anderson, *Family Structure in Nineteenth-Century Lancaster*, Cambridge University Press, 1971.

[6] Lucia Ferretti, « Mariage et cadre de vie familiale dans une paroisse ouvrière montréalaise : Sainte-Brigide, 1900-1911 » dans *Revue d'histoire de l'Amérique française*, vol. 39, n° 2, automne 1985, p. 233-251.

[7] Bettina Bradbury, « The Family Economy and Work in an Industrializing City : Montreal in the 1870's » dans *Société historique du Canada/Communications historiques*, 1979, p. 71-76.

[8] Tamara K. Hareven, *op. cit.*

[9] Paul-André Boucher, Communication personnelle ; voir Paul-André Boucher et Jean-Louis Martel, *Tricofil, tel que vécu*, Éditions CIRIEC, Les Presses HEC, Montréal, 1982.

[10] Dans leur enquête auprès des familles salariées, au tournant des années 60, Marc-Adélard Tremblay et Gérald Fortin, *Les comportements économiques des familles salariées au Québec*, Presses de l'Université Laval, 1964 ont réalisé que seules les femmes étaient en mesure de répondre à leur questionnaire détaillé sur le budget des ménages.

[11] Michel Tremblay, *op. cit.*, raconte aussi très bien cela.

[12] Nicole Gagnon, *op. cit.*, 1968.

[13] L. Ferretti, *op. cit.* ; T.K. Hareven, *op. cit.*

[14] Nicole Gagnon, *op. cit.*, 1968, p. 64.

[15] Jean-Charles Falardeau, « Les milieux sociaux dans le roman canadien-français contemporain » dans Fernand Dumont et Jean-Charles Falardeau, *Littérature et Société canadiennes-françaises*, Presses de l'Université Laval, 1964, p. 127.

[16] Jean-Charles Falardeau, « Les milieux sociaux dans le roman canadien-français contemporain » dans Fernand Dumont et Jean-Charles Falardeau, *Littérature et société canadiennes-françaises*, Presses de l'Université Laval, 1964, p. 132.

[17] Il y a cependant des changements qui peuvent être attribués en tant que tels à la modernisation de la société québécoise ; on les repère dans le domaine du loisir. Avant l'apparition de la télévision, on fréquentait davantage le cinéma ; même l'après-midi, quand « l'ouvrage de maison était fini », les femmes allaient au cinéma et rentraient pour préparer le

souper du mari et des enfants. On jouait aussi beaucoup aux cartes en famille, avec la parenté. En 1962 et 1963, les cartes semblent disparues, sauf chez les plus âgés. Après la guerre ce sont les quilles qui font fureur ; la majeure partie des gens rencontrés en font mention. Ils y jouent ou y ont déjà joué avec leur parenté, leurs voisins, leurs amis de travail.

[18] Dans leur enquête auprès des familles salariées, au tournant des années 60, Marc-Adélard Tremblay et Gérald Fortin, *Les comportements économiques des familles salariées au Québec*, Presses de l'Université Laval, 1964 ont réalisé que seules les femmes étaient en mesure de répondre à leur questionnaire détaillé sur le budget des ménages.

[19] T. Hareven, *op. cit.*

[20] Michael Young, Peter Willmot, *Le Village dans la Ville*, Paris, Centre Georges Pompidou, Centre de création industrielle, 1983.

[21] Pierre Mayol, « Habiter » dans Luce Giard et Pierre Mayol, *L'invention du quotidien, tome 2 : Habiter, Cuisiner*, Paris, Union Générale d'Édition, coll. 10-18, 1980 ; Agnès Pitrou, *Vivre sans famille ? Les solidarités familiales dans le monde d'aujourd'hui*, Toulouse, Privat, 1978.

Bibliographie

Les pionniers

HUGHES, Everett C., *Rencontre de deux mondes. La crise d'industrialisation du Canada français*, Montréal, Parizeau, 1945.

LAMONTAGNE, Maurice et FALARDEAU, J.-C., « The Life Cycle of French-Canadian Urban Families » dans *Canadian Journal of Economics and Political Science*, Vol. XIII, No. 2, May 1947, p. 233-247.

LORTIE, S.A., « Compositeur typographe de Québec, Canada (Amérique du Nord), salarié à la semaine dans le système des engagements volontaires permanents, d'après les renseignements recueillis sur les lieux en 1903 » dans Pierre Savard, éd. « Paysans et ouvriers québécois d'autrefois », *Les Cahiers de l'Institut d'histoire*, n° 11, Presses de l'Université Laval, 1968, p. 79-150.

PARÉ, Simone, « Participation d'une population de banlieue à ses groupes de familles, de parenté, d'amitié et de voisinage » dans *Service Social*, vol. IX, 1960, p. 25-47.

Après 1960

GARIGUE, Philippe, *La vie familiale des Canadiens français*, Presses de l'Université de Montréal, 1970.

LAVIGNE, Marie et DOUVILLE, Micheline, *L'hétérogénéité des espaces sociaux. Étude comparative de 4 zones résidentielles du bas de la ville de Montréal*. Cahiers du CRUR, n° 6, INRS-Urbanisation, Presses de l'Université du Québec, 1974.

LETELLIER, Marie, *On n'est pas des trous d'cul*, Montréal, Parti pris, 1971.

MOREUX, Colette, *Fin d'une religion ?* Presses de l'Université de Montréal, 1969.

SÉVIGNY, Robert, *Le Québec en Héritage. La vie de trois familles montréalaises*, Éditions coopératives Albert Saint-Martin, 1979.

Les travaux des historiens

BOUCHARD, Gérard, « La dynamique communautaire et l'évolution des sociétés rurales québécoise aux 19e et 20e siècles : construction d'un modèle » dans *Revue d'histoire de l'Amérique française*, vol. 40, n° 1, 1986, p. 51-71.

BRADBURY, Bettina, « L'économie familiale et le travail dans une ville en voie d'industrialisation : Montréal dans les années 1870 » dans Nadia FAMMY-EID et Micheline DUMONT, éd., *Maîtresses de maison, maîtresses d'école*, Montréal, Boréal Express, 1983, p. 287-318.

FERRETTI, Lucia, « Mariage et cadre de vie familiale dans une paroisse ouvrière montréalaise : Sainte Brigide, 1900-1914 » dans *Revue d'histoire de l'Amérique française*, vol. 39, n° 2, 1985, p. 233-251.

FOURNIER, Daniel, « Consanguinité et sociabilité dans la zone de Montréal au début du siècle », in *Recherches Sociographiques*, vol. XXIV, n° 3, 1983, p. 307-323.

HAREVEN, Tamara K., *Family Time and Industrial Time, the Relationship between the family and work in a New England industrial community*. Cambridge University Press, Cambridge, 1982.

———, « Histoire de la famille », *Revue d'histoire de l'Amérique française*, vol. 39, n° 2, 1985.

Sur les entrevues réalisées par Nicole Gagnon

FORTIN, André, « La famille urbaine d'autrefois » dans *Recherches sociagraphiques*, vol. XXVIII, 1987.

FORTIN, Gérald, « L'ouvrier urbain et sa famille » in *Recherches sociographiques*, vol. 3, n° 3, 1962, p. 366-368.

GAGNON, Nicole, « La famille, lieu de la sécurité affective » dans *Service social*, vol. 12, n°s 1 et 2, 1963, p. 6-27.

La famille ouvrière urbaine, Département de sociologie et d'anthropologie, Université Laval, 1964 (texte dactylographié).

« Un nouveau type de relations familiales » dans *Recherches sociographiques*, vol. 14, n°s 1-2, 1968, p. 59-66.

3

La Révolution tranquille… et après ?

La famille décrite au chapitre précédent vivait avant la Révolution tranquille. Déjà un bon quart de siècle s'est écoulé depuis la dite Révolution ; l'espace d'une génération comme l'ont pointé en 1986 la parution du film de Denys Arcand, *Le déclin de l'empire américain* et le manifeste *Acceptation globale*[1]. Les jeunes des années 60, dernière vague de la revanche des berceaux, avant-garde de la contestation tranquillement révolutionnaire, sont les parents des années 80. En quoi, au fond, sont-ils différents de leurs propres parents ?

DU CHOC DE LA RÉVOLUTION TRANQUILLE...

Tranquille ou pas, réforme ou révolution ? Chose certaine les changements ont été nombreux depuis 1960. On pense bien sûr à la nationalisation de l'électricité, à la création des polyvalentes, des cégeps, de l'Université du Québec, à l'assurance-maladie, aux réformes de l'aide sociale, aux lois sur la langue, sans parler d'Expo 67, de la prolifération des mass médias et de la culture « prête-à-consommer[2] ».

Cette modernisation connaît son envers ; le « rattrapage » n'est pas sans provoquer quelques ratés, et au fil des années 60 et 70 se multiplient les mouvements de contestation urbaine et rurale ; comités de citoyens en ville, opérations-dignité, sociétés d'aménagement ou de développement intégré en région[3]. Parallèlement, on assiste à l'institutionnalisation croissante des mouvements syndicaux (malgré l'emprisonnement de leurs chefs à la suite des négociations du Front commun en 1972) et à leur transformation en appareils ; à la fonctionnarisation du travail social et de l'organisation communautaire dans les CLSC ; à la multiplication des normes, régies et instances gouvernementales [4].

C'est habituellement autour de ces thèmes socio-économico-politiques, que sur un ton triomphaliste ou très critique, on trace le bilan de ce quart de siècle, avec une note nécessairement émotive dans le chapitre qui va d'octobre 70 à mai 80, celui des déboires du nationalisme.

Tout cela, on s'en doute, n'est pas sans répercussion dans la vie quotidienne, dans la vie de famille. Changements structurels, changements politiques, changements d'attitudes ; en bout de ligne, le portrait — statistique à tout le moins — de la famille est assez bouleversé.

Avec le recul, les changements dans la vie quotidienne des familles, entre 1960 et 1985, semblent énormes. Cependant, on a du mal à les suivre à la trace, comme un enfant dont les parents ne réalisent la croissance que lorsqu'une « ma tante » qu'on n'avait pas vue depuis longtemps s'exclame « Comme il a grandi ! ».

Il est d'autant plus difficile de parler de la famille des années 60 ou 70 que pratiquement aucune recherche n'a été menée à l'époque sur ce sujet, et que parmi les rares qui avaient été entreprises, certaines n'ont pas abouti ! La famille n'était tout simplement plus à la mode, elle n'était pas « dans le vent » comme on disait alors. Les années 60 sont celles où les enfants du *baby boom* d'après-guerre accèdent à l'âge adulte. Les « jeunes » occupent le devant de la scène, contestent ; ils constituent désormais un groupe socio-économique, une force politique. On ne parle plus de la famille mais du conflit des générations. Les parents, associés aux valeurs traditionnelles dans une société qui se veut en pleine modernisation, perdent graduellement leur autorité sur leurs grands enfants, et leur crédibilité en tant que groupe social.

La famille tombe donc graduellement en disgrâce dans les milieux intellectuels, en particulier ceux qui se disent progressistes. On ne s'y intéresse que dans la mesure où elle change, où apparaissent de « nouveaux types de relations familiales » où on y planifie les naissances. En 1971, l'antipsychiatre David Cooper proclame *La mort de la famille* ; en 1975, la revue *Autrement* intitule son troisième numéro « Finie la famille ? », avant de passer à des sujets plus au goût de l'heure : médecines douces, nouveaux entrepreneurs. Bref, pendant les deux décennies, on ne s'intéresse à la famille que pour la déconstruire et la condamner ; c'est de trois lieux que s'effectue cette mise à mort.

Il y a d'abord toute une littérature « psy », qui va des *Parents efficaces* de Gordon, à l'antipsychiatrie de la *Mort de la famille* de Cooper où l'on décortique la dynamique intra-familiale et où l'on retrace la genèse de l'Oedipe ou de la Jocaste de tout(e) un(e) chacun(e).

Dans un registre tout à fait différent, les travaux de l'historien Philippe Ariès et de son école ont replacé la famille dans une perspective temporelle. On traque l'apparition de « la famille moderne », de l'amour maternel; on démontre le lien entre cette « famille moderne » et l'apparition du capitalisme, de l'industrialisation et de l'exploitation.

Enfin, le courant qui va le plus loin dans l'analyse de la famille, et qui pour ce faire se nourrit des résultats des deux autres, est bien sûr le féminisme. On déconstruit et condamne sans rémission le patriarcat, « le règne du père et de la monnaie ». Un des ouvrages marquants fut *La femme mystifiée* de Betty Friedan ; il faut aussi mentionner une analyse remarquable de Nicole Laurin « Féminisme et anarchisme » (1981) qui réunit les trois perspectives.

De tout cela ressort que la famille, lieu d'oppression sexuelle et psychique, a partie liée avec le système capitaliste et industriel. Comment s'étonner alors de ces pathologies familiales que sont la violence, l'inceste et le divorce ? À ce point on pourrait être assommé par l'évidence de la désuétude de la famille, laisser les malheureux qui se débattent encore dedans aux bons soins des thérapeutes et des travailleurs sociaux. Cependant Statistique Canada et le Bureau de la statistique du Québec sèment le doute, malmènent cette nouvelle certitude : théoriquement la famille devrait être morte et pathogène ; en pratique cinq millions et demi de Québécois vivent dans des familles... que de pain sur la planche pour les thérapeutes divers !

En fait, tout ce discours critique concerne non pas tant la « famille réelle », mais le modèle de la famille nucléaire, en particulier celle vivant en banlieue avec père pourvoyeur et mère au foyer. On s'attache à une certaine idée de la famille, à ce qu'on pense qu'elle est et qu'elle a été... mais pas à ce qu'elle est vraiment. D'ailleurs, pendant même qu'on analyse la « famille moderne » elle se transforme encore peu à peu. Vingt ou vingt-cinq ans plus tard, on peut mesurer à quel point.

Avec les années 80 réapparaît l'intérêt pour la famille. Contrecoup des remises en question des décennies précédentes, de la décroissance démographique ? Arrivée à l'âge adulte des enfants des « jeunes des années 60 » ?

Au détour de la décennie actuelle, le féminisme « classique » est en crise, et il n'est pas sûr que ce soit « en dernière instance » un effet de la crise économique. On réalise de plus en plus que la libération de la femme ne passe pas nécessairement par le marché du travail (ce dont les femmes des milieux ouvriers ont toujours été conscientes) ; que la « double tâche » n'est pas qu'un concept sociologique, mais le lot de la plupart, même les plus libérées (même les féministes doivent préparer le souper, faire le ménage, surtout si elles sont célibataires ou divorcées), que l'autonomie personnelle ne s'acquiert pas en rompant toute attache affective, au contraire. Même Betty Friedan fait son autocritique dans *Le Second Souffle*. Quel revirement !

Même dans les milieux « progressifs, militants, alternatifs », on constate un décalage entre les deux sexes. Les femmes ayant des responsabilités familiales sont moins enclines à s'engager dans les mouvements sociaux, à prendre des responsabilités supplémentaires au travail ou dans des groupes. De plus « à travail égal, salaire égal » ne veut pas dire grand-chose quand l'immense majorité des femmes sur le marché du travail reste confinée à des ghettos d'emploi « dits féminins », services et travail de bureau.

Malgré leur adhésion aux analyses féministes, nombreuses sont les femmes qui cherchent encore la voie de l'autonomie tout en évitant les écueils de la double tâche et réalisent que la solution n'est pas si simple, qu'il n'y a pas de modèle généralisable.

Mais il n'y a pas que les femmes qui s'affirment et repensent la famille. Autrefois « la famille » formait une entité. Maintenant, elle éclate en plusieurs entités. Le couple se dissocie de plus en plus de la famille, en particulier à cause de la contraception. « Former un couple » n'équivaut plus à « fonder une famille ». Les couples se font et se défont, alors que la relation parent-enfant demeure. Désormais il faut penser séparément couple et famille. On n'ose plus parler de la famille comme un tout, on se sent obligé de tenir compte des individus qui la composent.

Faut-il y voir l'aboutissement d'un processus d'atomisation sociale ? Un symptôme de l'individualisme, de l'hédonisme, voire du narcissisme ? Une victoire de la psychanalyse ? De plus en plus, on cherche la personne derrière le rôle, la femme derrière la mère, l'homme derrière le père, le couple derrière les parents. On parle de « croissance personnelle » ou de « complexe de Narcisse » ; chose certaine l'individu ne trouve plus son identité sociale de par son appartenance à un groupe familial, on se réfère de plus en plus à des groupes de pairs.

Nulle certitude ne subsiste donc en ce qui concerne la famille contemporaine, tombée en disgrâce théorique sous les assauts conjugués du féminisme, de la psychanalyse et de la modernité. Il n'y a plus de modèle « universel », les expérimentations dans la vie quotidienne sont nombreuses, mais souvent discrètes.

Les prochains chapitres tenteront de brosser un tableau d'ensemble de la famille d'aujourd'hui, ou plutôt des familles d'aujourd'hui. Mais tout d'abord, que peuvent nous apprendre les statistiques ?

...AU CHOC DÉMOGRAPHIQUE [5]

Le changement principal en ce qui concerne les familles québécoises, c'est qu'en un demi-siècle, on est passé de la revanche des berceaux à un des taux de fécondité le plus faible de la planète. Il n'y a plus que les Allemandes de l'Ouest et les Danoises qui ont moins d'enfants que les Québécoises. En 1986, celles-ci ont en moyenne 1,4 enfant à peine. Voilà bien moins qu'il n'en faut (au moins 2,1) pour assurer le renouvellement des générations. Comme c'est depuis 1970 très exactement, c'est-à-dire depuis déjà près de 20 ans qu'on est passé sous le seuil fatidique de 2,1, à moins d'une immigration massive, on peut s'attendre d'ici dix ou quinze ans à une baisse de la population accompagnée d'un vieillissement de cette population. Moins d'enfants dans une société, on pourrait parler longtemps de ce que cela implique du point de vue politique, linguistique et économique [6], ou dans la transformation des rapports entre les générations.

Mais il n'y a pas que le nombre d'enfants qui soit en baisse. Désormais, ce n'est plus tout le monde qui passe devant le curé — ou le protonotaire — pour bénir son union, et de plus en plus nombreux sont ceux qui passent devant le juge pour la défaire. On observe un grand nombre de couples en union libre, qu'il s'agisse d'une première union ou de la seconde de personnes séparées ou divorcées ; de ces unions, comme des autres, naissent des enfants. En fait, de plus en plus d'enfants naissent en dehors du mariage (1 sur 5 en 1984) ; les parents peuvent être des conjoints non mariés, des « filles-mères », ou, phénomène plus récent, « des mères célibataires volontaires », trois situations fort différentes regroupées par les statistiques sous la rubrique de « naissances hors mariage ».

Depuis la libéralisation de la loi du divorce, au tournant des années 70, le nombre de familles monoparentales a augmenté en flèche ; la plupart du temps, elles sont dirigées par des femmes. En fait, les familles monoparentales regroupent les veuves (veufs), les mères célibataires, les séparées ou les divorcées et quelques pères seuls. On sait que les familles monoparentales dirigées par des femmes constituent le groupe le plus pauvre de notre société. En tout, 20 % des familles avec des enfants de moins de 18 ans sont monoparentales ; voilà un autre phénomène qui est loin d'être marginal !

Statistiquement près d'un mariage sur deux se termine par un divorce ; le mariage n'unit plus pour la vie, il n'unit plus nécessairement tous les couples ; la vie de couple n'est plus pour toutes les femmes le prérequis à la maternité. Cette vue d'ensemble des différentes situations familiales est d'autant plus floue que les statistiques gouvernementales ont eu du mal à s'ajuster à des changements si rapides (qui ont eu lieu en une vingtaine d'années alors qu'il y a un recensement à tous les dix ans : un « allegretto » démographique mal suivi par « l'adagio » des statistiques). La diversité des réalités sous chaque rubrique a amené le Conseil du statut de la femme à recompiler les statistiques globales avec des nouvelles catégories : « conjointes » et « mères sans conjoint » (quel que soit leur statut légal).

Pour le moment, ce qu'il faut retenir, c'est que les unions se font, se défont, se refont, comme l'indiquent également les statistiques de remariage des divorcés (pensons aussi, aux nouvelles unions, non sanctionnées légalement) ; quel charivari ! [8] Le mariage et la famille sont loin d'être disparus, mais se transforment ; il n'y a plus un modèle unique de vie familiale. Le divorce et l'union libre ne sont probablement pas aussi fréquents dans tous les milieux, en ville ou en campagne, selon qu'on est plus ou moins scolarisé, mais il n'y a pas de statistiques à ce sujet. Quand on discute de l'existence d'un modèle familial et sa désagrégation, ce qu'on oublie souvent, c'est qu'il n'y a pas que les parents qui se séparent... il y aussi des grands-parents : nombreux déjà sont les jeunes qui ont plusieurs *sets* de grands-parents...

La composition de la famille se transforme ; cela s'accompagne d'une redéfinition des rôles de tout un chacun. Les femmes sont de plus en plus présentes sur le marché du travail ; leur participation à la main-d'oeuvre n'est pas nouvelle, mais elle concernait auparavant les femmes célibataires, ou sans enfants, ou dont les enfants étaient grands. Les mères de jeunes enfants sur le marché du travail étaient plus rares, elles travaillaient à l'extérieur de leur foyer par obligation stricte. Actuellement encore, ce n'est pas par fantaisie que travaillent les femmes, plusieurs n'ont pas le choix : sans conjoint, ou avec un conjoint au revenu trop faible pour faire vivre une famille, elles doivent « gagner » pour boucler le budget. Cependant, d'autres travaillent parce que cela va de soi pour elles : elles y trouvent une valorisation ou ont des diplômes et entendent exercer leur profession. Il est courant, désormais, de rencontrer sur le marché du travail des mères de jeunes enfants. Pour elles, cela signifie souvent une double tâche ; pour leurs enfants, la gardienne ou la garderie.

Reprenons autrement et tentons d'aller au-delà de la simple lecture des statistiques (quoique par les temps qui courent, la lecture des oeuvres de Statistique Canada ou du Bureau de la statistique du Québec est des plus édifiantes, surtout au chapitre « Prospective »).

La baisse de la natalité n'est pas attribuable uniquement aux « nouvelles » méthodes contraceptives : pilule, stérilet ; elle était amorcée avant 1960. Ces méthodes ont peut-être contribué à accélérer, accentuer le processus, mais celui-ci était bel et bien déjà entamé. On a beaucoup parlé à ce propos, avec la multiplication des divorces et des unions libres, de la « révolution sexuelle ». Affirmer qu'à travers cela les relations entre les femmes et les hommes ont changé, serait plus que risqué. Les moeurs sexuelles ont changé, se sont libéralisées, les ménages mal assortis se défont « rapidement », c'est probablement tout ce qu'on peut affirmer à ce chapitre. De la monogamie « à vie », on est passé à la monogamie « sérielle », alors que les attentes des conjoints l'un envers l'autre, leurs attitudes, leurs rôles, changent plus que lentement.

La fragilité des unions a provoqué l'apparition des « enfants ping-pong », ceux qui passent la semaine chez maman et la fin de semaine chez papa, ou vice-versa. La présence des mères sur le marché du travail fait que la socialisation, même dans la petite enfance n'est plus du ressort unique de la famille ; il faut compter avec les garderies. Très tôt, les jeunes sont soumis à des influences diverses, confrontés à des situations et des modèles multiples. (Sans parler de ce qu'ils apprennent via les mass médias.) On résume parfois cette situation en disant qu'« *ils sont moins niaiseux que nous autres* », en tout cas que la génération précédente élevée dans le cadre de la famille nucléaire ; dans les familles élargies d'autrefois, les enfants étaient également soumis à des influences diverses.

Travail des femmes, divorce, dénatalité, « enfants ping-pong », des causes ou des effets ? Et de quoi au juste ? Des changements profonds sont en cours dont on mesure encore mal le sens et l'impact. Deux indices de l'importance de ces changements : la loi qui a plutôt la réputation de suivre et de sanctionner les transformations que de les précéder — la loi sur la famille a été refondue en 1980. En 1984, un Livre vert sur la famille est lancé par le gouvernement du Québec en même temps qu'une commission consultative présidée par Maurice Champagne-Gilbert.

OÙ EN SOMMES-NOUS ? TENTATIVE DE DÉFINITION DE *LA* FAMILLE

La famille, si elle n'est pas disparue, a éclaté dans plusieurs directions, au point qu'on ne sait plus très bien ce qu'elle est. On continue cependant à affirmer qu'elle est l'assise fondamentale de la société, son unité de base. Lors de la tournée consultative sur la politique familiale, le débat le plus passionné fut celui autour de la définition de la famille : devait-on y inclure deux générations ou plus ? et la parenté ? et les familles d'accueil ? et les familles monoparentales ou reconstituées ? Pour qu'il y ait famille, faut-il nécessairement qu'il y ait des jeunes de moins de 18 ans ? Quelles sont les obligations les uns envers les autres des membres d'une même famille et jusqu'à quel âge les obligations des parents envers les enfants persistent-elles ? Quelles sont les obligations des enfants envers leurs parents, et leurs vieux parents ? Finalement, la Commission a dû adopter une définition minimale, regroupant toutes les situations familiales ; et s'il faut parler de « la » famille dans les années 80, c'est aussi, dans un premier temps, à cette définition minimale qu'il faut s'en tenir : « une unité de vie stable regroupant un ou des adultes avec un ou des enfants [9] ».

ET LA SOCIABILITÉ ? COUPS DE SONDE

On ne peut manquer, à la lumière du portrait statistique esquissé plus haut, de poser plusieurs questions sur la solidarité et la sociabilité. Rapetissement des familles, vieillissement de la population... la sociabilité et la solidarité qui, au Québec, avaient toujours été d'abord familiales, n'en subiront-elles pas les contrecoups ?

Deux constatations principales ressortent d'une pré-enquête réalisée en 1983 dans quatre quartiers de la région de Québec, très contrastés du point de vue socio-économique [10]. Dans la majorité des cas, la parenté, c'est-à-dire les parents, les frères et les soeurs du conjoint ou des conjoints, demeure la fréquentation principale. Cependant, nos interlocutrices et interlocuteurs provenaient de familles de cinq ou six enfants, en moyenne, alors qu'eux-mêmes n'en avaient, en moyenne toujours, que deux. Le bassin des relations familiales potentielles s'amenuise au point que dans l'ensemble, la génération montante ne pourra reproduire le modèle de sociabilité de ses parents, celui auquel elle a été socialisée, faute de joueurs. Second constat, la sociabilité actuelle repose encore en grande partie sur la fécondité des grand-mères.

LA GRANDE FÊTE DE L'ÉTÉ 84 : LA TOURNÉE DE LA PARENTÉ

C'est ainsi qu'à l'été 1984, en plein coeur des festivités des grands voiliers et alors que toute la ville se préparait à la visite du pape, nous sommes partis rencontrer des familles de l'agglomération québécoise *. Deux objectifs nous animaient :

1. Décrire la sociabilité des familles « ordinaires », c'est-à-dire nucléaires, à leur première union. La Révolution tranquille aurait sans doute laissé sa marque en elles et elles devraient être différentes de la famille « d'autrefois » telle que décrite aux chapitres précédents. Par ailleurs, la dénatalité créait en nous un relatif sentiment d'urgence et nous avions l'impression que d'une certaine façon, c'était notre dernière chance d'observer une telle famille ;
2. Découvrir s'il se créait de nouvelles solidarités, de nouvelles formes de sociabilité non essentiellement familiales, chez ceux qui dans la génération des parents actuels, préfigurent déjà la famille « de demain » : ceux qui n'ont pas ou que peu de frères et soeurs ou qui en sont coupés géographiquement, ainsi que les familles monoparentales et reconstituées. Une attention particulière a été accordée à l'analyse du comportement de ces groupes, que nous avons cependant voulu rapporter à l'ensemble de la population actuelle, pour éviter le piège dans lequel sont tombés certains auteurs, qui en l'absence de renseignements précis sur la famille « ordinaire » des années 80, comparent les familles monoparentales ou reconstituées d'aujourd'hui aux familles nucléaires des années 60.

Nous avons donc été nous promener au centre-ville et en banlieue, dans des quartiers anciens et des nouveaux, des riches et des pauvres, afin de tracer un portrait d'ensemble de la famille des années 80. Nous sommes partis de listes d'enfants inscrits aux écoles publiques primaires de la région. Nous avons choisi 11 écoles, donc 11 quartiers, échantillonné des enfants puis remonté aux parents quels qu'ils soient (ce qui maximisait l'éventail des situations familiales).

* À l'équipe initiale de l'été 1983, Denys Delâge, Jean-Didier Dufour et moi-même, s'est joint une équipe de chercheur-e-s étudiant-e-s : Lynda Fortin, Louise Brunet, Luc Lafontaine, Madeleine Morin, Carolle Plamondon.

Procéder à partir de listes scolaires permettait aussi de rencontrer des parents d'un même quartier. Étant donné l'importance de l'investissement de l'espace et du quartier par les familles « d'autrefois », cela nous semblait essentiel. Dans l'échantillon final, nous avons réinclus un quartier visité lors de la pré-enquête, quartier aisé dont nous n'avons pas rencontré d'équivalent socio-économique l'année suivante. L'échantillon final comprend donc 12 quartiers et 370 familles.

Dans un contexte de réseau, il est difficile de parler d'échantillon « scientifique », l'effet-réseau pouvant jouer, positivement ou négativement lors de la prise de contact et lors de l'entrevue. Même dans les banlieues où la vie de quartier est moins intense, les intervieweuses ont entendu quelquefois de remarques du genre : « *hier j'ai rencontré une telle, vous savez celle que vous avez été voir il y a deux semaines [...]* » ou même dans la banlieue où la vie de quartier est la moins intense de tout l'échantillon, l'intervieweuse, qui ne s'y promenait que depuis une semaine s'est fait dire, par quelqu'un à qui elle demandait un renseignement dans la rue : « *ah ! c'est vous la dame qui fait des entrevues dans le quartier [...]* »

Les milieux défavorisés ont été surétudiés et le taux de refus y a été beaucoup plus fort que dans des milieux plus rarement sollicités, comme dans les banlieues, ou les quartiers plus aisés, où la population, plus scolarisée, est plus disposée à collaborer, invitant dans quelques cas l'intervieweur ou l'intervieweuse à revenir si il ou elle voulait approfondir une question.

Pour nous assurer de la représentativité de notre échantillon, nous avons comparé le profil de nos répondant-e-s avec celui tracé par Gagnon et Pageau à partir des données du recensement de 1981 [11]. Cet exercice a calmé toutes nos inquiétudes à ce sujet ; on ne le reprendra pas ici, le lecteur curieux pouvant consulter le rapport de recherche initial.

La fiabilité des entrevues

Il est évident qu'en entrevue, les gens disent bien ce qu'ils veulent (quelle femme mariée parlera de son amant ?) et qu'on obtient une image plus ou moins déformée de la réalité. Mais hormis des omissions comme ci-dessus, les données recueillies semblent pertinentes, et ce, à plusieurs points de vue.

Les gens disent ce qu'ils veulent ; ce qu'on obtient donc c'est leur vision de leur réseau, leur perception personnelle de leur insertion dans un milieu, de ce qui en est « montrable ». Au-delà de la description « objective » du réseau (si cela même peut avoir un sens, puisqu'il faut tenir compte dans une telle description de l'intensité subjective, de l'investissement affectif dans une relation) cela permet de cerner l'appréciation du réseau par la personne interrogée. On peut se sentir très entouré tout en voyant très peu de gens comme on peut se sentir seul tout en côtoyant une centaine de personnes chaque semaine.

Par ailleurs, nous avons pu effectuer une certaine « vérification » des données recueillies, puisque à quelques reprises, nous avons rencontré des paires (ou des trios...) d'amies, de belles-soeurs ou de voisines dont le réseau se recoupe largement. Chaque fois, on a noté la cohérence de l'information « objective ». Cela ne permet pas d'évaluer les « trous » ou le non-dit dans les renseignements fournis, mais la non-contradiction entre la perception d'un réseau par deux ou plusieurs personnes en faisant partie. Néanmoins, chaque fois ou presque, on a remarqué une différence d'investissement affectif. (Et ce en dehors du fait que par effet de saturation ou de méfiance, la deuxième entrevue dans une telle paire, est souvent moins riche qualitativement.) Les personnes mentionnées, les activités décrites sont les mêmes mais pour une personne le réseau est très intense, très important et gratifiant, alors qu'il se révèle insatisfaisant pour une seconde. Un exemple révélateur de cela est celui de deux belles-soeurs et voisines : chacune dit de l'autre qu'elle est bien plus sociable, qu'elle voit beaucoup de monde chez sa belle-soeur alors qu'elle-même reçoit moins.

La construction de l'échantillon

Après avoir passé un mois à arpenter un quartier, magnétophone en main, les intervieweurs et les intervieweuses brûlés, ont noté que la qualité de l'information recueillie baissait, qu'on ne leur disait pas « tout »... Dans un milieu « tricoté serré » comme Saint-Jean-Baptiste, quand on interviewe une femme, sa gardienne, la mère de la meilleure amie de sa fille, on ne peut se surprendre que sa meilleure amie à elle, quand on la rencontre finalement, manifeste de la réticence et ne soit pas portée à élaborer... c'est justement un effet de réseau. À part des cas aussi extrêmes que celui dont on vient de parler, il est certain que nous ne passions pas inaperçus dans les coopératives non plus ; il nous est arrivé d'être directement référés à une femme par une voisine ou une amie ; nous n'avons pas été de la sorte chercher des gens qui n'étaient pas dans nos listes scolaires, sauf que cela faisait passer à 100 % la probabilité d'acceptation de nous rencontrer, contrecarrant l'effet de saturation et permettant de mettre à jour des réseaux précis.

Les informatrices

Dans la majorité des cas (87 %), nous avons rencontré des femmes ; quelquefois des couples (7 %) ou des hommes (6 %). Il est sûr que cela introduit un biais, le réseau des femmes n'étant pas semblable, ni même équivalent au réseau des hommes. D'autre part, et comme on le verra tout au long de la description des réseaux, ceux-ci sont beaucoup l'affaire des femmes. En ce sens, interroger la femme, c'est interroger le meilleur informateur (comme dans l'enquête Tremblay-Fortin, dont on a parlé au chapitre précédent). Les hommes sont moins habitués à penser et à parler réseau. Un des hommes rencontrés ne sait pas qui sont les parrains et marraines de ses enfants « *ça, ma femme pourrait te le dire [...]* » ; des entrevues commencées avec un homme se transforment en entrevue de couple quand on lui demande où habitent les frères et soeurs de sa conjointe, leur nombre d'enfants respectifs, etc.

Même si le nombre d'hommes rencontrés est faible, une attention particulière leur a été portée et une section leur sera consacrée plus loin. Les femmes constituent les pivots des réseaux, elles sont donc les mieux placées pour en parler, comme l'ont senti leurs conjoints lors de la prise de contact téléphonique (laquelle se faisait à des heures différentes pour rejoindre des mères sur le marché du travail, des gens à horaire variable). Ceux-ci, lorsqu'ils entendaient qu'il s'agissait d'une enquête sur la famille, nous référaient immédiatement à leur femme pour un rendez-vous. Les femmes sont les pivots des réseaux. Au point que dans les milieux populaires c'est la femme qui entretient le contact avec la famille de son mari. On y reviendra. La surreprésentation des femmes dans l'échantillon ne constitue pas tant un biais d'échantillonnage qu'une caractéristique des réseaux.

Le prochain chapitre présentera quelques résultats généraux sur l'investissement de l'espace, composante essentielle de la sociabilité, encore aujourd'hui.

Notes

[1] François Benoît, Philippe Chauveau, *Acceptation Globale*, Montréal, Boréal, 1986.

[2] Voir Kenneth McRoberts, Dale Posgate, *Développement et modernisation du Québec*, Montréal, Boréal Express, 1983.

[3] Voir sous la direction de Benoit Lévesque, *Animation sociale, entreprises communautaires et coopératives*, Montréal, Éditions coopératives Albert Saint-Martin, 1979 ; Donald McGraw, *Le développement des groupes populaires à Montréal, (1963-1973)*, Montréal, Éditions coopératives Albert Saint-Martin, 1979.

[4] Voir Jacques Godbout, *La participation contre la démocratie*, Montréal, Éditions Saint-Martin, 1983 ; et Gilbert Renaud, *À l'ombre du rationalisme*, Montréal, Éditions Saint-Martin, 1984.

[5] Voir George Mathews, *Le choc démographique*, Montréal, Boréal, 1984.

[6] Voir George Mathews, *op. cit.*

[7] Suzanne Messier, *Les femmes, ça compte*, Conseil du statut de la femme, Québec, Gouvernement du Québec, 1984.

[8] Madeleine Rochon écrit dans *Démographie Québécoise*, p. 137 : « Les taux de fécondité selon l'état matrimonial (tableau 4.1) posent certains problèmes d'interprétation, car ils souffrent de la différence de définition de l'état matrimonial marié entre le numérateur (nombre de naissances issues de femmes mariées) et le dénominateur (nombre de femmes mariées). En effet, les unions de fait sont considérées comme des unions légales au recensement de sorte que la population féminine mariée est surévaluée et la fécondité des femmes mariées sous-estimée. De même, la population féminine célibataire est sous-évaluée et sa fécondité est surestimée. Lorsque nous considérons la fécondité des femmes mariées selon la durée de mariage, le dénominateur étant constitué des effectifs initiaux des promotions de mariage, ce problème sera inexistant mais la fécondité des unions de fait ne pourra être prise en compte ». Quel charivari dans les chiffres !

[9] C'est une définition très semblable qu'utilise Maurice Champagne-Gilbert (1980) : « Une unité de vie, intime et privée, mais ouverte sur un environnement communautaire, regroupant un ou des adultes prenant charge d'enfants, dans une expérience quotidienne voulue comme durable et le plus permanente possible, en vue du bien-être individuel de chacun, de l'apprentissage des relations positives avec autrui et de l'appartenance dynamique à une société ». Dans le livre vert, signé Camille Laurin, intitulé : *Pour les familles québécoises, document de consultation sur la politique familiale* (Québec, 1984), la définition de famille est la suivante : « le groupe parent(s)-enfant(s) unis par des liens multiples et variés, pour se

soutenir réciproquement au cours d'une vie et favoriser à leur source de développement des personnes et des sociétés » (p. 34). À la suite de la consultation, les commissaires proposent finalement la définition suivante :

> *« Le groupe de personnes, formant et entourant une relation parent(s)-enfant(s) unies par diverses formes de liens et d'engagement ; les familles et les personnes qui les constituent se développent à travers des cycles de vie variables ; les parents ne peuvent s'acquitter de leur tâche qu'avec le soutien des ressources collectives ».* (*Le Devoir*, 23 avril 1985, p. 9)

[10] Ainsi que quelques autres dont on peut prendre connaissance dans notre rapport, mais qui ne sont pas essentielles au propos actuel. Voir Andrée Fortin, Denys Delâge, Jean-Didier Dufour et Lynda Fortin, *Histoires de familles et de réseaux, une exploration*, Département de Sociologie, Université Laval, 1985.

[11] C. Gagnon et M. Pageau, *Profil socio-démographique et sanitaire du territoire du Département de Santé communautaire de l'hôpital Saint-Sacrement*, Québec, 1985.

Bibliographie

Critique de la famille

ARIÈS, Philippe, *L'enfant et la vie familiale sous l'ancien régime*, Paris, Seuil, 1980.

BADINTER, Élisabeth, *L'amour en plus*, Paris, Flammarion, 1980.

CARISSE, Colette, *Planification des naissances en milieu canadien-français*, Montréal, Presses de l'Université de Montréal, 1964.

CARISSE, Colette, *La famille, mythe et réalité québécoise*, Québec, Conseil des affaires sociales et de la famille, 1984.

COOPER, David, *Mort de la famille*, Paris, Seuil, 1970.

FRIEDAN, Betty, *La femme mystifiée*, Paris, Gonthier, 1963.

Le Second Souffle, Paris, Gonthier, 1982.

GAGNON, Nicole, « Un nouveau type de relations familiales » dans *Recherches sociographiques*, vol. IX, n°s 1-2, 1968, p. 59-66.

GORDON, Thomas, *Parents efficaces*, Montréal, Éd. du Jour, 1976.

LAING, Ronald D., *Sanity, Madness and the Family*, New York, Penguin, 1970.

LAMARCHE, Y., RIOUX, M. et SÉVIGNY, R., *Aliénation et idéologie dans la vie quotidienne des Montréalais francophones*, Montréal, Presses de l'Université de Montréal, 1973.

LASCH, Christopher, *Le complexe de Narcisse*, Paris, Laffont, 1976.

LAURIN-FRENETTE, Nicole, « Féminisme et anarchisme » dans Yolande COHEN, éd. *Femmes et Politique*, Montréal, Éditions du Jour, 1981, p. 147-191.

MENDEL, Gérard, *Décoloniser l'enfant*, Paris, Petite Bibliothèque Payot, 1971.

SHORTER, Edward, *Naissance de la famille moderne*, Paris, Seuil, 1977.

————, « Finie la famille ? » Revue *Autrement*, n° 3, 1985.

Renouveau des années 80

BRODEUR, Claude, *Portraits de famille, une typologie structurale du discours familial*, Montréal, France-Amérique, 1983.

————, « Famille et Sociétés », *Conjoncture*, n° 3, printemps 1983.

————, « Familles d'aujourd'hui », *Critère*, n° 33, printemps 1982.

————, « Parentés au Québec », *Anthropologie et sociétés*, vol. 9, n° 3, 1985.

CHAMPAGNE-GILBERT, Maurice, *La famille et l'homme à délivrer du pouvoir*, Montréal, Leméac, 1980.

DANDURAND, Renée et Lise ST-JEAN, « La nouvelle monoparentalité comme révélateur des contradictions familiales » dans LANGLOIS, S. et F. TRUDEL, *La morphologie sociale en mutation au Québec*, Cahiers de l'ACFAS, n° 41, 1986, p. 125-139.

DANDURAND, Renée, « Idendité sociale et maternité sans alliance » dans le collectif, *Identités féminines : mémoire et création*, Québec, IQRC, 1986, p. 85-103.

LEBOURDAIS, Céline, avec la collaboration de Damaris ROSE, « Vers une caractérisation des familles monoparentales québécoises à chef féminin » dans LANGLOIS, S. et F. TRUDEL éd., *La Morphologie sociale en mutation au Québec*. Les cahiers de l'ACFAS, n° 41, 1986, p. 141-158.

Gouvernement du Québec, *Pour les familles québécoises. Document de consultation sur la politique familiale*, Québec, 1984.

Gouvernement du Québec, *Rapport de la consultation sur la politique familiale*, Québec, 1986.

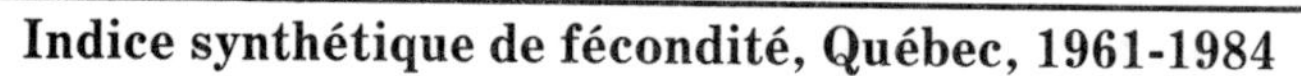

Indice synthétique de fécondité, Québec, 1961-1984

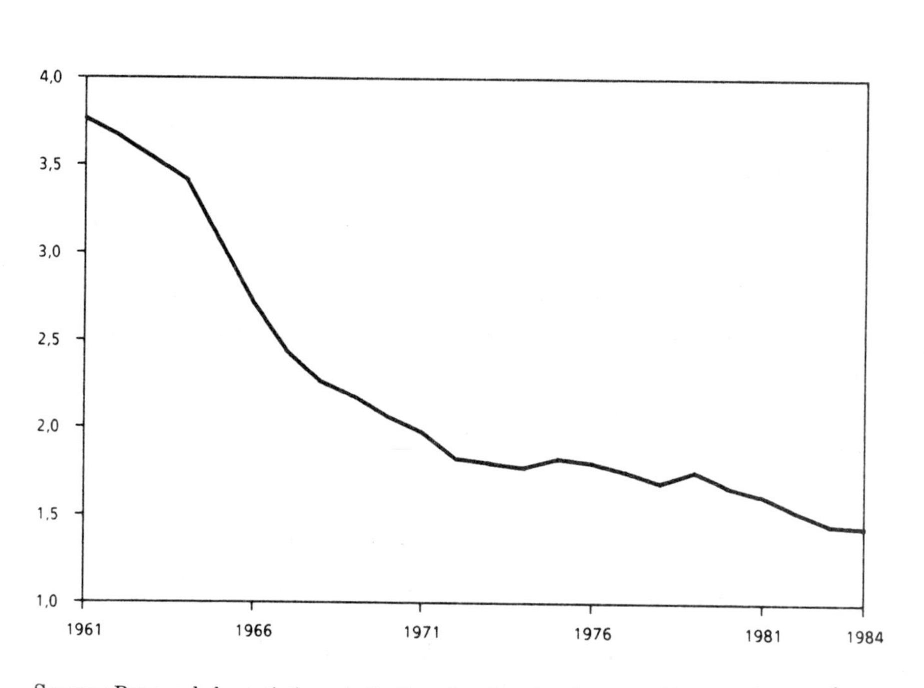

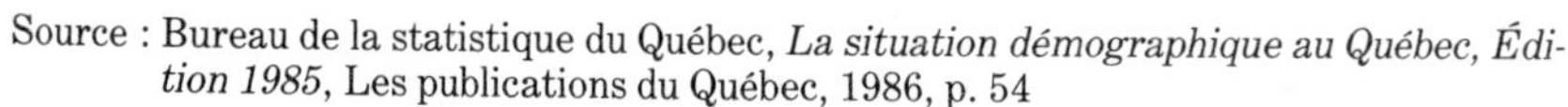

Source : Bureau de la statistique du Québec, *La situation démographique au Québec, Édition 1985*, Les publications du Québec, 1986, p. 54

Naissances selon l'état matrimonial des parents, Québec, 1951-1984

Année	Naissances de parents mariés[1]		Naissances hors mariage		Total	
	n	%	n	%	n	%
1951	119 400	96,9	3 796	3,1	123 196	100,0
1952	123 838	96,8	4 101	3,2	127 939	100,0
1953	126 280	96,7	4 303	3,3	130 583	100,0
1954	131 368	96,6	4 607	3,4	135 975	100,0
1955	131 788	96,7	4 482	3,3	136 270	100,0
1956	133 978	96,6	4 653	3,4	138 631	100,0
1957	139 754	96,8	4 678	3,2	144 432	100,0
1958	138 910	96,7	4 800	3,3	143 710	100,0
1959	139 384	96,5	5 075	3,5	144 459	100,0
1960	136 116	96,4	5 108	3,6	141 224	100,0
1961	134 719	96,3	5 138	3,7	139 857	100,0
1962	132 734	96,1	5 429	3,9	138 163	100,0
1963	130 609	95,1	5 882	4,3	136 491	100,0
1964	127 636	95,3	6 227	4,7	133 863	100,0
1965	116 818	94,8	6 461	5,2	123 279	100,0
1966	106 137	94,1	6 620	5,9	112 757	100,0
1967	97 760	93,3	7 043	6,7	104 803	100,0
1968	93 143	92,6	7 405	7,4	100 548	100,0
1969	91 827	92,3	7 676	7,7	99 503	100,0
1970	88 592	91,8	7 671	8,2	96 263	100,0
1971	86 072	91,8	7 671	8,2	93 743	100,0
1972	81 367	92,3	6 751	7,7	88 118	100,0
1973	82 641	92,4	6 771	7,6	89 412	100,0
1974	84 424	92,4	7 009	7,6	91 433	100,0
1975	87 764	91,2	8 504	8,8	96 268	100,0
1976	88 461	90,2	9 561	9,8	98 022	100,0
1977	87 068	89,5	10 198	10,5	97 266	100,0
1978	85 387	88,8	10 815	11,2	96 202	100,0
1979	87 294	87,4	12 599	12,6	99 893	100,0
1980	84 010	86,2	13 488	13,8	97 498	100,0
1981	80 431	84,4	14 816	15,6	95 247	100,0
1982	74 042	81,8	16 498	18,2	90 540	100,0
1983	69 874	79,6	17 865	20,4	87 739	100,0
1984	68 001	77,6	19 609	22,4	87 610	100,0

1 Naissances de parents mariés : naissances issues de parents mariés l'un à l'autre jusqu'en 1975. À partir de 1976, il s'agit de l'état matrimonial de la mère, les femmes mariées excluant les séparées légalement.

Source : Bureau de la statistique du Québec, *La situation démographique au Québec, Édition 1985*, Les publications du Québec, 1986, p. 205

Nombre de divorces et indice synthétique de divortialité, Québec, 1969-1984

Année	Nombre	Indice synthétique (pour 100 mariages)
1969	2 947	8,7
1970	4 865	13,9
1971	5 203	14,5
1972	6 426	17,6
1973	8 091	22,0
1974	12 272	32,3
1975	14 093	36,5
1976	15 186	38,2
1977	14 501	35,5
1978	14 865	35,5
1979	14 379	34,1
1980	13 899	31,8
1981	19 193	44,3
1982	18 579	42,0
1983	17 365	39,1
1984	16 845	38,1

Sources : Statistique Canada (série des divorces). Bureau de la statistique du Québec (indices).

Tiré de : Bureau de la statistique du Québec, *La situation démographique au Québec, Édition 1985*, Les publications du Québec, 1986, p. 69

Conjointes dans les ménages privés selon la participation à la main-d'oeuvre, le statut et l'âge des conjointes et la présence d'enfants à la maison, Québec, 1981

Statut et âge des conjointes et présence d'enfants	Population totale	Main-d'oeuvre	Taux de participation
Épouses légales avec enfants			
15-24	49 075	21 385	43,6
25-34	311 305	147 685	47,4
35-44	281 520	145 550	51,7
45-54	196 585	82 610	42,0
55-64	82 995	19 320	23,3
65 et plus	17 335	745	4,3
Total	**938 810**	**417 295**	**44,4**
Épouses légales sans enfant			
15-24	60 245	50 560	83,9
25-34	69 175	58 090	84,0
35-44	25 555	17 760	69,5
45-54	53 400	25 285	47,4
55-64	103 410	23 925	23,1
65 et plus	92 740	3 590	3,9
Total	**404 525**	**179 220**	**44,3**
Partenaires en union libre avec enfants			
15-24	7 565	3 435	45,4
25-34	15 500	9 855	63,6
35-44	8 835	5 935	67,2
45-54	2 795	1 490	53,3
55-64	610	230	37,7
65 et plus	50	—	—
Total	**35 355**	**20 940**	**59,2**
Partenaires en union libre sans enfant			
15-24	41 130	36 340	88,4
25-34	26 945	24 445	90,7
35-44	6 575	5 360	81,5
45-54	4 795	3 095	64,5
55-64	3 095	1 120	36,2
65 et plus	1 600	75	4,7
Total	**84 135**	**70 430**	**83,7**

Sources : Statistique Canada, Recensement du Canada 1981, compilations spéciales préparées pour le Conseil du statut de la femme, Gouvernement du Québec, tableau 11.

Tiré de : Suzanne Messier, *Les femmes, ça compte*, Conseil du statut de la femme, Québec, 1984, p. 36

Pyramide des âges, Québec, 1er juin 1985

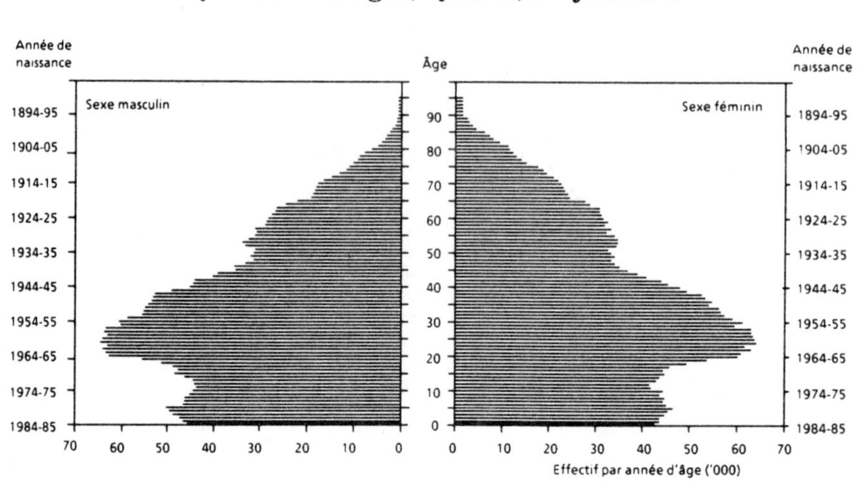

Sources : Statistique Canada, Estimations annuelles postcensitaires.

Tiré de : Bureau de la statistique du Québec, *La situation démographique au Québec, Édition 1985*, Les publications du Québec, 1986, p. 29

4

L'investissement de l'espace*

Les familles ne se répartissent pas au hasard dans la ville... couples et familles monoparentales, selon leur origine géographique, et l'âge de leurs enfants, habitent des espaces différents et surtout les investissent différemment.

On examinera d'abord qui vit où, pour tenter par la suite de saisir pourquoi on choisit un quartier plutôt qu'un autre, comment on l'habite. Autrement dit, qu'est-ce que cet investissement de l'espace qu'on vient d'évoquer ; que peut-on en dire à l'échelle globale, c'est-à-dire en ce qui concerne l'ensemble de l'agglomération québécoise et l'ensemble des familles ? Dans ce chapitre, on présentera quelques résultats de l'enquête de l'été 1984. Ce n'est pas par fétichisme des chiffres, mais pour confondre les sceptiques qui croient que l'importance accordée à la famille « autrefois », depuis la Révolution tranquille, n'existe plus qu'à titre de vestige.

QUI VIT OÙ ?

L'enquête de l'été 1984 ayant porté sur des quartiers de la Haute-Ville, de la Basse-Ville, du centre et de la banlieue, on a eu la curiosité d'examiner la situation familiale en regard du quartier de résidence. Les tableaux qui suivent décrivent les familles selon trois variables :

1) La première variable est celle du type de famille au sens plus étroit : *famille monoparentale*, c'est-à-dire famille à un seul parent (mères célibataires, veufs et veuves, personnes séparées ou divorcées) ; *familles reconstituées*, c'est-à-dire dont un des deux conjoints au moins n'en est pas à sa première union, légale ou non ;

---

* Une partie de ce chapitre a déjà paru dans les *Cahiers de Géographie du Québec*, vol. 31, n° 83, 1987.

2) La deuxième variable concerne la distance géographique d'avec la famille d'origine. Nous appelons ici « *coupée* » une famille dont au moins un des deux conjoints (le cas échéant) est originaire de l'extérieur de l'agglomération urbaine de Québec et est donc coupé géographiquement de sa famille d'origine ;
3) Enfin, nous appelons « *petite* » une famille dont au moins un des conjoints (le cas échéant) provient d'une famille d'au plus trois enfants, c'est-à-dire a au plus deux frères ou soeurs.

Ces trois variables ne sont bien sûr pas mutuellement exclusives : par exemple, une famille monoparentale peut être aussi coupée géographiquement de sa famille d'origine. La catégorie « *ordinaire* » est le résidu des catégories précédentes : ce sont les familles ni monoparentales, ni reconstituées, ni « coupées », ni « petites », autrement dit les couples originaires de Québec tous les deux, et qui y ont une parenté relativement nombreuse ; on pourrait les qualifier de « bien implantées ».

On présente ici ces trois variables en un seul tableau, car le portrait qui s'en dégage est fort révélateur.

Tableau 1
Types de familles selon les quartiers
(attention, les catégories sont non mutuellement exclusives, sauf la catégorie « ordinaire » qui est le résidu...)

	MONOP.	RECONST.	« COUPÉE »	« PETITE »	ORDINAIRE	TOTAL	
St-Jean-B.	16(.41)	3(.08)	16(.41)	14(.36)	6(.15)	39	100 %
St-Roch	9(.26)	1(.03)	10(.29)	18(.53)	3(.09)	34	100 %
St-Sauveur	12(.32)	4(.11)	3(.08)	10(.27)	14(.38)	37	100 %
St-François	12(.28)	1(.02)	13(.30)	11(.26)	14(.32)	43	100 %
Montcalm	23(.49)	6(.13)	25(.53)	21(.45)	2(.02)	47	100 %
St-Sacrement	5(.19)	–	17(.65)	11(.42)	3(.12)	26	100 %
Le Domaine	3(.13)	–	8(.35)	3(.13)	11(.48)	23	100 %
Duberger O.	2(.07)	1(.03)	13(.46)	7(.25)	7(.25)	28	100 %
Neufchâtel	10(.25)	3(.08)	14(.35)	14(.35)	8(.20)	40	100 %
Maria Goretti	2(.09)	–	13(.59)	10(.45)	5(.23)	22	100 %
St-Jérôme	1(.06)	2(.13)	13(.81)	7(.43)	2(.13)	16	100 %
St-Louis de F.	–	–	14(.93)	8(.53)	1(.07)	15	100 %
Total	95(.26)	21(.06)	159(.43)	134(.36)	76(.21)	370	100 %
	116(.31)						

Ce tableau suscite plusieurs commentaires. Les familles monoparentales constituent le quart de l'échantillon, les familles reconstituées, le vingtième ; autrement dit chez 30 % des familles rencontrées le ou les parents avaient déjà vécu une séparation. Les familles monoparentales sont très présentes au centre-ville. En banlieue, on les remarque surtout là où il y a des coopératives d'habitation. On sait que les femmes chefs de famille monoparentale, constituent un des groupes les plus pauvres de notre société, aussi ne se surprend-on pas de les rencontrer au centre-ville, dans les quartiers « populaires » où le logement coûte moins cher. Par ailleurs, il n'y a pas que le prix du logement qui entre en ligne de compte dans le choix du quartier de résidence : les quelques femmes seules rencontrées dans des secteurs de maisons unifamiliales ont toutes témoigné que ce type d'habitation et de terrain est conçu pour un couple : deux adultes ne sont pas de trop pour les entretenir.

Les quartiers où on trouve le plus de familles « ordinaires » c'est-à-dire ni monoparentales, ni reconstituées, dont les parents ont au moins trois frères et/ou soeurs et n'en sont pas coupés géographiquement, ces familles « ordinaires » donc, se retrouvent surtout au centre-ville dans Saint-Sauveur et Saint-François d'Assise, « villages en ville »... mais ces deux quartiers sont déclassés par une banlieue : le Domaine Saint-Charles ! Si on regroupe les familles à un ou deux parents pour opposer ceux qui ne sont ni « coupés », ni de petite famille d'origine, on aura une idée des quartiers où les gens sont bien implantés familialement (voir le Tableau 2). Or, ce sont encore les trois mêmes quartiers qui sont en tête. À Saint-Sauveur, Saint-François d'Assise et le Domaine, la moitié des parents — toutes catégories — sont bien implantés à Québec : ils en sont originaires et y ont une famille nombreuse. Les quartiers où 30 % des familles au moins sont « bien implantées » comprennent aussi Saint-Roch, Saint-Jean-Baptiste, Neufchâtel et Duberger Ouest, autrement dit, les quartiers les plus populaires du centre et de la banlieue. Le fait que certaines banlieues aient en cette matière un profil semblable à celui du centre-ville, est un indice de transformation de ces banlieues, de leur « prolétarisation », de leur repeuplement par les populations chassées du centre-ville par les démolitions et les rénovations (fig. 1).

Par ailleurs, les quartiers où il y a le moins de ces familles « bien implantées », moins de 15 %, sont Saint-Louis-de-France et Saint-Jérôme, où les gens proviennent massivement de l'extérieur avec des proportions de familles « coupées » de 90 % et 80 % respectivement. Mais il y a encore Montcalm, Saint-Sacrement et Maria Goretti où plus de la moitié des gens rencontrés étaient coupés géographique-

Figure 1

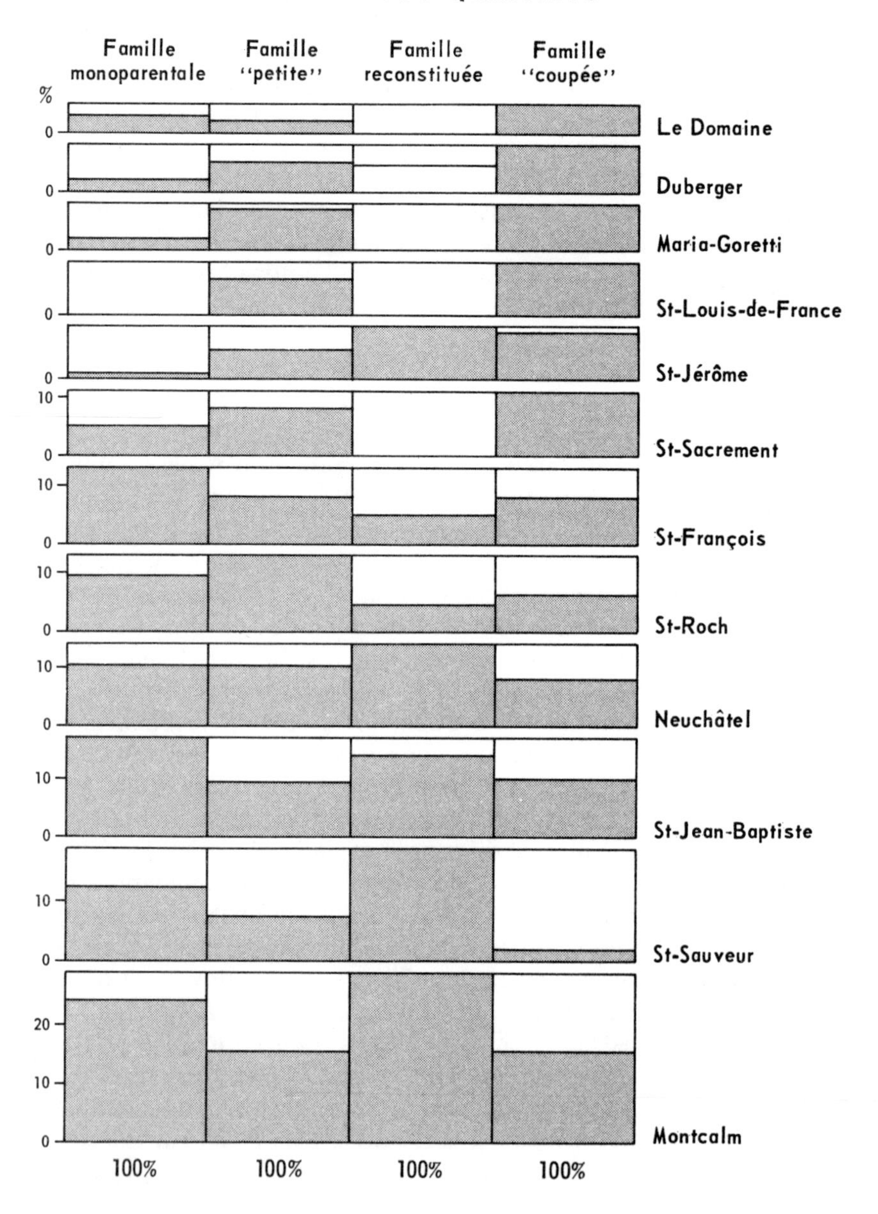
QUI VIT OÙ ?
Répartition des différents types de famille selon les quartiers
Famille monoparentale
Famille "petite"
Famille reconstituée
Famille "coupée"
%
Le Domaine
Duberger
Maria-Goretti
St-Louis-de-France
St-Jérôme
St-Sacrement
St-François
St-Roch
Neuchâtel
St-Jean-Baptiste
St-Sauveur
Montcalm
0
10
20
100%
100%
100%
100%

ment de leur famille d'origine... ce sont comme par hasard des quartiers « à l'aise ». Si on examine plus à fond la structure des familles, on réalise que dans les quartiers Montcalm, Saint-Sacrement, Maria Goretti, Saint-Jérôme et Saint-Louis-de-France, plus de 20 % des familles sont à la fois coupées géographiquement et n'ont que peu de frères ou soeurs.

Tableau 2

Mesures de l'implantation familiale

	NOMBRES DE FAMILLES À UN OU DEUX PARENTS QUI NE SONT NI « PETITES » NI « COUPÉES »	FAMILLES À LA FOIS « PETITES » OU « COUPÉES » SELON LES QUARTIERS	TOTAL
St-Jean-B.	13(.33)	3(.08)	39 (1,00)
St-Roch	11(.32)	5(.15)	34 (1,00)
St-Sauveur	25(.68)	2(.05)	37 (1,00)
St-François	22(.51)	3(.07)	43 (1,00)
Montcalm	12(.25)	12(.25)	47 (1,00)
St-Sacrement	5(.19)	6(.23)	26 (1,00)
Le Domaine	11(.48)	2(.09)	23 (1,00)
Duberger O.	8(.29)	–	28 (1,00)
Neufchâtel	15(.38)	3(.07)	40 (1,00)
Maria-Goretti	5(.23)	6(.27)	22 (1,00)
St-Jérôme	2(.125)	6(.38)	16 (1,00)
St-Louis de F.	1(.07)	8(.53)	15 (1,00)
Total	130(.35)	56(.15)	370 (1,00)

Si on combine tous ces chiffres sur la composition des familles on en arrive à une partition des quartiers (fig. 2 et 3). On aurait d'une part les quartiers plus « populaires » : Saint-Jean-Baptiste, Saint-Roch, Saint-Sauveur, Saint-François d'Assise, Le Domaine et Neufchâtel et d'autre part : Saint-Sacrement, Saint-Louis-de-France, Maria Goretti et Saint-Jérôme. Restent Montcalm et Duberger Ouest. Il faudrait probablement rattacher Montcalm, qui a le plus haut taux de familles monoparentales et reconstituées, et plus de 50 % de sa population coupée de sa famille d'origine, au second groupe, étant donné la « gentrification » accélérée de sa population. Mais l'analyse montre, comme on le verra, que Montcalm est encore tiraillé entre deux types de population et qu'on y retrouve des extrêmes, tant au niveau des revenus que de la vie de famille. Le cas de

Figure 2

LOCALISATION SCHÉMATIQUE DES QUARTIERS ÉTUDIÉS EN 1984 DANS L'AGGLOMÉRATION DE QUÉBEC

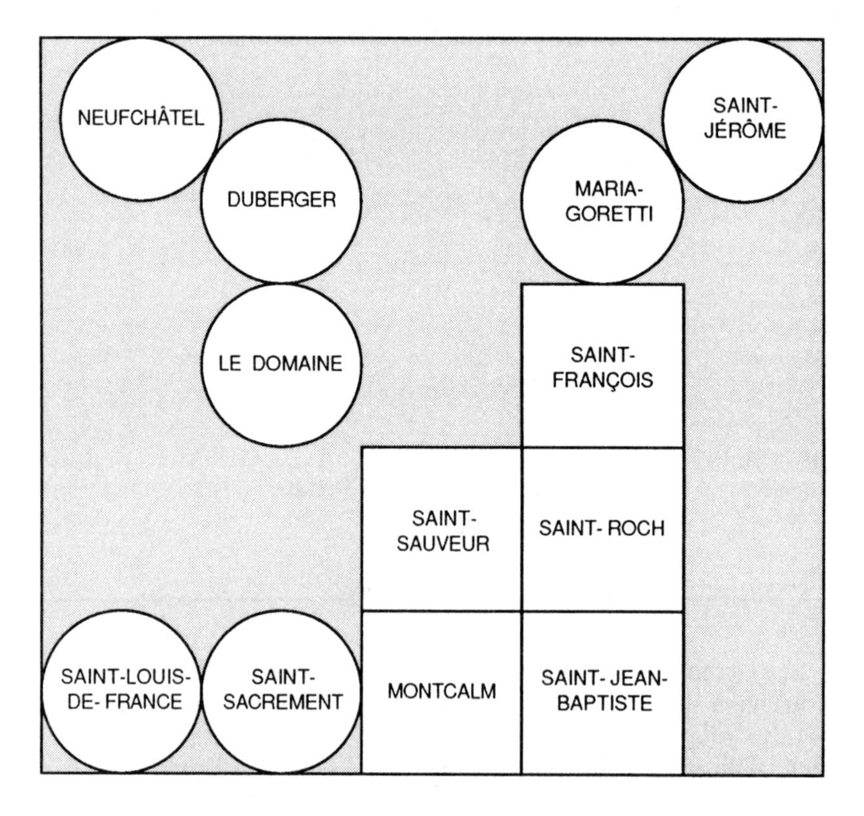

Figure 3

TYPES DE FAMILLE
SELON LES QUARTIERS

QUARTIERS CENTRE-VILLE

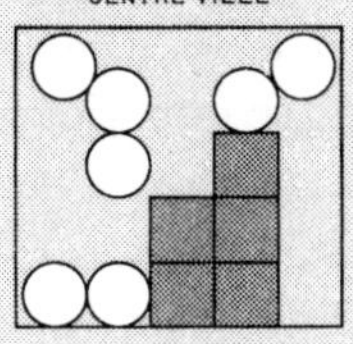

FAMILLES MONOPARENTALES

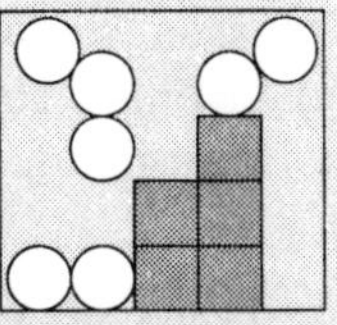

FAMILLES BIEN IMPLANTÉES

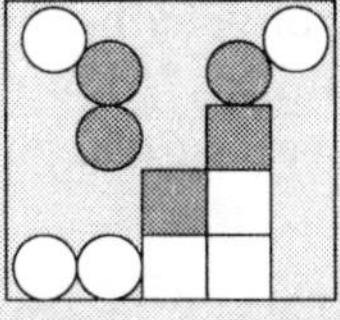

QUARTIERS POPULAIRES

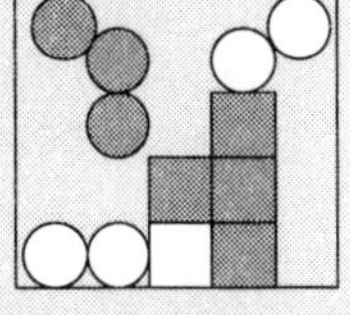

RECONSTITUÉES

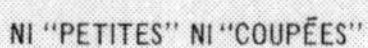

NI "PETITES" NI "COUPÉES"

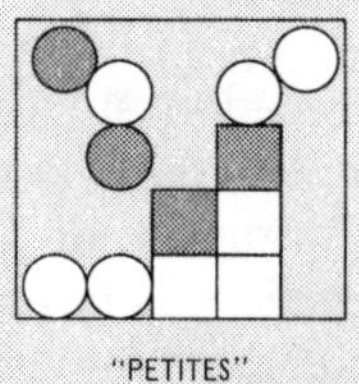

"PETITES"

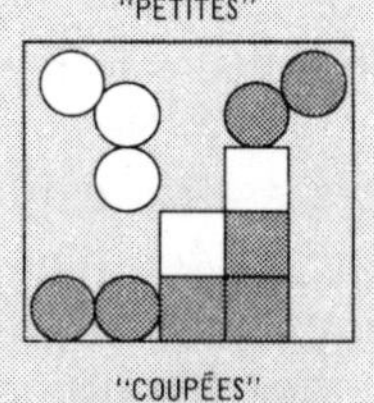

"COUPÉES"

AISÉS

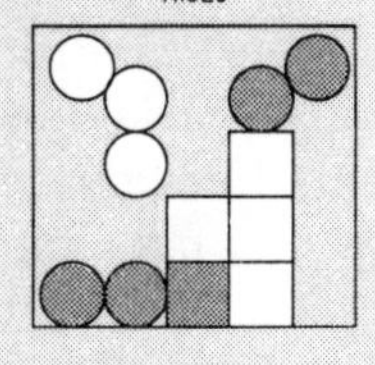

"PETITES" ET "COUPÉES"

FAMILLES

=OU >QUE LA MOYENNE

Duberger Ouest est également ambigu, ce qui est peut-être l'effet d'une surreprésentation dans l'échantillon de la coopérative Place Neuviale. Si on considère que 30 % des familles y sont « bien implantées », aucune à la fois petite et coupée, on aurait tendance à rattacher ce quartier au premier groupe, plus populaire.

Ce qui est troublant, c'est que cette partition des quartiers sur la base simplement de la composition des familles, recoupe la partition qu'on pourrait en faire sur la base des revenus ou du moins des types d'occupation. Retrouverait-on les classes sociales jusque dans la composition des familles ? Il faut creuser plus à fond cette question et explorer encore davantage la situation familiale.

L'ENRACINEMENT DANS LE QUARTIER

Les tableaux précédents évoquaient l'implantation (et donc aussi la coupure) des familles dans la région de Québec ; celle-ci s'étend de Beauport à Saint-Augustin, de Lévis à Saint-Émile... Ce qui est plutôt vaste et ne signifie pas la même chose pour tout le monde selon qu'on dispose ou non d'un moyen de transport. Sans voiture, au centre-ville, on peut se sentir « loin » de sa parenté à Cap-Rouge : traverser la moitié de l'agglomération urbaine de Québec en autobus avec deux jeunes enfants est un exploit qu'on ne refait pas souvent ! Le problème ne se pose évidemment pas si on a une voiture. Les variables considérées dans la section précédente étaient celles sur lesquelles reposaient nos hypothèses de recherche sur l'existence de réseaux traditionnels ou de réseaux plus nouveaux. Cependant une autre variable s'est révélée encore très importante en 1980 : la présence de la parenté dans le quartier.

En fait quand on examine plus finement la répartition géographique des frères, soeurs et parents des répondants et des répondantes, on réalise que dans l'ensemble non seulement la parenté est présente dans la région, mais aussi dans le quartier. Qui plus est, très souvent on est originaire du quartier, ou on y a passé la plus grande partie de son enfance et de son adolescence et/ou on a ses propres parents qui habitent tout près ; c'est ce qu'on a appelé la « matrilocalité » et la « patrilocalité ». Il faut noter que ces variables ne sont pas mutuellement exclusives, ni l'une de l'autre, ni de celles examinées dans la section précédente. On peut être enfant unique et voisine de sa mère ; un des deux conjoints peut être coupé de sa parenté et le couple résidera où l'autre a grandi. Il y aurait des analyses plus raffinées à faire sur ces croisements de variables, qui nous entraîneraient cependant loin de notre objectif.

Ces deux variables permettent de pousser plus à fond et autrement l'analyse des relations à l'espace. Jusque dans les banlieues — mais pas les plus huppées — on trouve cette matrilocalité et patrilocalité (voir Tableau 3), mais dans ce cas, en concordance avec les catégories de nos interlocutrices, nous avons amalgamé Neufchâtel, Ancienne-Lorette, Duberger — Les Saules. Si la patrilocalité est toujours présente la matrilocalité l'emporte presque partout. Souvent ce qui fait basculer les chiffres de ce côté, c'est qu'après une séparation, si les femmes ne retournent pas nécessairement chez leur mère, elles reviennent à leur quartier d'origine, ou du moins s'en rapprochent. Dans Saint-Sauveur par exemple, 7 sur 10 des femmes chefs de familles monoparentales rencontrées vivaient dans leur quartier d'origine. À Neufchâtel où on en a rencontré également 10 réparties dans différentes coopératives d'habitation, 5 étaient matrilocales. On aurait donc ici deux phénomènes, la patrilocalité, importante dans les quartiers Saint-Roch, Saint-Sauveur, Saint-Jean-Baptiste et Le Domaine refléterait encore l'adage disant « qui prend mari, prend pays », mais, dans une certaine mesure, après une séparation « on retourne chez sa mère ».

Matrilocalité et patrilocalité nous renseignent sur l'enracinement dans le quartier, où on aura certainement de la parenté, mais aussi de nombreuses connaissances et amis. Mais ce n'est pas tout, il faut examiner aussi ce qui se passe chez les « greffés » : à tout coup, il y a plus de gens qui ont de la parenté dans le quartier qu'il n'y a de gens qui en sont originaires ! Comme l'analyse de migration « longue distance » (par exemple aux États-Unis pour les Franco-américains [1]) le démontre bien, la migration se fait toujours selon la filière familiale ; sur une distance plus courte, à l'intérieur d'une ville, d'une région, le principe est le même, on s'installe dans le voisinage de la parenté, autant que possible. Bien entendu ici le facteur économique pèse lourd : quand le revenu est suffisamment élevé, on a le choix de s'établir dans un ou l'autre quartier, y compris son quartier d'origine où l'on choisira un sous-secteur plus chic, où l'on rénovera une ancienne demeure. Les gens qui résident dans les banlieues les plus chic ont peu de parenté dans leur quartier : à première vue on pourrait croire que c'est que leur parenté n'aurait pas nécessairement les moyens de s'y établir, ce qui n'est certes pas faux, mais le seul cas de matrilocalité que nous avons rencontré dans Saint-Louis-de-France (un couple venu s'installer près des parents de la femme à la suite d'une longue maladie du mari [2]) montre qu'il est possible pour des gens

Figure 4

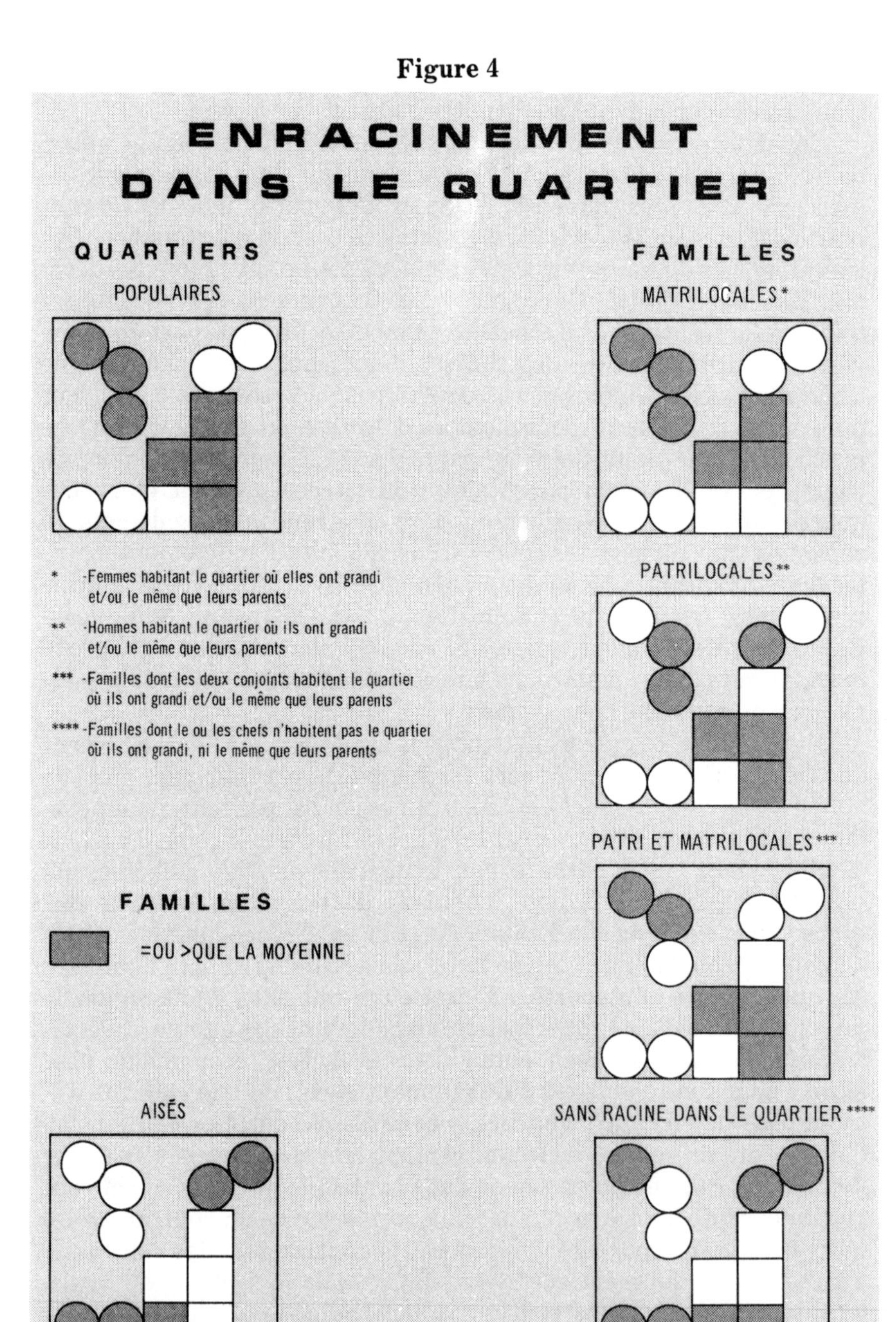
ENRACINEMENT
DANS LE QUARTIER
QUARTIERS
POPULAIRES
FAMILLES
MATRILOCALES*
* -Femmes habitant le quartier où elles ont grandi et/ou le même que leurs parents
** -Hommes habitant le quartier où ils ont grandi et/ou le même que leurs parents
*** -Familles dont les deux conjoints habitent le quartier où ils ont grandi et/ou le même que leurs parents
**** -Familles dont le ou les chefs n'habitent pas le quartier où ils ont grandi, ni le même que leurs parents
PATRILOCALES**
PATRI ET MATRILOCALES***
FAMILLES
=OU >QUE LA MOYENNE
AISÉS
SANS RACINE DANS LE QUARTIER****

moins « en moyens » d'habiter le quartier qui offre quelques logements moins dispendieux. Si on cherche à saisir ce qui se passe dans ces quartiers il faut se souvenir que dans une très forte proportion, ce sont des gens qui viennent de l'extérieur de Québec : ils n'y ont pas d'histoire, pas de parenté ; ils ne chercheront donc pas à se rapprocher des anciens quartiers du centre-ville (fig. 4)[3].

Tableau 3

Origine du ou des parents et présence de leur parenté dans le quartier

	ORIGINE			PARENTÉ TOTALE DANS LE QUARTIER	
	MATRI-LOCALITÉ	PATRI-LOCALITÉ	PATRILOCA-LITÉ ET MATRI-LOCALITÉ	PARENTÉ	NOMBRE TOTAL DE FAMILLES
St-Jean-B.	8	10	3	30	40
St-Roch	14	11	4	19	34
St-Sauveur	13	8	7	34	37
St-François	25	3	1	33	43
Montcalm	7	3	0	22	47
St-Sacrement	4	4	1	10	26
Le Domaine *	7	10	0	13	23
Duberger O. *	11	7	3	15	28
Neufchâtel *	12	5	3	15	40
Maria Goretti *	4	5	1	12	22
St-Jérôme *	1	1	0	6	16
St-Louis de F.	1	0	0	3	15

* Ici on a considéré, selon les catégories mêmes de nos informateurs que Neufchâtel — Duberger — Les Saules — Ancienne Lorette formaient une grande région, tout comme « Le grand Charlesbourg ».

Il faut souligner donc, l'existence de filières de migrations bien précises. Ainsi les gens rencontrés dans Neufchâtel, provenaient à part à peu près égale de l'extérieur de Québec, de la Basse-Ville de Québec ou du quartier, mais personne ne venait de la Haute-Ville. La mobilité géographique qui accompagne une mobilité sociale n'emprunte pas un trajet quelconque. À Québec, en particulier, on observe encore le clivage Haute-Ville/Basse-Ville. Une femme originaire de la paroisse Saint-Albert-le-Grand et qui réside dans Charlesbourg nous raconte : « *Mes enfants vont à l'école avec des enfants de gens qui ont été à l'école avec moi. J'en ai retrouvés comme cela, c'est spé-*

cial ». Et après une séparation, c'est le même trajet que l'on refait souvent, mais en sens inverse.

Si on rebrasse encore les chiffres et qu'on va voir en détail où habitent les frères et soeurs des personnes rencontrées, ainsi que leurs parents, on trouve que la majorité des gens ont leur famille d'origine dans la région de Québec.

De plus, quand on examine, pour ceux qui habitent dans l'agglomération québécoise, dans quels quartiers ils se concentrent, de façon surprenante c'est toujours dans le quartier même qu'ils sont les plus nombreux, et ce jusque dans les quartiers où nombreux sont les gens coupés de leurs familles d'origine.

Tableau 4

Proportion des membres des familles d'origine (frères, soeurs et parents) résidant à l'extérieur de l'agglomération québécoise

St-Sauveur	20 %
St-Roch	36 %
Le Domaine	40 %
St-François	41 %
Neufchâtel	41 %
Maria Goretti	41 %
St-Jean-Baptiste	43 %
Duberger Ouest	44 %
Montcalm	48 %
St-Sacrement	65 %
St-Jérôme	67 %

Il faut pousser encore l'analyse. Un des objectifs de cette enquête était de découvrir de « nouveaux » réseaux de sociabilité et de solidarité en dehors du *pattern* familial. Comme on s'y attendait, on les a repérés principalement (mais pas exclusivement, on y reviendra dans les sections suivantes) au centre-ville. Dans le quartier Saint-Jean Baptiste, par exemple, on a découvert deux univers parallèles qui coexistent sans vraiment se rencontrer... celui des anciens résidents qui ont un type de sociabilité traditionnelle et familiale (17 cas ; dont 4 de matrilocalité, 5 de patrilocalité et 3 de matrilocalité et patrilocalité) et celui des nouveaux arrivants qui en général ne sont pas originaires du centre-ville et ne fréquentent pas essentiellement leur parenté (19 cas, dont 1 seulement de matrilocalité et 1 de patrilocalité). Néanmoins, 16 cas sur 19 de ces « nouveaux arrivants » ont de la parenté dans le quartier, souvent des frères ou des soeurs, contre 12 sur 17 des anciens résidents qui y ont leurs parents, des oncles et des tantes. Quand on parle de « gentrification » du centre-ville ou des quartiers populaires, il faut y voir, encore une fois, non pas une somme de mouvements individuels, mais un phénomène familial. On achète en copropriété avec des membres de la famille. On a de la parenté dans sa coop ou dans la coop d'à côté, ou même locataires on choisit d'habiter le même quartier.

MAIS ENCORE... ?

Jusqu'ici on a présenté des résultats faisant état de la présence de la parenté dans le quartier de résidence, et ce un peu dans tous les quartiers y compris les banlieues « moyennes ». L'investissement de l'espace varie selon les milieux, et surtout selon le type de réseau de sociabilité et de solidarité. Plus haut, pour décrire les familles, on a utilisé des catégories « objectives » comme « petites » ou « coupées ». De l'analyse qualitative se dégage une typologie des familles selon leur modèle de sociabilité. Ici, on n'en dira que quelques mots. Sur un noyau de base de fréquentations constitué des parents, frères et soeurs du (ou des) parent(s), d'une « amie de femme », « à qui on peut tout dire » et d'un(e) voisin(e) « sur qui on peut compter » (ces catégories pouvant se recouper, la voisine pouvant être de la parenté par exemple) trois *patterns* de sociabilité peuvent se greffer, entretenant chacun un rapport à l'espace très spécifique. Il y a d'abord le réseau « traditionnel », qu'on retrouve surtout en milieu populaire, dont l'unité de base est la famille étendue, « le clan ». On peut parler en second lieu de l'univers des couples, où ceux-ci sont l'unité de base des relations sociales ; ils préexistent aux familles en tant que telles et leur donnent du sens ; ce modèle n'est pas nouveau, il a « toujours » existé dans les classes moyennes et aisées. Enfin, on peut parler de nouveaux réseaux quand l'unité de base est l'individu. On ne valorise plus les liens du sang en tant que tels, mais les rencontres qu'ils permettent de réaliser entre hommes et femmes d'âges différents ; les adultes ne sont pas perçus comme des moitiés de couple (réel ou potentiel) ni les enfants uniquement comme « les enfants de... ». Ce dernier type de réseau se rencontre un peu partout, à des degrés divers, dans les interstices des modèles précédents (gens qui ont peu de famille ou qui en sont éloignés ; familles monoparentales), chez ceux et celles qui ont effectué une rupture culturelle et/ou idéologique avec les valeurs traditionnelles. (La classe sociale ici n'est pas un facteur déterminant.)

Dans les chapitres suivants, on examinera plus en détail ce qu'il en est de la sociabilité et de la vie de famille. On verra d'abord ce qu'il est advenu, au fil des ans, des différents villages en ville : certains ont traversé les ans semblables à eux-mêmes et à ce qu'on a décrit dans le chapitre sur la famille urbaine « d'autrefois », d'autres ont été profondément bouleversés. Ensuite, on ira voir du côté des banlieues pour constater qu'elles sont loin d'être toutes pareilles puis, suivant le trajet supposé de la classe moyenne qui originaire du centre a migré en banlieue dans les années 60 et 70 pour revenir au centre-ville dans les années 80, on reviendra observer plus spécifiquement ce qui se passe au centre-ville.

Notes

[1] Voir Tamara K. Hareven, *Family time and Industrial time*, New York, Cambridge University Press, 1982.

[2] Encore une variation sur le thème « je retourne chez ma mère ».

[3] De plus, ils proviennent souvent de « petites » familles ; faut-il y voir un exemple de reproduction sociale d'une classe aisée qui a commencé avant les milieux populaires à limiter les naissances, ou un effort particulier à pousser aux études une progéniture moins nombreuse ? Comme nous n'avons pas recueilli systématiquement de renseignements sur la profession du père (et du beau-père, le cas échéant) il nous est impossible de répondre à la question.

5

Le village en ville

À l'aube de la Révolution tranquille, on repère des quartiers « tricotés serrés », véritables villages en ville ; on les a décrits dans le chapitre sur la famille urbaine d'autrefois. On peut se demander ce qu'ils sont devenus après 20 ans de modernisation et de progrès. Le tricot familial et communautaire a-t-il survécu ? On l'a constaté au dernier chapitre, la parenté est encore présente dans bien des quartiers, mais ce qu'on y vit dans les années 80 est-il semblable à ce qui se passait 20, 30 ou 50 ans plus tôt ?

Ce chapitre décrira la sociabilité et la vie de famille dans différents villages urbains [1]. Certains villages ont traversé les années 60 et 70 presque sans s'en rendre compte : le plus caractéristique à Québec est certainement Saint-Sauveur, mais ce n'est pas le seul : Saint-François d'Assise, à Limoilou, quartier très différent de Saint-Sauveur dans sa texture, dans son urbanisme, est également demeuré village et ville. D'autres villages ont survécu grâce à leur situation géographique d'enclave : c'est le cas de Notre-Dame-de-la-Garde, deux ou trois bouts de rues, techniquement rattachés à Saint-Roch, mais isolés entre le fleuve, la falaise, une autoroute et la Place Royale. Saint-Roch, pour sa part, a connu un autre sort... le village s'est désarticulé. « L'aire 10 [2] » en piètre état dans les années 60 a été complètement réaménagée : enlèvement des voies ferrées, promenade le long de la rivière, construction d'autoroutes et par la même occasion le tissu urbain a été complètement déstructuré. Le Faubourg Saint-Jean Baptiste, à l'ombre de la colline parlementaire, a failli subir le même sort : la paroisse Saint-Vincent-de-Paul a fait place, en grande partie, à une autoroute, des rues ont été rayées de la carte et cependant, il y a eu résistance de la population, en particulier d'une « nouvelle population ».

Mais où vont les gens quand la démolition/rénovation/spéculation, les chasse du centre-ville ? En banlieue. On verra dans le prochain chapitre qu'il y a banlieue et banlieue ; le moins qu'on puisse dire, c'est que malgré les apparences, elles ne sont pas toutes pareilles. Dans le cas du Domaine Saint-Charles à Duberger, on peut même parler de village recréé ou transposé.

On commencera par examiner ce qu'il advient du modèle de la « famille d'autrefois » dans sa version la plus typique : la famille biparentale. Contrairement à ce qu'on pourrait croire, les familles monoparentales s'intègrent bien dans cet univers de relations. Suivra la description des relations avec le voisinage et les amis.

Ce portrait pourrait laisser croire que « rien ne change au pays du Québec » et pourtant...

LES VILLAGES

Avant toute chose, il est important de situer ces villages en ville où a survécu la sociabilité « traditionnelle » ; celle-ci étant très liée à l'espace, il faut dire quelques mots sur ces espaces. Ce sont des paroisses-quartiers du centre-ville, qu'on qualifie souvent de populaires, voire même de défavorisés.

Saint-Sauveur niche « au pied de la Pente douce ». Des escaliers le relient au quartier Montcalm pour les piétons, trois côtes desservent les automobiles, dont deux en marquent les frontières ; ladite Pente douce, rejoignant le boulevard Marie de L'Incarnation, constitue la frontière avec Saint-Malo, et le boulevard Langelier qui devient la côte Salaberry le sépare du quartier Saint-Roch. C'est le secteur où le prix des logements est le moins élevé de toute l'agglomération urbaine. Saint-Sauveur n'a pas encore été touché par le retour en ville ni par une vague de rénovation ; il est protégé par les préjugés envers la Basse-Ville, et par le fait que les transports en commun le relient moins bien aux cégeps et à l'université que Saint-Jean-Baptiste et Limoilou. Il est également juste assez à l'ouest de Saint-Roch pour que le remue-ménage de la rénovation et l'autoroute ne l'affectent pas. Quand on pense à un village en ville, à Québec, c'est toujours à ce quartier qu'on pense en premier [3] !

Saint-Roch a pour frontière la falaise au sud, la rivière Saint-Charles au nord, à l'ouest le boulevard Langelier, à l'est le vieux port. Le quartier Saint-Roch regroupe les paroisses Saint-Roch et

Jacques-Cartier ainsi que les quelques fragments de la paroisse Notre-Dame-de-la-Paix qui ont échappé aux ravages de la démolition. La carcasse de cette dernière église, entourée de terrains vagues et de parcs de stationnement est survolée par l'autoroute Dufferin ainsi que des bretelles d'autoroute aboutissant dans le roc, en cul-de-sac.

En fait, le quartier a énormément changé depuis 20 ans. La Gare de triage a fait place à des espaces verts et de nouvelles habitations (coops, copropriétés, HLM) le long de la Saint-Charles ; il ne reste qu'une voie ferrée pour assurer la circulation des voyageurs entre Québec et Montréal. Le port a été rénové, les entrepôts se convertissent en copropriétés de luxe avec vue sur le fleuve. La rue Saint-Joseph, jadis principale artère commerciale de Québec, ayant perdu son achalandage au profit des centres d'achats de banlieue, s'est donné un toit ; c'est le mail centre-ville qui enserre même l'église Saint-Roch. La place Jacques Cartier s'est métamorphosée : la nouvelle bibliothèque municipale y a été érigée, ainsi que deux hôtels de luxe.

Saint-Roch a encore « mauvaise réputation » ; c'est en grande partie un quartier de chambreurs, le seul quartier de Québec où le nombre d'hommes est plus important que celui de femmes. Ici coexistent plusieurs univers sociaux qui ne se rencontrent pas. Le nouveau palais de justice, les copropriétés, la bibliothèque, les hôtels chics attirant une population qui ignore les chambreurs, les tavernes, les *snack bars*, les cinq-dix-quinze. Le quartier hésite... ne bascule pas encore ; les investissements massifs dans le secteur n'ont pas chassé tous les chambreurs et toutes les familles « autochtones ». Cependant le tissu social est déchiré. Le « vieux Saint-Roch » a gardé une certaine homogénéité, mais il rapetisse comme une peau de chagrin. Près de la rivière Saint-Charles, deux autres univers sociaux : la misère dans du neuf, c'est le village de l'Anse, et la vie urbaine au bord de l'eau dans les copropriétés et les coops. À ces disparités « territoriales », s'ajoute celle des modes d'habitations (coops, copropriétés, locataires, HLM) qui sont le reflet d'une autre réalité.

Techniquement la paroisse Notre-Dame-de-la-Garde fait partie de Saint-Roch. Techniquement seulement ; ses enfants fréquentent la même école. Mais en pratique cette paroisse, longeant le fleuve, coincée entre la falaise et l'autoroute Champlain d'une part, entre la Place Royale et le petit Champlain et le port d'autre part, forme une enclave, quelques centaines d'habitants dans un *no man's land* urbain. Notre-Dame-de-la-Garde, c'est un village en ville enclavé entre une autoroute et un secteur très touristique.

« Quand on est de la Basse-Ville, on n'est pas de la Haute-Ville » chante Sylvain Lelièvre, originaire de Limoilou. Cependant, si effectivement ce quartier est « en bas », dans l'esprit de plusieurs Québécois il ne fait pas tout à fait partie de la Basse-Ville proprement dite, et ce pour deux raisons. Il est séparé de Saint-Roch et Saint-Sauveur, « la vraie Basse-Ville », par la rivière Saint-Charles (et relié par de nombreux ponts, il faut le dire), et surtout c'est un quartier beaucoup plus neuf, qui s'est développé entre les deux guerres, par opposition à Saint-Roch, un des plus vieux quartiers de Québec, et Saint-Sauveur, également plus ancien. Le quartier est composé surtout de maisons en rangées, de deux ou trois étages, habitées souvent par un propriétaire occupant qui loue un ou deux étages pour boucler son budget. En effet, le quartier, sans être pauvre ou défavorisé, n'est pas riche : on y trouve beaucoup de travailleurs spécialisés ou peu spécialisés, plusieurs personnes âgées, des étudiants du cégep de Limoilou ou de l'université qui profitent des bas loyers du quartier... et d'un autobus qui les mène directement à l'université. Typiquement, les logements sont de cinq pièces et demie ou de six pièces et demie, en général assez bien entretenus — mais pas nécessairement rénovés — par leurs propriétaires occupants. Une des caractéristiques de Limoilou, ce sont les ruelles, derrière chaque rue et avenue, où se déroule une vie « parallèle » à celle des rues (circulation, jeux des enfants, voisinage...) et qui aère le tissu urbain, laisse filtrer le soleil dans chaque demeure, par opposition une fois encore à des quartiers plus anciens comme Saint-Roch, Saint-Sauveur ou Saint-Jean-Baptiste où la densité d'habitation est beaucoup plus grande... et le soleil plus rare.

Plusieurs paroisses ont été érigées dans ce secteur ; de partout dans le quartier, on voit (et on entend) au moins deux clochers. Saint-François d'Assise est au coeur de Limoilou ; bordée par la 18e Rue au nord, le parc Cartier-Brébeuf au sud, la rue de l'Espinay à l'est et la 4e Avenue à l'ouest. Et le coeur de Saint-François, c'est la 1re Avenue qui le traverse au centre. C'est une artère commerciale où on trouve des marchés d'alimentation, des restaurants, des quincailleries, des coordonneries... bref, tous les commerces et services possibles [4].

Dans ces quartiers vivent plusieurs locataires ; quelques-uns louent à des « propriétaires occupants », d'autres habitent les coopératives d'habitation qui se multiplient ou quelques HLM. L'acquisition d'une voiture est une priorité et seuls les très démunis n'en possèdent pas ; on s'en sert parfois pour aller travailler, mais surtout pour sortir de la ville ; en effet ils n'ont pas tous un chalet, une roulotte ou un site pour planter leur tente ; mais plus de la moitié ont accès au chalet de leurs parents, de leur frère ou leur soeur. On entend même parler de lacs entourés de chalets appartenant aux membres d'une même famille ou d'un chalet entouré des tentes-roulottes des frères et soeurs. Le balconville de semaine se double donc souvent d'un point de chute à la campagne pour la fin de semaine ou pour la période des vacances.

Deux grandes démarcations traversent ces quartiers : travail/non-travail et couple/monoparentalité. Or, ces deux démarcations se recoupent largement : couple et travail *versus* monoparentalité et assistance sociale.

Si l'on peut observer plusieurs différences dans les caractéristiques socio-économiques du village d'aujourd'hui et de celui d'autrefois, aucune n'est aussi déterminante que la réduction de la taille des familles. Sans connaître précisément ce qu'était autrefois la taille des familles, retenons que par exemple dans Saint-Sauveur les mères qui ont en moyenne 2,2 enfants sont issues de familles qui en comptaient 5,5.

S'il peut apparaître à première vue que les modèles familiaux ont été bouleversés par la montée des divorces et de la monoparentalité, les rapports sociaux tant à l'intérieur de la famille qu'à l'extérieur de celle-ci, se caractérisent par le rôle central joué par la mère dans le noyau familial, lui-même polarisé par les rapports de parenté. Toutes les familles monoparentales rencontrées et la plupart des familles avec deux parents correspondent à ce modèle.

LA FAMILLE D'AUTREFOIS... ENCORE AUJOURD'HUI *

On retrouve ici la division traditionnelle des tâches : un homme pourvoyeur et une femme ménagère. Les emplois des hommes sont peu spécialisés et donc peu rémunérés.

La parenté dans le voisinage

Ce qui est le plus frappant, dans ces quartiers, c'est la proximité de la parenté, son importance, à la fois numérique, puisqu'une bonne moitié des enfants ont au moins un grand-parent habitant à proximité, sans parler des oncles et des tantes, mais aussi importance qua-

* Cette section et la suivante ont été rédigées par Denys Delâge.

litative puisque la parenté l'emporte toujours sur les amis, tant pour l'intensité du lien que pour la fréquence des rencontres. Des couples issus de « petites » familles élargiront leur bassin de fréquentations familiales en y intégrant leurs cousins et cousines. Une cousine sera considérée comme une soeur, on fréquentera des couples de cousins plus volontiers que des couples d'amis.

Bref, les tableaux du chapitre précédent nous l'avaient déjà révélé, on est très enraciné dans le quartier, on y est « attaché » par des liens familiaux. Ce que les cartes et graphiques ne révèlent pas, toutefois, c'est ce qui se passe dans ces familles. En plus de la présence de la parenté dans le quartier, ce qui étonne est la place des femmes dans ces familles, au point qu'on peut parler de matricentralité.

La matricentralité

La famille, c'est l'affaire des femmes ; la communication familiale, le maintien des relations, c'est leur domaine.

Les entrevues de couples sont révélatrices à cet égard. Les épouses ont été les principales interlocutrices, les maris se limitant à commenter ou à compléter l'information livrée. Pour toute l'information portant sur les réseaux, les femmes se sont toujours révélées de meilleures informatrices, non seulement pour leur propre parenté, mais aussi pour celle de leur mari. À plusieurs reprises, dans les familles nombreuses, la mère et la fille peuvent démêler les liens, préciser des dates, mais jamais nous n'avons vu un père débattre de telles questions avec un fils.

Si la cellule de base est la famille, c'est à partir et autour des femmes que se tissent les relations sociales. La communication passe par les femmes (grand-mères, mères, filles, soeurs, belles-soeurs), jamais par les hommes (grands-pères, pères, fils, frères, beaux-frères). Toute la parenté n'habite évidemment pas le quartier, mais le réseau se tisse autour des parents qui habitent à proximité, c'est-à-dire à distance de marche. Ce système social requiert la stabilité du quartier ; la spéculation urbaine ne peut qu'entraîner sa désintégration.

Pratiquement toutes les femmes sont ménagères et ce rôle va de soi sans qu'il soit nécessaire de le justifier. Si certaines femmes retirent des prestations de chômage et donc sont officiellement à la recherche d'un emploi, elles ne sont nullement dans l'attente d'un travail salarié. Celui-ci relève des fonctions du mari défini comme pourvoyeur. À quelques reprises on plaint des soeurs ou belles-soeurs mariées obligées de travailler et qui n'ont plus « le temps de rien faire ». On perçoit le travail salarié comme une obligation, une contrainte qui entre en contradiction avec le rôle de la mère à l'égard de ses enfants, et qui réduit les possibilités de communication et d'échange avec le réseau parental. En effet, ces femmes-ménagères sont au coeur d'un réseau intense de communication et d'échange ; c'est par elles que circulent informations, biens et services. Autour de l'axe central mère-fille se greffent la belle-mère, les soeurs et belles-soeurs et occasionnellement une amie de femme. On communique en se visitant presque quotidiennement ; les familles qui ont des grands-parents dans le voisinage immédiat ne sont pas rares mais, c'est surtout grâce au téléphone que l'on maintient le contact. Le téléphone est un instrument strictement féminin. La norme c'est le téléphone quotidien entre la mère et sa fille, mais aussi entre une femme et sa bru, de même qu'entre soeurs, belles-soeurs et amies de femme. On ne téléphone pas d'abord à des fins instrumentales, c'est-à-dire pour obtenir ceci ou cela, mais essentiellement pour échanger des nouvelles. Si la mère consacre davantage de temps à faire circuler les nouvelles, elle ne dispose cependant pas de toute l'information car il arrive aux filles et aux brus de filtrer les mauvaises nouvelles pour la « ménager ». Lorsque la grand-mère habite tout près, la visite quotidienne peut remplacer le téléphone. Bien qu'également activité féminine, la communication écrite est néanmoins exceptionnelle ; on lui préfère l'interurbain auquel on peut exceptionnellement avoir recours sur une base régulière que ce soit hebdomadairement ou mensuellement avec des proches parents. Le téléphone s'inscrit donc dans une culture orale et à cet égard, il est certain que l'introduction de frais à chaque appel constituerait une agression majeure à la communication en milieu populaire.

Si le logement des grands-parents centralise les rencontres des frères et des soeurs, c'est de maison ou de logement maternel dont il faut parler. En effet, même si les deux membres du couple sont vivants, on dira toujours que l'on va chez la grand-mère et seule une question supplémentaire révélera la présence du grand-père. Lorsque la grand-mère précède son époux dans la mort, on dira que ce n'est plus la même chose, que le grand-père n'a pas le même charisme pour attirer toute la *gang* chez lui. C'est une des filles, généralement l'aînée, qui prendra alors la relève et dont le logement deviendra le principal lieu de rendez-vous.

L'espace domestique est approprié par les femmes. Si l'intérieur est féminin et l'extérieur masculin, le logement, la maison sont donc du côté maternel. C'est ainsi qu'une femme dira que sa bru (et non son fils) habite en haut.

L'échange

L'entraide porte sur un grand nombre de services. Le même service qu'on demande à la voisine dans d'autres quartiers, ici on le demande à un parent puisqu'il y a des proches parents tout autour. C'est à propos des enfants que se tissent les principaux échanges : les vêtements et le gardiennage. Les vêtements d'enfants sont dispendieux et les enfants poussent plus vite qu'ils ne s'usent ; faire garder les enfants coûte cher et se révèle parfois difficile ; le recours à la parenté permet d'échapper à l'économie de marché. Cependant, c'est l'aspect symbolique qui prime : l'échange porte principalement sur des biens et services reliés aux enfants, il resserre les liens entre les générations et symbolise la parenté. Ici il n'est jamais question d'argent, on ne peut imaginer de payer la belle-soeur pour les vêtements de ses enfants plus vieux ni la grand-mère qui garde ses petits-enfants. Les liens du sang refoulent entièrement les rapports de marché. L'échange prend aussi la forme de nombreux services domestiques, tels la couture, la rénovation, la réparation d'appareils ménagers. Si les hommes participent fréquemment à ces activités d'entraide, les demandes sont toutefois canalisées par les femmes.

L'aide financière est une question beaucoup plus délicate, parce que l'échange dans la parenté répond à la logique du don et du contre-don plutôt qu'aux préceptes de l'économie de marché. On dira qu'on refuse de se faire payer, « *qu'il ne doit pas toujours y avoir un signe de $ au bout, en tout cas, pas dans la famille* ». D'un autre côté, comment traiter de l'argent, marchandise à la fois repoussée hors des liens du sang et indispensable ? On aborde toujours la question de l'argent avec précaution : « *ça peut semer la chicane* ». Si on a peur que des parents viennent se mettre le nez dans ses affaires, néanmoins les exemples de dépannage financier, de prêt hypothécaire à des taux privilégiés, d'endossement, sont nombreux. Par contre, les grosses chicanes « d'argent » tournent autour de l'héritage. Habituellement, les frères et les soeurs cessent de se voir lorsqu'il y a eu querelle d'héritage, et les ruptures semblent définitives.

Confidences et conseils prodigués ou reçus relèvent aussi de l'échange. Là aussi la parenté et le réseau des femmes priment ; l'univers des confidences est principalement féminin. Il n'est pas restreint non plus à la mère ; soeurs et belles-soeurs peuvent être très proches. Dans tous les cas, la parenté fait partie des personnes avec qui l'on échange des confidences ; la plupart du temps on n'en échange qu'avec de la parenté tandis que pour d'autres, des amies de femme s'insèrent dans ce réseau restreint. Le conjoint n'apparaît, comme confident que très rarement. Par contre la femme fera appel à son mari un peu plus souvent pour des conseils financiers. S'il est quelquefois question du gérant de caisse que l'on consulte pour des raisons financières, on ne fait jamais appel à des professionnels dans le domaine conjugal.

Les occasions de rencontre

Tout au long de l'année, la parenté polarise les rapports sociaux ; cependant, tous ses membres n'occupent pas une place égale. On voit plus fréquemment et on est habituellement davantage attaché à ceux qui habitent à proximité. Les associations sont toujours sélectives. Dans aucune famille, ne voit-on aussi souvent et n'est-on attaché également à tous les frères et à toutes les soeurs des époux. C'est à l'occasion des fêtes que toute la parenté se revoit, c'est-à-dire tous les descendants des couples des grands-parents, car rarement y inclut-on, et sur un mode exceptionnel, la parenté élargie. On visite en alternance l'un et l'autre côté et ces rencontres ont lieu chez les grands-parents ou encore chez l'un des enfants dont la maison est plus grande (généralement une des filles).

Mariages et décès sont deux occasions où toute la parenté se rencontre ; on y revoit ceux qu'on a négligés, qu'on n'a pas vus depuis un bon moment, des cousins et des cousines, des oncles et des tantes. Ce sont quasiment les seules occasions où tous sont présents.

Les anniversaires sont aussi une occasion de rencontre. Ceux des grands-parents donnent lieu à des rencontres de toute la famille soit dans leur demeure, soit chez l'un de leurs enfants (plutôt une fille) et plus rarement au restaurant. Si l'anniversaire des grands-parents est presque toujours fêté, celui des parents ne l'est pas si souvent et donne lieu à des regroupements de moindre importance ; ces rencontres s'inscrivent toujours dans la parenté. Les anniversaires d'enfants, par contre, sont toujours soulignés ; là encore la famille et la parenté l'emportent sur les amis. Il s'agit ou d'une fête limitée à la famille nucléaire, ou alors on invite la famille élargie : grands-parents, parrains, marraines, oncles ou tantes proches. Moins de la moitié des fois invite-t-on des amis des enfants. L'anniversaire des enfants célèbre donc moins l'appartenance à un groupe d'amis d'enfance que l'appartenance à un réseau de parenté. Une fête ne regroupant que des amis de l'enfant est un indice du fait que l'on ne fait plus partie du modèle typique.

L'été c'est le chalet qui donne fréquemment lieu à des rencontres parentales. On parle du chalet sur le mode de la rencontre, de la convivialité. Il n'est que rarement question de la nature, du site, et le séjour à la campagne ne renvoie jamais à la quête de la « sauvagerie » ou de la solitude ; tout au contraire, on y cherche la compagnie, les visites, le jeu de cartes, les baignades.

Il en est de même pour le sport ; celui-ci ne se pratique pas sur le mode de la performance individuelle mais sur celui de la rencontre collective pour « *avoir du fun ensemble* ». Ce sont les quilles qui viennent en tête. La pratique de ce sport permet de rencontrer hebdomadairement des membres de la parenté immédiate et élargie et de nombreux amis d'enfance. Les quilles permettent donc de garder contact avec les gens qu'on ne pourrait voir dans les activités de famille. À un moindre degré, le baseball joue un rôle similaire l'été, pour les hommes cette fois. L'assistance aux matchs de hockey et de baseball de leurs enfants, est décrite par les parents des villages en ville comme un loisir ; ils manifestent de la réprobation à l'égard de ceux qui « *n'ont pas le temps de suivre leurs enfants* » et insistent sur la nécessité d'encourager les jeunes : on inscrit les garçons dans les ligues municipales de baseball et de hockey et les filles au patinage artistique, à la danse, enfin, l'un et l'autre sexe en natation.

Le loisir auquel on consacre le plus d'heures, c'est l'écoute de la télévision. Quand il y a de la visite, on la laisse souvent ouverte. On regarde la télévision en famille, et il est certain qu'outre le plaisir que procure la programmation, il y a aussi celui de la regarder en groupe.

LES FAMILLES MONOPARENTALES

Comment les familles monoparentales se situent-elles dans ce paysage familial ? Il en existe plusieurs variétés.

La cohabitation avec les grands-parents

Il s'agit souvent de mères célibataires résidant chez leurs parents. Ici, on est tout à fait dans le modèle typique : les relations s'inscrivent principalement dans la parenté. C'est dire que c'est autour de la grand-mère que pivotent les relations sociales ; ainsi verra-t-on autour d'elle le noyau de base habituel : l'amie de femme — voisine qui vient quotidiennement, les fréquents téléphones, les échanges avec les membres de la parenté.

Tout en relevant fondamentalement du même modèle, une autre variante de famille composée de trois générations illustre parfaitement les mécanismes de reproduction du modèle typique. Il s'agit en effet d'un ménage qui regroupe une grand-mère seule, coupée de sa famille et de sa belle-famille chez qui habitent ses enfants dont une fille, elle-même mère. Voilà donc la grand-mère à la tête d'un réseau. « *Elle reste toujours à la maison* » ; ses loisirs sont le tricot, la lecture, la télévision. Elle reçoit régulièrement ses enfants mariés, les amis des enfants à la maison viennent aussi ; les téléphones quotidiens assurent le maintien des liens. Dans cette unité « matriarcale » la communication avec les soeurs a fait place à celle avec les filles et les brus. Coupée de sa parenté, cette grand-mère réussit à reproduire un réseau de sociabilité familial avec ses enfants et petits-enfants.

Les ménages monoparentaux

Les ménages monoparentaux ont pour chef une femme et celles-ci vivent du Bien-être social. Ce sont des femmes séparées ou divorcées et des mères célibataires. Plusieurs disent n'avoir aucun homme dans leur vie ; d'autres ont un ami qui n'habite pas avec elles. Toutes ces femmes entretiennent des rapports très étroits avec leur parenté, et spécialement avec leur mère. La mère monoparentale entretient avec sa mère (donc la grand-mère maternelle de ses enfants) des liens plus étroits que la femme mariée. Téléphones et visites sont plus rapprochés. Telle dira qu'elle est toujours chez sa mère, telle autre reçoit sa mère à coucher tous les soirs. Toutes ont un réseau de base comprenant la mère, une ou des soeurs, une ou des amies de femmes. La taille du réseau varie cependant beaucoup. À l'exception des amies de femmes, les relations sociales se restreignent plus fortement à la parenté et au quartier, que dans les familles « ordinaires » ; certaines femmes ne sortent à peu près jamais du quartier. Il s'agit essentiellement d'un monde de femmes et celles-ci ne connaissent pas de couples qui soient des amis. Dans le voisinage, seuls les parents comptent. On dira aussi : « *je dis bonjour aux voisins, mais pas plus, moi c'est la famille* ». La distance avec les voisins sera encore plus grande si l'on habite un HLM. « *Je préfère garder l'anonymat dans mon HLM. Je ne peux avoir de relations de voisinage ici, ça pourrait m'at-*

tirer des troubles, envahir ma vie privée ». « *Je connais les voisins mais ce ne sont pas des amis, toute la parenté est dans le coin* ».

Ces mères ont eu plus souvent que celles vivant en couple à faire garder leur(s) enfant(s), il a donc fallu à l'occasion faire appel à des gardiennes qui n'étaient pas apparentées. Comment a-t-on pu confier son enfant à une « étrangère » ? C'est que l'étrangère au bout de quelque temps n'en est plus une : elles ont développé des relations très étroites avec les gardiennes ! « *Je discute souvent avec la gardienne, elle est devenue mon amie de femme* ».

La faiblesse du revenu ne permet pas de participer à beaucoup de loisirs. Les seuls qui relèvent de l'économie de marché sont le bingo et les quilles ; on dira le plus souvent qu'on occupe son temps en famille, qu'on va au parc ou à la piscine, qu'on regarde la télévision, qu'on se promène.

Bien que l'on ait tendance à qualifier de « nouveau » le phénomène de la monoparentalité, il s'agit bien moins ici d'une nouveauté ou d'une rupture que l'aboutissement logique de l'évolution d'une des formes de famille que Nicole Gagnon avait appelée « famille à mari exclu » : elles correspondent parfaitement au modèle de familles « d'autrefois » où le mari est absent. Maintenant que la fiction légale du mariage ne s'impose plus avec autant de force et que la sécurité sociale peut remplacer un salaire, ces familles qui s'organisaient entièrement autour de la mère et pour qui l'homme n'était qu'un pourvoyeur, peuvent désormais se passer du père. En ce sens cette forme de famille monoparentale représente l'aboutissement du pouvoir domestique des femmes, et en corollaire, l'exclusion totale des hommes qui ne sont requis que pour des services sexuels. Au lieu de se vider de l'intérieur, le rôle de la ménagère se densifie en polarisant vers la famille et les relations de sang toute la vie sociale.

Voyons l'exemple de cette femme qui vit seule avec ses trois enfants au début de l'adolescence. Elle est bénéficiaire de l'assistance sociale et complète son revenu en gardant des bébés, ce qu'elle aime beaucoup faire. Elle a un ami, il est marié et c'est, dit-elle, ce qu'elle préfère car elle ne se sent pas « encagée », plus libre. Native du quartier elle a pour proches voisins des frères, des soeurs, sa mère qui vient coucher chez elle ; sa maison est donc devenue « la maison familiale » : le rendez-vous de la parenté et des amis des enfants. La maison est toujours pleine et le téléphone sonne souvent. Parmi tous les voisins qu'elle connaît de tout temps, elle n'a retenu que deux amies d'enfance. Les échanges comptent pour beaucoup : vêtements, réparations. Si elle ne parle pas beaucoup avec les voisines, elle fait exception toutefois avec les parents des enfants qu'elle garde. Elle traite ces parents comme s'ils étaient liés par le sang, elle discute beaucoup d'éducation avec eux et ceux-ci n'apparaissent jamais comme des clients. Elle ne s'entendait pas avec son mari qui aimait sortir, rencontrer du monde. Ce qu'elle aime, c'est recevoir. Elle parle beaucoup des enfants qui grandissent trop vite, et se définit par rapport à eux. Elle est au coeur du réseau d'amis des enfants, les petits copains viennent se confier à elle. Bref, la vie de cette mère ménagère est pleine de sens.

La majorité de ces familles vivent exclusivement de l'assistance sociale : pourtant, on n'y retrouve ni solitude, ni sentiment de pauvreté. Tel n'est toutefois pas le cas pour d'autres familles pour qui monoparentalité signifie pauvreté et solitude.

Les familles monoparentales « amputées »

Celles-ci se caractérisent par un manque c'est-à-dire l'absence d'un père et d'un compagnon; elles apparaissent moins comme l'aboutissement du matriarcat domestique. On y a l'impression de toujours voir le même monde, on reçoit peu, on n'y fête pas les anniversaires, on « *se cache au Jour de l'an, on n'aime pas ça* », c'est ici que le travailleur social doit intervenir, bref, la vie se déroule sur un fond d'ennui !

Ces femmes n'ont souvent pas d'ami, ou ne le voient qu'occasionnellement. Cette situation est souvent transitoire, c'est un deuil qu'il faut vivre à la rupture d'une relation. Parfois cependant on s'y installe, en particulier quand on n'a pas d'amis ni de parenté à proximité. Solitude, désarroi, misère économique et psychologique que ne viennent pas soulager des échanges familiaux, tel est souvent le lot de ces familles et de leurs cheffes.

La famille monoparentale « à toit séparé »

Il s'agit d'un couple qui ne forme pas un ménage. Il se distingue par l'importance que l'un et l'autre accordent au couple, par la polarisation moindre de la mère sur son enfant (qui d'ailleurs peut garder un contact étroit avec son père) et enfin par la présence de couples d'amis qu'on voit régulièrement et auxquels on est plus attaché qu'à des parents. Bien que les liens avec la parenté soient très étroits on dira faire des confidences à une amie de femme plutôt qu'à une parente pour éviter les commérages dans la famille.

Et les familles reconstituées ?

Il y a encore les familles reconstituées. Plus précisément, il s'agit d'unions qui suivent un divorce, une séparation ou un statut de mère célibataire. Ces familles ne se ressemblent guère, elles sont polarisées, soit par le modèle du couple, soit par celui de la famille monoparentale. Il s'agit en fait de familles typiques lorsque le couple est marié ou encore, s'il n'y a pas mariage, qu'un enfant est issu de l'union. D'autres renvoient davantage au modèle de la famille monoparentale. Les compagnons n'y sont pas des maris et les femmes restent très discrètes sur eux car on craint toujours l'oeil d'un agent du Bien-être social. L'homme avec qui on n'est pas marié, avec qui on n'a pas d'enfants et qui de surcroît ne travaille pas, ne peut pas être un « mari », il ne peut donc y avoir fusion des deux parentés. Aussi on ne connaîtra pas nécessairement tous les membres de la famille de son compagnon, et le réseau s'organisera exclusivement dans sa propre parenté.

LES VOISINS, LE QUARTIER

On connaît habituellement bien les voisins : un des deux membres du couple étant fréquemment né dans le quartier, on ne peut marcher dans la rue sans rencontrer des connaissances dont l'origine remonte à la petite école. On ne se voisine pas pour autant : on n'entre pas chez les voisins, encore moins ira-t-on y manger ; cela serait mal vu, ça ne se fait pas, cela donnerait lieu à du commérage. On se protège des voisins. Ils sont de l'autre côté de la barrière du sang. Une exception toutefois, une voisine peut être une amie de femme, les deux femmes peuvent prendre un café chez l'une ou l'autre, mais le cercle ne s'étendra jamais aux familles respectives. Les maris ne voisinent pas, et seuls les enfants entrent dans les maisons du voisinage pour jouer avec d'autres enfants. On habite le quartier sans qu'il soit nécessaire de se justifier, sans non plus imaginer déménager, et les comparaisons avec ailleurs sont rares. Parfois on est sorti, puis revenu, alors on se justifie :

> *Le quartier ici c'est tout comme ça, ça se tient, à Neufchâtel c'est pas pareil, moi j'aime bien ici, c'est mieux ici, c'est pas*

froid comme leur petit terrain, leur petite pelouse, ça s'parle pas là-bas. C'est plus chaleureux ici. Ça me fait penser d'où je viens [village natal]. *C'est drôle, on est tout collé, c'est ville, y a pas d'espace mais ça m'fait plus penser d'où je viens que Neufchâtel et la banlieue. Là, tout le monde s'occupe chacun de sa p'tite affaire. Ici on voit pas le monde s'ambitionner. C'est plus porté sur les valeurs humaines que sur les chars et les piscines. Ça dépend des goûts, moi j'aime ça ici.*

Qu'est-ce qui est donc « comme la campagne » à Saint-Sauveur? Celle qui parle a dans le proche voisinage une belle-soeur, un beau-frère et une soeur qu'elle voit tous les jours. Elle a perdu des amies de femmes en déménageant mais s'en est fait de nouvelles avec les voisines.

À l'inverse quelques familles se plaignent du quartier; il s'agit toujours de familles en ascension sociale. Dans ces familles on valorise davantage l'école, on fait le tri parmi les amis des enfants.

On fait le tri des amis, on a fait abandonner aux enfants une dizaine d'amis. Y a des amis surtout dans l'boutte icitte. Toi t'élèves tes enfants d'une façon et les parents d'une autre façon, ces enfants-là c'est pas élevé sur les mêmes principes que toi. Si toi tu les punis et qu'ailleurs pour la même chose on les récompense! On a un enfant de 10 ans qui parle comme un enfant de 20 ans et discute beaucoup, la parenté est toute surprise de ça.

Par ailleurs, en ce qui concerne la vie de quartier, il faut noter, comme en fait foi la transformation de plusieurs écoles en coopératives d'habitation — dont certaines pour personnes âgées — que ces « villages » vieillissent, ce que constatent et regrettent les plus jeunes :

On s'est fait quelques amis dans le quartier... Mais comme il y a beaucoup de couples âgés ici, alors on les côtoie, mais c'est peut-être pas les mêmes liens qu'on peut avoir avec des couples de notre âge.

Autrement dit, dans bien des cas, le voisinage n'est pas valorisé en tant que tel; ce qui compte, c'est la famille... et sa proximité; le voisinage importe dans la mesure où la famille y réside. Plusieurs vivent dans le même immeuble qu'un ou plusieurs membres de leur famille ce qui n'est pas surprenant car les propriétaires occupants sont nombreux. Parfois, cette présence de la parenté devient un

« obstacle » au développement de relations significatives avec les amis ou les voisins. On dira par exemple : « *On n'a pas besoin d'amis, on a assez de la famille. Quand on les a tous visités, on n'a plus le temps pour les amis* ». Alors, que deviennent les amis dans tout cela ?

La femme a toujours au moins une amie : amie de femme ou de fille selon que le lien amical s'est noué avant ou après le mariage. Les hommes pas toujours ; ils les ont souvent perdus en se mariant. Pour un homme, se marier, c'est lâcher *sa gang*, et entrer dans le réseau du sang : les beaux-frères, les belles-soeurs, les soeurs, les frères. Et, bien que plus rare qu'autrefois, l'enterrement de vie de garçon renvoie à cette réalité. On dira ainsi qu'on voit peu souvent tel frère du mari parce qu'il n'est pas encore marié. Normalement, l'homme n'a pas d'ami, comme si était interdite une relation affective qui soit à la fois entre hommes et hors des liens du sang. La langue rend d'ailleurs compte de cette réalité : tandis que les femmes ont des amies, les hommes ont plutôt des *chums*, expression qui marque le compagnonnage, la camaraderie, la *gang* plutôt que la relation affective, la confidence. Lorsqu'un homme a un *chum* il s'agit généralement d'un ami d'enfance, occasionnellement d'un ami d'association (syndicat, groupe de loisirs) ; pratiquement jamais d'amis de travail. Pour les hommes, l'on ne distingue jamais la relation d'amitié selon qu'elle remonte avant ou après le mariage. Il n'y a pas d'équivalent masculin à l'amie de fille et à l'amie de femme, (sauf le frère ?) et ce n'est que rarement que les hommes reçoivent chez eux leurs amis. Le territoire domestique est symboliquement féminin. Enfin, il n'y a guère de place pour les amis de couple dans ce modèle.

Peut-on se faire de nouveaux amis ? Tout d'abord il y a les enfants qui se chargent de rapprocher entre eux leurs parents respectifs. Lorsque les enfants font partie d'activités organisées, le hockey par exemple, les parents entrent en contact avec d'autres parents. Cela ne donne pas toujours lieu à des relations profondes, mais parfois on s'y fait des amis. Certaines femmes ont construit une bonne part de leur réseau autour du hockey des enfants. « *Elle, je l'ai connue au hockey parce que son petit gars était dans la même équipe que le mien puis après, on a continué à se revoir* ».

Le comité d'école est aussi une source importante de sociabilité, du moins pour ceux qui en font partie. On y rencontre des gens ayant les mêmes préoccupations familiales que soi. On s'y fait des connaissances et des amis.

Les balcons sont un lieu social très important ; plusieurs personnes âgées passent l'été sur le balcon ou la galerie. « *Quand il fait beau, je vais me promener avec la petite, puis je les vois, ils sont assis sur la galerie* ». « *Elle est souvent assise sur la galerie. Quand je reviens de l'épicerie, je monte et on jase ensemble* ».

D'autres trouvent une source importante de vie sociale dans les activités reliées à la religion. On parle de « Renouement conjugal », de liturgie, d'Église presbytérienne. Pour certaines de ces personnes, la pratique religieuse a littéralement changé leur vie. Elles ont rencontré de nouveaux amis et délaissé les anciens. Leur engagement religieux les met en contact avec de nouveaux amis de groupe et surtout, avec un mode de vie et des valeurs souvent incompatibles avec leurs anciens amis.

La participation à des associations constitue l'exception plutôt que la norme. L'absence de participation est d'ailleurs généralement associée à une forte polarisation autour de la parenté. Les associations dont on est membre sont tout d'abord celles qui se situent dans la prolongation du rôle parental : comité d'école, groupe scout, comité de loisirs pour les jeunes (paroisse, patro, municipalité). Elles peuvent être aussi des regroupements religieux comme les charismatiques. Si les parents membres de ces associations constituent généralement des familles « typiques » elles diffèrent néanmoins de celles qui sont exclues de tout *membership* associatif. Elles sont généralement moins centrées sur la mère, et le père n'est pas exclu. La vie de couple est plus importante, et bien que la parenté qui habite le voisinage continue d'occuper une grande place dans les fréquentations, les amis prennent de l'importance. La participation à des associations se limite à l'univers de la paroisse et des enfants. L'appartenance à des associations politiques (Parti libéral, Parti québécois, Parti civique, Rassemblement populaire, syndicat de travailleurs) est un indice certain d'une distanciation par rapport au modèle typique : aucune des familles typiques n'est reliée aux associations ou aux groupes dits « populaires ».

ENCORE DES OPTIONS PAR DÉFAUT ?

Dans le chapitre sur la famille urbaine d'autrefois, on avait repéré des « options par défaut », des gens qui pour une raison ou une autre ne peuvent se conformer au modèle de sociabilité familiale.

Encore dans les années 80, les familles qui n'ont pas de parenté à proximité — ou pas de parenté du tout, ont davantage d'amis, ceux-ci toutefois seront intégrés souvent sous le modèle de la parenté. Une amie sera « *une vraie soeur pour moi* ».

Quatre solutions se présentent aux familles qui n'ont pas de proches parents dans leur environnement immédiat : 1° elles déménagent ; 2° elles débordent des liens du sang en se constituant un réseau d'amis ; 3° elles continuent d'inscrire l'essentiel de leurs relations sociales dans la parenté soit en intégrant des parents plus éloignés dans l'espace ou par leur degré d'apparentement ; 4° ou, elles recréent le modèle avec les enfants devenus grands.

Il y aussi les chicanes qui séparent les familles. Quand on se chicane avec sa parenté, on peut se réajuster sur le mode des familles coupées géographiquement de leur parenté, sinon on se retrouve en sérieuse difficulté.

Prenons l'exemple d'une femme issue d'une famille de quatorze enfants dispersée par la mort prématurée des parents ; elle a été « prise en élève » par une tante qui avait déjà onze enfants. Aujourd'hui, elle n'a plus de contacts ni avec sa famille adoptive ni avec sa famille naturelle.

> *Je suis autonome, j'ai pas besoin de ma mère, j'aime voir les gens pour les apprécier. Je suis devenue autonome. Je me suis résignée à ma solitude. Faut être autonome parce qu'on est seul. Au début, j'étais avec plein d'amis, j'avais peur d'être seule, je suis devenue autonome, c'est plate, c'est très plate. Je me suis fait une amie de ma travailleuse sociale.*

Bâtie pour vivre sur le mode traditionnel, totalement coupée de sa parenté, « déboussolée », elle tente avec de grandes difficultés des ouvertures du côté des amis. Tentatives aussi du côté du CLSC où les cours de « découverte de soi » ne peuvent compenser la rupture d'avec la communauté de sang où se situe la véritable identité. La désintégration de l'univers de la parenté et plus globalement de l'univers domestique au sens de tout ce qui relève de l'intérieur (par opposition à l'extérieur des hommes) conduit à poser la question de la « condition féminine » alors qu'elle parle « *de la mère qui dégringole avec plaisir quand son enfant entre à l'école et qui se retrouve dans sa condition féminine* ». Bien que l'expression soit ambiguë par ce qu'elle « dégringole », c'est la seule fois qu'apparaît dans toutes les entrevues de Saint-Sauveur et de Saint-Roch cette question. Jamais il n'a été non plus question « de femmes dominées, exploitées », etc. Bref, aucune allusion aux thèses féministes concernant le pouvoir des hommes et la domination qu'exerceraient ceux-ci. La question féminine apparaît ici avec l'éclatement de l'univers traditionnel des femmes. Dans cet univers, ce qui engendrait le sens, c'était la famille nombreuse, l'insertion dans la parenté, la communication et l'échange, la complémentarité avec le domaine des hommes.

LES FAMILLES EN TRANSITION

Quelques familles, bien que relevant fondamentalement du modèle typique, s'en écartent par certains aspects. Elles se caractérisent toutes par la proximité de la parenté dans le voisinage et par l'importance des rapports sociaux fondés sur le sang. Elles divergent globalement par l'importance relativement plus grande accordée aux amis. Ainsi malgré la plus grande fréquence des rapports de parenté, ceux-ci seront supplantés par les rapports d'amitié pour l'intensité du lien affectif (des amies de femmes sont plus proches que deux soeurs ou belles-soeurs), ou encore un mari conservera au-delà du mariage un ami de travail et fera partie d'une association de loisir spécialisée (par exemple, la construction de modèles réduits). Ces couples ont souvent pour caractéristiques distinctives, le travail salarié de la mère et la scolarisation plus élevée du père, correspondant au diplôme d'études collégiales (DEC).

Même lorsque les rapports d'amitié l'emportent en fréquence sur les rapports de parenté c'est sur le mode « populaire » que ceux-ci s'organisent : on préfère la rencontre de groupe à la rencontre individuelle et intime. Ainsi les couples d'amis formés autour du mouvement scout et du curé se verront aussi fréquemment que des couples apparentés. D'ailleurs ces groupes ne comptent jamais que des amis, on y trouve aussi des couples provenant de la famille. Lorsque les liens d'amitié supplantent les liens du sang le rapport homme-femme dans le couple s'équilibre ; en cas de difficulté on consulte son époux ou son épouse.

C'est à partir d'activités paroissiales que l'on commence à déborder les liens du sang. Un couple (un peu plus fortuné) qui s'est fait des amis aux comités de pastorale de l'école et du patro confondra amis et parents, et l'importance du réseau d'amis sera à la mesure de celui de la parenté.

Mari et femme auront chacun leur *gang* : elle, son comité d'école, lui, le *racket ball*. Voilà un couple avec un réseau partiellement autonome pour l'un et l'autre. Cela va de pair avec l'importance plus grande de l'écriture (plutôt que le téléphone), le golf et le *racket ball*, sports individuels plutôt que collectifs. Avec l'individualisation des partenaires du couple, on se rapproche des types de réseaux basés sur le couple ou même l'individu qui sont plus nombreux en dehors des villages en ville.

Les restes de la démolition-rénovation

Saint-Jean-Baptiste, coincé entre la colline parlementaire, l'autoroute Dufferin et le « cap » qui le sépare de la Basse-Ville, est probablement, avec Saint-Roch, le quartier de Québec qui a connu les plus grandes métamorphoses depuis 25 ans. Des rues entières sont disparues pour faire face à l'autoroute et aux hôtels de luxe voisins de la colline parlementaire, une artère commerciale a été déclassée par la multiplication des centres d'achats, tout un secteur du centre-ville a été livré à la spéculation (pré-démolition) et, par conséquent, à la taudification.

Mais c'est aussi un quartier où se sont multipliées les coopératives d'habitation, où s'est organisée une lutte pour sauver la rue Saint-Gabriel de la démolition et où le mouvement de retour en ville a amené plusieurs nouveaux habitants (de nouveaux propriétaires souvent copropriétaires et des coopérateurs). L'afflux de ces copropriétaires et surtout des coopératives d'habitation — rénovant au moyen de subventions et de corvées — a beaucoup contribué à la transformation du quartier. Plus de propriétaires occupants et moins de spéculateurs : désormais les résidents du quartier ont davantage de contrôle sur celui-ci, ne serait-ce que par la propriété foncière, et par le fait qu'ils s'y investissent plus, émotivement et socialement.

C'est la définition même du quartier et de ses frontières qui a été modifiée. On parle maintenant du quartier Saint-Jean-Baptiste pour « ce qui reste » de deux paroisses : la paroisse Saint-Jean-Baptiste en tant que telle, et la paroisse Saint-Vincent-de-Paul qui a été sévèrement amputée par la construction de l'autoroute Dufferin. Les anciens résidents du quartier sont au courant de cette dualité paroissiale que les nouveaux arrivants semblent ignorer tout à fait. Mais ces anciens résidents eux-mêmes sont forcés d'admettre que désormais ces deux paroisses sont étroitement unies, les enfants de Saint-Vincent-de-Paul allant à l'école Saint-Jean-Baptiste à pied... Tout ceci pour dire que si dans un texte d'avant 1970 on mentionne le quartier ou « le Faubourg Saint-Jean-Baptiste », cela ne désigne pas tout à fait le même secteur que maintenant.

Un peu de science-fiction

Il existe cependant une dualité plus profonde dans Saint-Jean-Baptiste, inégalement ressentie par ses habitants, mais qui apparaît aux yeux des observateurs de façon éclatante : c'est celle de sa population. L'analyse électorale, quand on la pousse jusqu'au niveau du pôle d'énumération révèle, en effet, que le quartier, à l'instar de la ville, est clivé en un haut et un bas, cette polarisation électorale apparaissant de façon manifeste aux élections municipales.

Mais si on pousse l'analyse encore plus finement, on remarque que d'une porte à l'autre, présentes sur chaque petit bout de rue dans des proportions variables, deux populations se voisinent sans se rencontrer. On pourrait parler d'une partition du quartier, au sens mathématique du mot, c'est-à-dire qu'il serait formé de deux sous-ensembles à l'intersection vide.

Saint-Jean-Baptiste ferait le bonheur des amateurs de science-fiction : non seulement est-il encore très vivant après s'être fait décapiter-amputer, mais parce qu'y coexistent deux univers parallèles. S'y croisent, sans jamais s'y rencontrer deux types de populations : les « anciens résidents » c'est-à-dire, des gens originaires du quartier ou d'un quartier adjacent, population autochtone qui ressemble beaucoup à celle de Saint-Sauveur : revenus modestes ou faibles, instruction moyenne ou réduite, grand nombre de propriétaires occupants louant un étage ou un logement à un membre de la famille ; présence de la famille élargie dans le quartier — et même dans le petit bout de rue ; population à laquelle se greffent quelques « notables » ; petits commerçants. L'autre population ce sont de « nouveaux arrivants ». Pas nécessairement plus fortunés, ils sont généralement plus instruits cependant. Ils ne sont pas originaires du quartier, mais de l'extérieur de Québec ou sinon d'un quartier périphérique de l'agglomération. Parmi eux des locataires mais aussi des coopérateurs, des copropriétaires. Ils ont eux aussi de la parenté dans le quartier : ce ne sont plus des oncles et des tantes mais des frères et des soeurs ; ils ont surtout des amis dans le quartier.

Deux types de population, deux types de réseaux : le réseau basé sur le clan, à son meilleur, et le « nouveau » réseau basé sur les individus dans sa forteresse ; c'est là où proportionnellement on trouve le plus grand nombre de personnes appartenant à ce type de réseau, soit approximativement un sur deux. Deux réseaux qui ne se rencontrent pas, même dans les écoles où les parents siègent sur les mêmes comités et les enfants dans les mêmes classes. Le mélange ne prend pas. Pas plus chez les enfants que chez leurs parents. Si l'enfant s'appelle Pierre, il joue avec François, Robert, Nicole, Danielle ; s'il s'appelle Yannick, il joue avec Boris, Héloise, Anaïs, Marie-Soleil... (noms fictifs ; ici on grossit un peu le caractère typique des noms ; il a été possible de faire beaucoup de recoupements de noms d'enfants de la sorte, mais il est certain que cet indicateur de l'étanchéité des réseaux ne fonctionne pas à 100 % ; après tout, il peut y avoir des « Paul » des deux côtés...). Ainsi une femme du réseau « traditionnel » raconte que sa fille était amie avec Marie-Soleil (nom fictif), mais que cela faisait longtemps que la petite Marie-Soleil n'était pas venue faire un tour à la maison. En première année, les deux petites étaient amies ; dès la deuxième, elles se sont éloignées l'une de l'autre. C'était le seul cas où on a pu repérer un mélange de réseau au niveau des enfants ; la mère de Marie-Soleil, séparée, participe pleinement à un nouveau réseau.

Chez les parents, le mélange pourrait se réaliser au niveau du gardiennage ou dans les petits commerces comme les dépanneurs où la conversation s'engage. Mais on reste ici dans les rapports marchands et on n'entre pas vraiment dans le réseau. Ainsi une épicière, en bonne commerçante, connaît un peu tous ses clients, assez pour entretenir une petite conversation, prendre des nouvelles, mais cela ne va pas au-delà. Une cliente avec laquelle elle jase davantage, se révèle une ancienne compagne d'école primaire.

Rien à faire, le mélange ne prend pas. On ne « voit » même pas ses voisins s'ils n'appartiennent pas au même type de réseau. On connaît ses voisins — d'à côté, d'en face, d'en arrière, peu importe — qui sont dans le même type de réseau, pas ou très peu les autres. Ainsi une femme parle longuement et abondamment de voisins : de sa belle-soeur, voisine et amie ; d'un souper communautaire avec des gens de la rue, d'un voisin-ami qui lui a « trouvé sa maison », d'un ami au bout de la rue, d'un autre voisin de la rue qui l'a invitée à faire du ski de fond à son chalet, de son « ex » pas loin ; de tous ces gens elle parle avec force détails, toute sa vie se déroule dans un ou deux pâtés de maisons dirait-on et pourtant... *« La maison d'en face ? [...] je sais que c'est une histoire de famille, il y a les parents, la fille [...] des fois ils me donnent du linge pour mon fils, mais c'est pas des amis vraiment ».*

On dit « *il n'y a pas d'autres enfants sur la rue* » s'il n'y a pas d'autres enfants du même type de réseau. Ce n'est pas de la mauvaise volonté, plutôt une indifférence polie. En cas d'urgence, il peut se passer quelque chose. Une femme qui travaille comme couturière à domicile raconte qu'il y a cinq ans, il y a eu un début d'incendie chez elle — et donc dans son atelier.

> *Des voisins que je ne connaissais pas vraiment sont venus aider. Ça a pris 5 minutes que la shoppe a été vidée. C'est des jeunes. Ils n'ont pas la même mentalité que nous autres. On peut pas calculer ça comme des amis. Mais là, avec le feu, j'ai vu qu'on avait des amis et qu'on ne le savait pas.*

Deux remarques ici. « *C'est des jeunes* ». Dans Saint-Jean-Baptiste, le réseau des nouveaux arrivants est un peu plus jeune que l'autre, car les anciens résidents sont en contact avec plusieurs membres de leur famille qui habitent leur quartier et qui sont de la génération précédente : parents, oncles et tantes alors que les nouveaux fréquenteront surtout des gens de leur propre génération : frères et soeurs, amis. Deuxième remarque : « *ils n'ont pas la même mentalité* ». Plusieurs de ces nouveaux arrivants ont fait des choix de valeurs en rupture avec les valeurs traditionnelles. On pense à d'anciens *freaks* plus ou moins écologistes qui auraient choisi la « simplicité volontaire », rejeté *l'american way of life*, la religion — et surtout l'institution catholique de leur enfance. Plusieurs de leurs enfants ne sont pas baptisés ; même baptisés, ils suivent des cours de morale et non plus de religion.

Cette dualité dans le quartier se manifeste encore dans les groupes et associations qui sont dédoublées : une série de groupes est liée davantage à la paroisse : pastorale, Saint-Vincent-de-Paul, et une autre est l'héritière des comités de citoyens : comité du parc Berthelot, comité du cimetière Saint-Mathieu, coopératives d'habitation, coopératives alimentaires. Plusieurs parents du nouveau réseau ont été impliqués dans une garderie coopérative, ce qui a été pour eux et elles une occasion de rencontrer d'autres parents qui sont parfois devenus des amis. Cette implication se poursuit parfois au-delà : sur cinq parents actifs dans les comités d'école ou de parents rencontrés, quatre viennent d'un réseau de type nouveau.

Un tricot serré

Le quartier Saint-Jean-Baptiste est relativement petit, pas nécessairement en nombre d'habitants, mais en superficie. Une seule artère commerciale le traverse, la rue Saint-Jean ; l'habitation est assez dense ; tout cela favorise les rencontres. D'autre part, le quartier étant coupé en deux univers parallèles, et chacun de ces univers occupant la totalité du territoire, on est en présence de deux milieux tricotés serrés. La vie de quartier est très intense, les liens sont très denses entre les habitants. Plus du tiers des entrevues peuvent être mises en relation entre elles, et ce au niveau des parents (c'est-à-dire sans tenir compte systématiquement des amis des enfants qui peuvent être les enfants d'une autre personne interviewée sans que les parents ne se fréquentent). C'est le quartier où les recoupements d'entrevue ont été les plus nombreux en dehors de ceux où on a exploré plus ou moins systématiquement des coopératives d'habitation, où par définition, tout le monde se connaît. Ces recoupements ont tous été faits plus ou moins par hasard, recoupements de prénoms, d'activités, de nombre d'enfants ou de frères et soeurs, chalet familial à Saint-X... et il n'est pas impossible qu'il nous en ait échappé. Comment alors se surprendre d'une saturation de l'information et de la baisse de la qualité des entrevues vers la fin de la série ? Ces nombreux recoupements sont un premier indice de l'intensité de la vie de quartier.

Un second indice d'intensité est la présence de membres de la famille dans le quartier. Presque tout le monde a de la parenté dans le quartier : les gens dans le réseau plus typique ont de la parenté dans le quartier dans 12 cas sur 17 et ceux du nouveau type de réseau dans 16 cas sur 19. De plus, on a observé plusieurs cas de « cohabitation » avec des membres de la famille ; des copropriétés avec la famille, des cohabitations dans le même appartement ; ou on habite la même maison ou la maison adjacente à des membres de la famille.

Les nouveaux arrivants ont donc su se donner un réseau « familial » dans le quartier aussi serré que ceux qui en sont originaires ! Quand on parle de retour au centre-ville, il ne semble donc pas qu'il s'agisse de personnes isolées. Les choix de résidence ne se font pas au hasard ; que ce soient des valeurs, des goûts que l'on partage, que le désir de se rapprocher de sa famille soit explicite, peu importe, le résultat est le même. Sauf que, comme on le mentionnait plus haut, le réseau typique est plus âgé car il comprend les parents, des oncles et des tantes alors que pour ceux du nouveau réseau, la parenté dans le quartier est souvent de la même génération.

Un quartier tricoté serré, doublement. À peu près tout le monde affirme qu'on ne peut pas faire deux pas dans la rue sans rencontrer des gens que l'on connaît. Le voisinage est important dans Saint-Jean-Baptiste, la vie de quartier est au coeur de la vie sociale. Dans « le village », on voisine la parenté (sauf quand on n'en a pas).

Pour ceux des nouveaux réseaux, la vie de quartier se tisse autour du voisinage immédiat, de groupes ou d'associations. Le rôle des cafés et des bars, en tant que point de rencontre est non négligeable. Cette vie de voisinage n'a pas besoin de coopératives pour s'installer, elle peut déborder aussi des copropriétés. Une femme raconte :

> *[...] un souper très intéressant avec des gens de la rue. C'est tous des gens qui ont acheté une maison. On a fait un souper communautaire, une dégustation de homard. Tous les gens de la rue ont participé, voisins, amis ; ce sont des gens de notre âge.* (Elle a 35 ans)

La vie de quartier n'a pas besoin de coopératives pour s'installer, ainsi une femme raconte qu'elle peut passer chez sa voisine, qui est devenue son amie, sans sortir dehors. En fait, dans les coopératives, on remarque, en même temps que la participation à la vie coopérative, la nécessité de se ménager un espace privé, à soi, à l'abri du groupe. Dans les cas de copropriété, où les gens sont moins nombreux et se sont davantage choisis — tout comme dans le cas de voisinage immédiat avec la famille — on remarque plus de promiscuité, plus de va-et-vient, surtout l'été. Dans les copropriétés on peut partager une laveuse et une sécheuse ou « *un congélateur, une corde à linge et une litière de chat* ».

Le fait d'habiter au centre-ville amplifie encore cette vie de quartier et de voisinage : on ne peut pas sortir sans rencontrer des personnes qu'on connaît ; ces rencontres débouchent parfois sur des rendez-vous, des invitations.

> *On le voit toutes les semaines l'hiver au hockey. On le voit pas assez souvent. [...] Il y a tellement de monde qu'on connaît [...] souvent c'est pas planifié. On devient habitué à ne pas planifier. [...] On sort et on trouve du monde tout de suite. C'est dans un sens malheureux. J'ai des amis de la garderie que je voyais très très souvent. Depuis que les enfants ne sont plus en garderie, je les vois beaucoup moins souvent, c'est dommage.*

En ce qui concerne le nouveau réseau, il faut souligner qu'il comporte beaucoup de gens séparés, dans une seconde union, ou coupés géographiquement d'une grosse partie de leur famille. Les nouveaux arrivants qui se sont implantés dans le quartier depuis 10 ou 15 ans et qui en général n'avaient pas de racines dans le secteur, ont utilisé plusieurs stratégies pour se donner la vie de quartier qu'on observe actuellement. Parfois ils ont carrément acheté en copropriété avec des amis ou membres de leur famille. Parfois ils sont venus s'installer dans le quartier quand des amis déjà sur place leur ont refilé le tuyau d'une maison à vendre ou d'un logement à louer. Les garderies coopératives semblent une pépinière d'amis, plus encore que les autres groupes et associations. Il y a les cafés ou les bars où l'on rencontre amis, amis d'amis, voisins d'amis etc. Les amis de travail, en particulier ceux qui habitent dans le quartier ont joué un rôle important pour ceux qui sont coupés de leur famille.

Une synthèse difficile

Le clivage entre les deux types de réseaux semble profond. Il ne passe pas par le revenu (il y a des nouveaux arrivants « sur le B.S. » et des anciens résidents avec voiture et chalet), ni par l'éducation (des nouveaux avec un cours secondaire et des anciens avec un diplôme universitaire). Le clivage est plus « culturel ». Les deux groupes ne se rejoignent qu'au niveau de rapports marchands, gardiennage, commerces... On remarque quand même quelques cas ambigus. Ceux de deux femmes un peu plus vieilles (autour de 50 ans) et coupées de leur famille. L'une est la gardienne de plusieurs enfants du nouveau réseau sur le point de déménager dans une coopérative d'habitation ; l'autre est cette couturière à domicile dont on a déjà parlé. Séparée et « réaccotée », elle n'a pas de famille à Québec, à part ses enfants (elle est déjà grand-mère). Comme elle travaille à domicile, elle semble être devenue le point de ralliement de plusieurs voisins et voisines et même d'anciennes voisines — surtout des personnes seules ou âgées — et leur servir de confidente.

* * *

Les deux types de réseaux sont très différents en termes de composition mais pas d'activités. D'une part on fréquente les voisins parce que ce sont des membres de la famille, de l'autre on crée des liens intenses avec des gens parce qu'ils sont voisins.

Ce type de clivage ne se rencontre pas dans les autres villages en ville dont on a parlé précédemment, sauf dans Saint-Roch où depuis le début des années 80 se multiplient coopératives et maisons en copropriété le long de la rivière Saint-Charles. Il y a ici deux types de population bien distincts (les mêmes que ceux dont on vient de parler pour Saint-Jean-Baptiste), mais dans des espaces totalement différents.

Quand les deux populations s'affrontent sur le même terrain, la moins fortunée finit toujours par céder la place.

UN DOMAINE FAMILIAL

Le Domaine Saint-Charles à Duberger est un secteur relativement récent (après les années 60), enclavé entre la rivière Saint-Charles, une zone industrielle, l'autoroute de la Capitale et l'autoroute du Vallon. L'autoroute du Vallon constitue une sorte de frontière naturelle entre les deux secteurs de Duberger. Ce qui frappe au premier abord et bouscule les préjugés habituels sur les banlieues impersonnelles, c'est que le quartier semble être avant tout un domaine familial et ce, à plusieurs niveaux. Premièrement le nombre d'enfants : très peu d'enfants uniques. Près de la moitié des familles rencontrées ont trois enfants ou plus, ce qui n'est pas typique du Québec actuel.

> *C'est pas un quartier où les gens sont snobs ; la moyenne d'âge... c'est à peu près 32 ans. Forcément à 32 ans, il y a de la bonne terre, donc il y a des enfants c'est évident. C'était important pour nous d'avoir un secteur aussi sécuritaire où il y avait des enfants.*

Les familles nombreuses, ce n'est pas qu'au niveau de la progéniture des gens rencontrés qu'on l'observe, mais aussi dans leurs familles d'origine. Dans deux cas seulement les parents viennent de « petites » familles. On parle plutôt de 7, 8, 11 et même 21 frères et soeurs !

Une autre dimension de cette importance de la vie familiale est la forte proportion de gens originaires du quartier ou qui y ont grandi même s'ils n'y sont pas nés, et de gens qui ont de la parenté dans le quartier. Le quartier, « ici », s'étend du Domaine jusqu'à Duberger-ouest dans une direction et jusqu'à Vanier dans l'autre : « *J'ai été élevé* ici *à côté de l'Expo provinciale* ». « *À Vanier, tout près* », ce qui n'empêche pas que la famille est très présente dans le voisinage immédiat. Que ce soient les parents du mari « *juste l'autre bord de la rue* », ceux de la femme « *ici dans l'autre coop* » ; un frère « ici en arrière », une belle soeur « *dans la rue ici* », une cousine « *ici dans la coop* », une autre « *juste de l'autre bord de la rue* ». Pour ajouter à ce paysage familial, deux femmes nous racontent une histoire semblable ; elle et sa soeur ont marié deux frères, les deux couples ont été voisins immédiats pendant quelques années.

On est loin de la banlieue froide et anonyme ! C'est *grosso modo* la moitié des gens qui ont de la parenté dans le quartier. Pas dans le même immeuble cependant, les habitations étant unifamiliales (sauf les coopératives) ; dans la même rue, ou dans la rue voisine. C'est en voiture et non plus à pied qu'on se déplace dans le quartier, mais des déplacements qui ne prennent pas plus d'une dizaine de minutes sont considérés comme courts. En fait on est ici dans un prolongement de Vanier, de Limoilou et Saint-Sauveur : c'est là que la mobilité sociale pousse les familles originaires de ces quartiers plus anciens (secteur unifamilial) et que les démolitions du centre-ville poussent les gens à revenus plus modestes (coopératives).

On a l'impression qu'on n'a fait que transposer la même sociabilité dans un espace différent. Le Domaine Saint-Charles est une banlieue relativement récente, comme on l'a dit, et assez modeste. Les maisons unifamiliales sont « en rangées » ; les coops logent dans les immeubles à appartements. Les propriétaires sont des petits commerçants, des postiers, des chauffeurs d'autobus, des comptables, et les coopérateurs sont des ouvriers, des « opérateurs », des journaliers, des garçons de table, des chômeurs. Cette répartition professionnelle ressemble davantage à ce qu'on trouve à Saint-Sauveur, que dans des banlieues plus anciennes. On est ici dans une banlieue « populaire ». Ceci se reflète jusque dans le langage, puisque c'est le seul quartier de banlieue où on a entendu, à plusieurs reprises, l'expression « aller sur » quelqu'un.

Est-ce à dire que le quartier dans son ensemble est une portion de centre-ville transposée en banlieue ? Si c'est assez évident en ce qui concerne les locataires coopérateurs, cela l'est un peu moins du côté des propriétaires. Comme plusieurs de ceux-ci néanmoins habitent des maisons en rangées ou même des « quadrex » (double duplex ?), ils ne sont pas aussi isolés des voisins que dans les banlieues plus anciennes — et plus cossues — où chaque maison jouit d'un terrain assez grand pour lui permettre d'ignorer ses voisins si tel est son désir. « *Peut-être que les voisins deviendront des amis, mais je ne peux pas me confier [...] Je ne voudrais pas que ça en vienne là [...] c'est tellement près, qu'à un moment donné, on se nuit, ça entre dans l'intimité, c'est trop près* », déclare une femme qui, par ailleurs, raconte : « *Il y a une bonne vie de quartier, on fait des corvées entre voisins [...] La vie ici est très bonne. Ici il y a pas de voisins qui snobent* ».

Même si ce ne sont pas toutes les personnes rencontrées qui partagent ces réticences face à l'entourage, ce témoignage révèle bien l'ambiguïté des relations de voisinage dans une banlieue de ce genre, et l'entassement relatif des voisins les uns sur les autres qui rappelle encore une fois celui des quartiers centraux. Un bon voisinage, une entraide trop grande risquent souvent de verser dans le bris de l'intimité — et pourquoi les gens vont-ils en banlieue, si ce n'est pour « l'espace et la tranquillité » ? De bonnes relations avec les voisins, c'est précieux, essentiel... mais il faut savoir garder ses distances. La même femme poursuit : « *Au début de l'été, il y avait trop d'amis des enfants qui venaient, j'ai mis une clôture* ».

Cette ambivalence face au voisinage, cette relation d'entraide entre voisins immédiats qui risque toujours de se retourner contre les participants, on en trouve des exemples dans les coopératives. Une des coopératives du secteur, au moment de l'enquête, était déchirée par un procès entre le président de la coop et sa voisine d'en haut supposément trop bruyante...

Le voisinage donc est important. On a souvent de bons contacts avec ses voisines ; les femmes au foyer — et il y en a plusieurs dans le secteur — gardent souvent l'enfant ou les enfants de leur voisine qui travaille. D'autre part, l'été, on soupe dehors, on veille dehors ; la grandeur des terrains fait qu'on ne peut éviter les voisins. Ainsi une femme raconte que ses voisines ont connu ses soeurs, car elle les a reçues dans sa cour ; une autre, que le voisin les a invités à prendre un digestif et qu'ils ont fait un feu dehors avec les enfants. Une autre encore que son mari va à la pêche avec son voisin.

Contrairement à ce qu'on remarque dans le centre-ville, on ne voisine pas que les membres de la famille ; banlieue et coop obligent ! Banlieue oblige en ce sens que les distances sont plus grandes, il n'y a pas toujours de dépanneurs au coin de la rue, il faut bien s'entraider. « *J'ai pas l'auto pour aller au dépanneur [...] le plus souvent c'est ma soeur (à qui j'emprunte), mais quand elle n'est pas là, c'est la femme d'à côté* ». « *Le dépannage ici dans le coin [...] je trouve que c'est un quartier merveilleux pour cela* ».

Les femmes qui ont des enfants du même âge se créent des liens : « *Les voisines [...] on a élevé nos enfants ensemble* ». « *Les premières années, on était huit femmes qui se promenaient avec des poussettes l'après-midi. On faisait la largeur de la rue* ». On assiste à des courts-circuits : une femme fréquente les voisines de sa belle-soeur qui demeure aussi dans le quartier.

Un voisinage immédiat assez intense en général donc ; qu'en est-il de la vie de quartier ? C'est plus difficile à préciser. Quelques-uns font mention que le quartier est dur, qu'il y a de la violence. « *Je trouve ici qu'il y a beaucoup d'idées de violence dans le coin ; c'est batailleur, les garçons sont durs, les filles aussi* ». En tout cas, des femmes ont mis sur pied un comité de prévention de la délinquance.

Mais il y a quand même des choses plus « positives » dans le quartier. Ainsi une femme avec une amie musicienne avaient monté une chorale pour la messe de minuit l'année précédente. Cette chorale regroupait des femmes et des petites filles. On n'a pas entendu d'autres mentions d'activités locales ; le Domaine, enclave entre deux autoroutes et une rivière, semble assez pauvre en équipements communautaires ; ce qui ne veut pas dire que les gens du quartier n'ont pas l'esprit communautaire, au contraire. On y trouve des Chevaliers de Colomb, une fermière appartenant au Cercle, une autre femme appartient à un groupe qui fait à la fois de l'accueil, de l'écoute et de l'artisanat : les Mères Veilleuses. On a entendu parler de ligues de quilles, de ligues de dards, de balle pour les femmes et même de bingo. Quelques femmes mentionnent avoir suivi des cours de relations humaines et avoir « adoré » ça. Ces dernières activités : cours, bingo, dards, balle, quilles et les *coach*, sont le fait de membres de coopératives. On pourrait voir là un effet combiné de l'esprit communautaire et de la « classe sociale », un habitus ; les gens dans les coopératives étant plus « prolos », que ceux des unifamiliales qui font de la danse aérobique ou du ballet-jazz. C'est aussi dans le secteur unifamilial qu'on a repéré les chanteuses de la chorale et les « parteuses » de comité. Les Chevaliers de Colomb sont des propriétaires, mais pas la Fermière...

En ce qui concerne les loisirs il faut remarquer que comme dans les quartiers du centre-ville, plusieurs ont des chalets, une roulotte, ou une terre ; d'autres profitent du chalet de leurs parents. En tout, c'est encore une fois près de la moitié qui a un point de chute à la campagne, (sans parler des femmes qui ont perdu leur chalet lors de leur séparation).

Le Domaine, c'est un quartier un peu isolé donc et (par le fait même) tricoté serré. Un quartier « intermédiaire » entre le centre-ville et la banlieue, aussi bien dans la composition de la population, le type d'habitat que les types de sociabilité.

Un quartier où on semble se plaire, puisque souvent on y reste « depuis toujours » et que parfois on y déménage d'une coop à l'autre, mais où il vaut mieux ne pas se brouiller avec ses voisins, les relations de voisinage trop intenses risquant de se renverser complètement.

On n'est pas dans un village en ville typique, mais pas non plus dans une banlieue typique. Disons qu'on est dans un cas intermédiaire, un village de banlieue, où une sociabilité « typique » est transposée dans un univers géographique différent.

CONCLUSION

La famille typique « d'autrefois » n'est pas morte, se porte bien et vit à Québec ! Au clan correspond l'omniprésence de la parenté. Omniprésence physique d'abord : les parents sont distribués tout autour dans le proche voisinage. Les parents vous diront qu'ils ne sortent pas sans leurs enfants, et qu'il n'y a pas d'activités hors la parenté. Les femmes sont ménagères, les hommes travaillent mais les liens noués au travail ne pénètrent jamais la famille. Les sorties consistent à visiter la parenté, et l'été le chalet constitue le haut lieu de rendez-vous de la parenté. Il n'y a pas d'amis. Le réseau d'entraide, qui est énorme et qui couvre autant les biens matériels que les confidences et les conseils repose sur le réseau de communication des ménagères.

Les familles qui s'écartent du modèle le font :

1) soit par défaut ;
2) soit par processus d'ascension sociale. À cet égard on peut remarquer qu'on n'a pas rencontré d'enfants uniques dans la génération des parents et que les hommes venaient en moyenne, de familles plus nombreuses que les femmes. De là à conclure que les gens qui ont eu moins d'enfants à la génération précédente les ont poussés socialement et hors du quartier, la mobilité sociale s'accompagnant souvent d'une mobilité géographique, voilà un pas qu'on ne peut pas franchir à la lumière des données obtenues ;
3) soit parce qu'elles sont issues de l'extérieur du quartier et correspondent à ce qu'on a appelé les « nouveaux résidents » dans le quartier Saint-Jean-Baptiste, des gens qui font « le retour au centre-ville ».

Notes

[1] Voir Barry Wellman et Barry Leighton, « Réseau, quartier et communauté. Préliminaire à l'étude de la question communautaire » dans *Espace et sociétés*, juillet-décembre 1981, n°s 38-39, p. 111-134, pour une discussion théorique des présupposés de l'étude des réseaux et celle des communautés et des quartiers.

[2] EZOP-QUÉBEC, *Une ville à vendre,* réédité chez Saint-Martin, Montréal, 1981.

[3] Pour en savoir plus sur le village en ville dans le Saint-Sauveur des années 60, on peut consulter le document suivant : Jocelyne Valois, *Communica-*

tion et relations inter-personnelles dans les familles d'un quartier ouvrier, miméo, Département de sociologie et d'anthropologie, Université Laval, 1968, 118 pages.

[4] Des 43 entrevues réalisées dans le quartier, Lynda Fortin a tiré un mémoire de maîtrise, déposé au département de sociologie de l'Université Laval, en 1987, intitulé : *La Sociabilité des femmes en milieu populaire.*

6

Des banlieues... pas si plates !

On entretient souvent des préjugés sur la banlieue. Le centre-ville serait le lieu de la diversité sociale, le lieu privilégié de la rencontre, de l'échange alors que bien souvent la banlieue ne serait qu'un immense dortoir, un espace anonyme et homogène.

Or, on le verra, cette image est trompeuse. Tout d'abord, mieux vaudrait parler des banlieues que de la banlieue ; elles se différencient selon plusieurs critères : tout d'abord l'ancienneté, et certaines banlieues d'hier ont presque été absorbées par le centre-ville. Deuxième critère recoupant le premier : la diversité de l'habitat. Les banlieues construites pendant les années 50 et 60 sont essentiellement des zones d'habitations unifamiliales, alors que dans les années 70, on voit apparaître de plus en plus de duplex, maisons en rangées, *walk-up* (petits immeubles de trois étages).

Insensiblement, parler ainsi du type d'habitation amène à parler du type de population : il y a des banlieues aisées, et des banlieues « moyennes » ; les banlieues plus anciennes, où les maisons sont plus dispendieuses (et les terrains plus grands) sont habitées davantage par des « professionnels », alors que d'autres ont été le point de chute des populations chassées du centre-ville par la rénovation/démolition. Depuis quelques années on parle de « retour au centre-ville » de la classe moyenne et aisée et de la gentrification ; ce qu'on réalise mal cependant c'est que la contrepartie de ce phénomène est la « prolétarisation » des banlieues, leur « col-bleuisation [1] ».

On parlera donc ici de banlieues très diverses. On avait terminé le chapitre précédent par la description d'« un village en ville » en banlieue... On examinera ici tour à tour des banlieues anciennes et récentes ; cette promenade fera découvrir différents styles de vie et de vie de quartier ; encore ici l'espace et la proximité (ou la non-proximité) ont un effet structurant sur la sociabilité.

DES BANLIEUES « ANCIENNES » ET COSSUES

La ville de Charlesbourg est presque aussi ancienne que celle de Québec. Le Trait-Carré qui en constitue le coeur a été tracé à l'époque de Jean Talon. La paroisse Maria-Goretti, quant à elle, ne date pas du régime français, mais pour une banlieue de l'agglomération de Québec, est relativement ancienne puisqu'elle a plus de trente ans. Secteur comportant quelques immeubles à appartements, les maisons unifamiliales y prédominent, plusieurs étant dotées de piscines. D'emblée on peut affirmer qu'il s'agit d'une banlieue aisée. Les professionnels : pharmaciens, ingénieurs, comptables agréés, architectes et les hommes d'affaires y sont bien représentés. C'est la même population, en gros, que dans la paroisse Saint-Louis-de-France à Sainte-Foy, sauf que la majorité des résidents viennent de l'extérieur de la région.

Quartiers relativement anciens donc, on y rencontre des résidents de longue date. Ainsi une femme habite la même maison depuis 24 ans : c'était la maison de ses parents ; quand sa mère est décédée, six mois après son mariage, le jeune couple a acheté la maison. Cette stabilité résidentielle entraîne un certain vieillissement de la population. On n'en est plus à la première « génération » de couples avec jeunes enfants dans le secteur. De la génération précédente, certains se sont retirés, vendant leur maison à de jeunes couples, d'autres sont restés sur place :

> *Les gens déménagent peu dans le quartier. Ils se sont installés à peu près tous en même temps il y a environ quinze ans. Le quartier a vieilli, il y a peu de jeunes enfants. Quand on est venus dans le quartier, il y avait déjà beaucoup de retraités. C'est une chose qu'on a regrettée de s'être établis avec des enfants dans un quartier qui n'était pas jeune ; ça a été dur pour les amis des enfants. [...] Quand ils amènent des amis, c'est de l'autre bout de la paroisse et c'est la question : allez-vous venir le conduire, le chercher ?*

Mais entre les deux générations, les contacts semblent bons ; à Charlesbourg, on a plusieurs témoignages de « jeunes » qui aident les « vieux ».

J'aidais le vieux monsieur, avant qu'il décède, quand il tondait son gazon. [...] Une voisine avait sa mère malade, ne pouvait pas sortir. Les gens venaient l'aider. Ils viennent encore pelleter, faire son chemin, faire ses commissions. C'est une rue où les gens s'aident beaucoup.

Le quartier a « de l'âge ». Quelques personnes ont eu le temps de grandir dans le quartier ; dans plus du tiers des familles, au moins un conjoint est originaire du quartier ; les deux tiers y ont de la parenté : frères, soeurs ou parents [2]. D'autres viennent de paroisses limitrophes. Une femme originaire d'une paroisse voisine raconte : « *Mes enfants vont à l'école avec des enfants de gens qui ont été à l'école avec moi. J'en ai retrouvé comme cela, c'est spécial* ».

En fait, quand on examine la dispersion géographique des frères et des soeurs, on observe que ceux qui sont issus de l'agglomération québécoise se retrouvent « plus souvent qu'à leur tour » dans Charlesbourg, Les Saules, Beauport ou Notre-Dame-des-Laurentides.

En fait, il y a deux types de population dans ces banlieues : ceux qui sont très impliqués dans la vie paroissiale et de quartier et ceux qui y sont tout à fait imperméables. Ceci est tout à fait flagrant dans le quartier Maria-Goretti à Charlesbourg.

Une vie associative

Ceux qui participent à la vie de quartier et qui « voisinent » sont tous des gens qui ont de la parenté dans le secteur. Ils s'identifient au quartier, s'y impliquent.

Ainsi, il y a eu dans Maria-Goretti un projet-pilote de bibliothèque scolaire gérée par les parents. On a rencontré quelques femmes impliquées dans ce projet. Il y a aussi le Cercle des Fermières. « *Après les réunions, des sous-groupes de sept à dix se forment qui vont prendre un café ensemble* ».

D'autres femmes nous ont parlé de cours de peinture qu'elles avaient suivi. Ces cours ont généré des amitiés entre femmes qui se sont poursuivies au-delà. Quant aux hommes, ils jouent à la balle molle ensemble. « *Notre groupe d'amis, c'est surtout des gens de la paroisse qu'on a trouvés à travers des associations. On se voit en dehors, on se visite* ». « *Pour mon mari, c'est la même chose ; en étant dans l'équipe de baseball de la paroisse, c'est les mêmes hommes* ». (C'est-à-dire les maris des Fermières et des membres du comité d'école).

On a l'impression encore une fois que c'est le modèle typique — celui qu'on trouve dans Saint-Sauveur ou Limoilou, dont plusieurs sont originaires justement — qui a été transposé dans un univers géographique différent, un espace plus étalé et moins diversifié. Une différence, c'est qu'on y rencontre des retraités, mais ils ne sont pas apparentés aux jeunes couples. L'équilibre des âges est « meilleur » que dans les banlieues nouvelles, mais l'étalement géographique et le fait que les personnes âgées ne soient pas des membres de la famille font que finalement, il y a peu de contacts entre les gens des différents groupes d'âge ce qui ne les empêche pas d'être « bons », comme on l'a vu ci-dessus. La parenté est présente dans la majorité des cas, mais elle est quand même plus étalée dans l'espace, on n'a pas cette proximité familiale de bout de rue qui est la marque principale du centre-ville.

Mais, chez ces femmes impliquées dans un réseau de voisinage et d'activités paroissiales, on sent souvent un certain désarroi, une remise en question ; même si elles se sont réalisées à travers des groupes, activités et services, elles sentent souvent le besoin de penser davantage à elles. L'implication dans des groupes peut devenir très accaparante et à la longue n'est pas toujours satisfaisante. Tout n'est pas d'occuper son temps.

> *Mes loisirs ? Je faisais beaucoup de bénévolat, j'ai diminué un peu récemment. Depuis quatre ans, je m'occupais de la bibliothèque de l'école ; ça me demandait beaucoup de temps, beaucoup trop. C'était rendu trois-quatre fois par semaine. [...] J'ai trouvé que je négligeais beaucoup d'autres choses et qu'il était temps que je pense à moi. Mes téléphones sont toujours plus ou moins reliés aux Fermières. Mais l'été, c'est ralenti, l'hiver c'est cinq ou six par jour. [...] Durant l'année, vous ne m'auriez jamais vue assise. [...] Ça rentre, ça sort, c'est toujours un va-et-vient. Des fois, on fait juste se croiser (son mari et ses deux enfants), l'un rentre, l'autre sort, mais on est toujours ensemble aux repas.*

La personne qui a réalisé l'entrevue note qu'après l'entrevue, elle s'est animée. Elle dit vouloir penser à elle un peu et laisser tomber certains comités. Elle s'est inscrite à un cours expérimental de secrétariat et pense à travailler. Ce sentiment, on l'a senti à des degrés divers chez plusieurs femmes au foyer dont les enfants grandissent. De cela, on pourrait conclure que « la libération de la femme » ne passe pas nécessairement par le marché du travail, ni par une implication sociale, mais bien qu'il faut avoir le temps de penser à soi, un peu de marge de manoeuvre dans l'organisation de son temps et de ses activités, et surtout d'activités valorisantes. L'argent ne fait pas le bonheur ? On en reparlera en conclusion.

En fait, on remarque une nette différence entre les femmes au foyer et celles qui travaillent à l'extérieur en ce qui a trait à la composition du réseau. Les femmes sur le marché du travail auront un groupe d'amis et d'amies de travail, et, en général, fréquenteront peu ou pas de voisines. Chez les femmes au foyer, si certaines gardent leur distance par rapport au voisinage, plusieurs au contraire, vont miser sur une vie de quartier :

> *J'ai trois voisines... Comme on a des jeunes enfants, on se voit chaque jour. On s'est connues en promenant nos enfants. (...) Les femmes, on se voit chaque jour, on sort; des fois, on se voit en couple, une fois par mois à peu près.* [Ils ont été en vacances avec un couple de voisins cette année.] *Les amies dont je t'ai parlé, on est assez intimes, on se dit des secrets assez personnels.*

Ici, il s'agit d'une vie de jour exclusivement féminine, alors que le soir et les fins de semaine, on fréquente parfois les maris des amies de femmes et/ou des amis de travail du mari.

Contrairement aux gens de Charlesbourg, coupés de leur milieu d'origine et, par conséquent, de leur famille, on ne se surprendra pas de constater que les gens de Saint-Louis-de-France fréquentent peu leur famille et que plus elle est loin, moins ils la voient : Lotbinière, Victoriaville, on y va tous les quinze jours ; en Acadie, une fois par année, quand on y va.

On a donc le plus souvent perdu de vue ses amies d'enfance. Est-ce par contrepartie, par compensation, qu'on met tant d'insistance sur le noyau familial ?

> *Pour nous, c'est aussi important notre vie de couple que notre vie avec nos enfants [...] On passe les fêtes ici parce qu'on veut que les enfants aient des souvenirs de leur vie de famille. On est une cellule autonome.*

Il semble qu'à mesure que la distance, géographique et affective avec la parenté augmente, on prenne aussi du recul par rapport au quartier.

Le réseau déterritorialisé des professionnels

Voyons donc plus en détail qui sont ceux qui échappent à la vie de quartier. Dans tous les cas il s'agit de gens très à l'aise financièrement. On fréquente beaucoup des amis de travail du mari, on ne s'identifie pas au quartier, ni à sa famille en premier, mais davantage aux amis, à un milieu professionnel. L'homme intervient dans la constitution du réseau, même celui de sa femme :

> *Il y a des gens que j'aime beaucoup, mais que je ne fréquente pas, que j'aimerais fréquenter, mais ça marche pas, des fois à cause des conjoints [...] Une amie avec laquelle je travaillais, avec elle j'ai beaucoup d'atomes crochus, mais ça ne marche pas au niveau des conjoints, je la vois peu.*

Une femme raconte comment elle a « détourné » une amitié de son mari : « *On s'est connues en inscrivant nos enfants à la maternelle* [elles habitent le même quartier]. *On a réalisé que nos maris se connaissaient* [ils travaillent ensemble], *on est devenues amies ; on se voit une fois par semaine* ».

Le réseau de ces familles est tout à fait indépendant du quartier ; on pourrait le dire « déterritorialisé » et lié aux activités professionnelles du mari.

Les loisirs ? Le yoga, la danse aérobique... et « *j'aime bien les conférences* » ajoute une autre.

Et les services ? « *On demande peu de services, mon mari engage des gens pour faire les réparations* ». On a les moyens de payer pour les services donc on n'est pas dépendants d'amis, de voisins ou de parenté à cet égard. La famille est relativement indépendante, on peut même dire autosuffisante.

Le couple est très valorisé en soi, de même que la famille nucléaire : « *Mon premier but, c'est la réussite du couple, la famille immédiate, que ça aille bien dans les deux familles* ».

On est dans un univers de couples, même si les femmes ont surtout des amitiés féminines. « *De nos amis, il n'y a personne encore qui est séparé, c'est des gens stables* ». Les divorces éloignent... menacent parfois. « *On est resté en contact avec tous sauf un de mes frères qui a divorcé et puis ça a amené de petits tiraillements et il s'est retiré il y a trois ans* ».

Cette distance — géographique et affective — par rapport à la parenté et l'insistance sur le couple, la cellule familiale, peut prendre des couleurs assez « radicales ». Parfois même les parents sont vus surtout à titre de grands-parents.

> *On les voit une fois par semaine, parfois davantage ; c'est parce que c'est les grands-parents. [...] À Noël, on s'est dit : les grands-parents, c'est pas éternel, faudrait [y] aller pour les enfants. Pour nous, on n'en sent pas le besoin. Ils ont 70 ans, ils sont pas éternels, on va les rendre heureux.*

En fait, si la vie de voisinage semble à peu près absente, sauf en « talles de femmes au foyer avec jeunes enfants », les enfants sont une source importante d'amis et de connaissances. « *Les amis connus par les enfants ne sont pas très intimes, mais de bonnes relations* ». On fréquente les parents des amis des enfants qui habitent dans le secteur, amis que les enfants ont connus à l'école ou dans les sports. Quand la parenté est loin, on doit miser dans ses relations « sociales quotidiennes », sur d'autres personnes, des amis de travail ou d'études en général, des amis connus par les enfants, mais on les choisit, ce ne sont pas n'importe lesquels ! De même, on garde des distances par rapport aux voisins immédiats, on les fréquente s'ils sont du même « monde », sinon, la plupart du temps, on garde ses distances. « *Je suis très ami avec celui-ci entre autres qui est médecin ; je le connais depuis un petit bout de temps, il m'a enseigné* ».

Chez ces professionnels, on sent donc une distance par rapport au modèle de sociabilité populaire qui tient autant à leur position sociale, qui les rend plus sélectifs dans leurs fréquentations, qu'à la distance géographique d'avec leur famille d'origine à laquelle ils restent souvent très attachés. Les gens dont on est le plus proches peuvent être en effet « un frère de Montréal », « une soeur qu'on voit trois, quatre fois par année », « une soeur à Sherbrooke », « une soeur à Victoriaville »... Mais la distance géographique peut aussi s'accompagner d'une distance « affective ».

En conclusion, et même si cela sort des considérations « scientifiques », je tiens à mentionner le sentiment de l'intervieweuse, Madeleine Morin que j'ai partagé au moment de l'écoute ; il y a plusieurs des femmes rencontrées dans ces quartiers qui s'ennuient ! Parfois, c'est dans le ton de la voix qu'on le devine, aux soupirs et aux sous-entendus, parfois c'est une femme qui remercie non pas poliment mais presque avec enthousiasme l'intervieweuse de l'avoir écoutée pendant 45 minutes : « *C'était très l'fun, c'était très intéressant* ».

Mais ne noircissons pas. Ce n'est pas tout le monde qui s'ennuie. Finalement, la plus sereine et la plus épanouie des personnes rencontrées semble être une mère de quatre enfants travaillant à plein temps !

DES BANLIEUES RÉCENTES

On peut considérer comme relativement récent un quartier qui n'a pas 20 ans, c'est un village qui vient à peine de se transformer en banlieue ; on y rencontre encore plusieurs personnes qui y ont fait construire leur demeure. La population y sera plus jeune et plus homogène que dans un secteur plus ancien où les couples âgés cèdent une maison familiale devenue trop grande à un jeune couple.

Qui dit banlieue récente, dit banlieue différente de l'image *bungalows*. L'unifamiliale n'est qu'un type d'habitation parmi d'autres ; on trouve des maisons en rangées, des immeubles de trois étages, qui logent parfois des coopératives, comme dans les quartiers visités à Neufchâtel et Duberger, banlieues « récemment » annexées à la municipalité de Québec.

Elles sont reliées par des axes à Sainte-Foy, par d'autres à Charlesbourg, et enfin à Valcartier. Leur situation en Haute-Ville ou en Basse-Ville n'est pas évidente. Une sportive va visiter une amie qui habite à Sainte-Foy... en joggant ; elle en a pour un peu moins d'une heure. Néanmoins, malgré cette relative proximité de Sainte-Foy, la plupart des gens s'identifient à la Basse-Ville, d'ailleurs ils en sont originaires pour plusieurs. On associe ces quartiers à la Basse-Ville aussi parce que les résidences y coûtent moins cher. Plusieurs avouent y être installés parce que les maisons et les terrains y sont moins dispendieux qu'à Sainte-Foy ou dans les secteurs plus anciens de Charlesbourg. « *J'ai pas l'impression qu'à des places comme Sainte-Foy, des places huppées, il y a le sens de la vie de famille. Ici dans la Basse-Ville, les cercles d'amis, ça commence très jeune ; ça vit en communauté* ».

La composition sociale des résidents ne se rapproche pas tellement de celle des « quartiers huppés ». On y rencontre bien des économistes et des professeurs au secondaire, des directeurs d'école, mais surtout des techniciens, des artisans, des cols-bleus et des petits commerçants ; les femmes sont serveuses, infirmières-auxiliaires ou même ouvrières. Prolétarisation de la banlieue? Chose certaine, « col-bleuisation ». Où classer les chauffeurs d'autobus, les militaires, les techniciens de Câblevision, les imprimeurs, les gérants de commerce, les poseurs d'asphalte ou de parquets dans un schéma de classes sociales? Si on ne sait pas toujours bien où les situer dans l'échelle sociale, il est plus facile de les situer géographiquement ! Examinons d'abord la vie des propriétaires avant de passer à celle des coopérateurs.

Des gens bien ordinaires

Plusieurs des résidents de ces quartiers étaient originaires de la Basse-Ville de Québec. Ils en ont ramené les modèles de sociabilité — même si cela peut s'accompagner d'une rupture relative avec ce milieu. Par rapport à ceux qui sont encore au centre-ville, habiter à Neufchâtel, cela peut signifier « avoir réussi » ; on aura alors une attitude ambivalente par rapport à ce milieu d'origine. Sans le renier, on cherchera à s'en distinguer (au sens de Bourdieu).

Si on se reporte aux tableaux du chapitre 4, on remarque plusieurs cas de patrilocalité et de matrilocalité dans ces quartiers. Ici, il ne faut pas entendre patri ou matrilocalité au sens strict, puisqu'il s'agit de nouveaux développements. Il faut parler dans un sens plus large, des villages que constituaient il y a une trentaine d'années ces secteurs. Quelques-uns proviennent aussi d'autres « villages » d'autrefois, pas très éloignés non plus et devenus banlieues : Saint-Augustin, Orsainville, Notre-Dame-des-Laurentides.

Ainsi on a trouvé à Neufchâtel autant de matrilocalité que de femmes qui sont originaires de l'extérieur de la région, ce qui donnera une couleur bien particulière à la vie de quartier. En fait, si on considère les femmes, on remarque trois groupes d'importance à peu près égale : celles qui sont originaires de l'extérieur de Québec, celles qui sont originaires du secteur et celles qui proviennent de la Basse-Ville.

Il faut noter aussi la présence importante des frères et soeurs dans le secteur. Le plus souvent, c'est la femme qui a des frères ou soeurs dans le secteur ; mais l'homme en a aussi, il y en a un peu plus que la patri et matrilocalité laissaient présager.

Ces quartiers sont étendus et peu densément peuplés. Il faut scinder le voisinage en « voisinage immédiat » (un endroit où on se rend à pied ; autour de la maison) et en « voisinage élargi », qui recoupe la notion de quartier.

Ce qui frappe d'abord, c'est l'importance du voisinage immédiat. Rares sont les personnes qui disent n'avoir aucun ami dans le voisinage immédiat ; celui-ci donne lieu à des rapports sociaux significatifs. On a en moyenne deux amis dans le voisinage.

Plus de la moitié ont des parents dans le voisinage élargi. En ce qui concerne la parenté dans le voisinage immédiat, deux fois plus souvent il s'agit de celle de la femme. La localisation de la parenté de la femme semble encore un facteur qui influence le choix du lieu de la résidence.

Souvent donc la vie sociale pivotera autour de la parenté qui est présente dans le secteur et, dans un nombre équivalent de cas, la parenté étant absente de la région, il faudra se donner une vie sociale non familiale. En fait, la vie de quartier est intense. On fait souvent mention de « talles » de voisines ou de voisins.

> *On est un cercle, 8 couples [...] les relations sont pas les mêmes avec tout le monde. [...] On fait des veillées ; on a déjà fait un repas progressif. Avec le voisin immédiat, c'est plus souvent, on se voit plus souvent dans la cour. Vendredi quand on a fini de travailler, on relaxe tous les quatre, on prend l'apéro. [...] Le réseau des voisins, c'est extrêmement important, sinon je serais parti d'ici. Je pense qu'on peut parler d'un réseau de couple.*

Les hommes bricolent ensemble, s'échangent des outils, jouent à la « balle » ; les femmes s'échangent des services de gardiennage, vont magasiner ensemble (quand on a juste une voiture et que l'homme la prend pour aller travailler, il faut s'organiser pour « sortir »), ou se réunissent pour le plaisir.

Une mère de trois jeunes enfants, montréalaise d'origine, raconte :

> *Toutes les voisines, on est pas mal proches [...] au moins cinq voisines ; toutes des femmes pognées avec 2, 3 enfants. On se rencontrait le mardi soir pour tricoter, une fois chez l'une, une fois chez l'autre. [...] Les gars [les maris] s'entendent aussi bien.*

Cette vie de quartier, ce voisinage immédiat est particulièrement important pour ceux et celles qui n'ont pas de famille à Québec. Écoutons un résident nous raconter comment, en neuf ans, il s'est établi une vie de quartier.

> *On avait fini par décider plutôt que de s'acheter un bungalow, une maison unifamiliale, de s'acheter un duplex. Le problème du duplex, c'était le voisin ; alors comme j'étais avec un de mes amis, celui-là était libre des deux côtés, alors on a acheté avec notre ami.* [Cet ami a quitté depuis et a été remplacé par un autre ami.] *Le réseau d'amis, ça se développe, faut l'entretenir. Le réseau s'est formé avec mon copain d'à côté, on connaissait personne. Le développement était pas fini, en arrière c'était un champ de vaches. [...] L'été dehors, en faisant des travaux... c'est comme ça que ça a commencé, par un échange de services. On s'est aidé à monter des garages, par exemple. Puis on a commencé à faire du sport, on s'est inscrit à des*

activités sportives, la balle-molle. R., le voisin, il avait un critère pour la sélection de ses joueurs : c'était dans la rue. On s'est retrouvé une équipe au complet dans la rue. C'est peut-être le coup de pouce qui a permis de développer et d'améliorer le réseau... Elle [ma femme] a sensiblement le même réseau avec les femmes sauf — là je vous donne ma perception — beaucoup moins... elle a beaucoup moins de temps. Les femmes sont plus occupées que les hommes, en tout cas ici, parce qu'on les aide pas assez probablement ; je fais ma part, j'essaie en tout cas. C'est le même cercle, donc, 8 couples.

Ce cas semble représentatif. Il y a des couples d'amis qui sont « toujours ensemble », qui vont se visiter au chalet les uns des autres, qui prennent leurs vacances ensemble.

Un hymne au voisinage

Creusons encore davantage cette question du voisinage, en faisant un petit détour par Charlesbourg, où nous avons également visité une banlieue assez récente, Saint-Jérôme, très différente de cette autre paroisse plus ancienne dont on a parlé à la section précédente.

On a eu la curiosité d'y rencontrer une quinzaine de familles en tant que « quartier témoin » ; il s'agissait de scruter une banlieue « moyenne » où n'existe pas de coopérative d'habitation. L'excursion valait le détour. L'école primaire du quartier s'appelle « Le Carrefour », un nom fort approprié quand on considère la proportion de ses habitants qui proviennent de l'extérieur de Québec... et qui s'y côtoient.

Avant de prêter l'oreille à cette apologie du voisinage, on peut se demander ce qui lui permet d'apparaître si nettement dans ce quartier, plus probablement que dans n'importe quel autre de ceux que nous avons visités.

Il y a ici plusieurs « variables » à considérer. Tout d'abord l'origine géographique : la plupart des personnes rencontrées viennent de l'extérieur de Québec ; elles auront donc, en moyenne, assez peu de parenté aux alentours et même pour plusieurs, aucune parenté dans l'agglomération québécoise. La vie de famille ne pourra donc être au coeur de leur vie sociale — en termes quantitatifs du moins, car bien sûr, on reste souvent très attaché à sa famille même si elle est loin et qu'on la voit peu. (Un seul cas de matrilocalité et de patrilocalité.) Cependant, comme on l'a déjà remarqué dans d'autres quartiers, la présence de la parenté est toujours plus importante que l'examen de l'origine géographique pourrait le laisser croire. Sur ces 16 familles, 2 femmes et 6 hommes ont de la parenté dans le quartier, à cause de la présence de leurs frères ou soeurs.

Pour caractériser Saint-Jérôme, on dira donc qu'il est composé surtout de gens coupés géographiquement de leur famille. Comme ce ne sont pas des professionnels, mais des cols blancs, on y observe, sans interférence familiale ni professionnelle, le phénomène des « talles » de voisines, l'accent sur le voisinage immédiat.

Dans ce quartier qui vieillit tranquillement, on observe une mobilité géographique. « *Ça a beaucoup changé. Ça fait juste deux ans qu'on reste ici ; à côté on a eu trois voisins différents en deux ans* ». Cette mobilité est plus forte que dans des secteurs moins riches, où on n'a pas le choix de rester où on est ou de déménager, ou que dans des secteurs plus à l'aise où les gens connaissent davantage de stabilité professionnelle. On perçoit assez explicitement l'effet du cycle de vie sur les relations sociales, sur la famille et la vie de quartier en particulier.

Prêtons donc l'oreille à ce qu'on qualifie plus haut d'hymne au voisinage. En fait, cet hymne, il faut plutôt l'entendre à travers un bruit de fond engendré par les réserves « habituelles » envers les voisins. Ainsi une femme commence par déclarer qu'elle voisine « *un peu, pas prendre un café chez l'autre* » avant de dire quelques minutes plus tard qu'elle a fait quelques sorties avec sa voisine d'en face, puis elle réaffirme « *mais c'est contre mes principes, pas de café chez les autres, rien ; de toutes façons j'ai pas le temps* » avant de raconter que les voisins, elle les voit surtout l'été, qu'il y a un couple en particulier qui vient « régulièrement » prendre une bière...

Le sentiment « d'appartenance », d'identification au voisinage est rarement aussi entier et explicite que chez cette femme qui déclare « *les six maisons ici, on forme quasiment une famille [...]* ». On hésite toujours à affirmer son amitié pour les voisins. Sans doute parce que cela indique une certaine dépendance, même une captivité, qu'on n'est pas indépendant ou qu'on n'a pas su se faire de « vrais » amis. À cet égard, il est intéressant de remarquer qu'il n'est pas rare que les meilleurs amis de la femme ou du couple soient des anciens voisins. (Cela se remarque assez souvent et dans tous les quartiers.) Les anciens voisins qu'on continue de fréquenter après leur déménagement sont « promus » au rang d'amis et marquent la rupture de la dépendance d'avec le voisinage. « *Ça fait bien* » d'avoir des amis, mais les voisins ne seraient qu'un pis-aller, solution de remplacement en l'absence de famille ou de « vieux amis », d'où les précautions oratoires et l'insistance sur la distance qu'ils gardent par rapport aux voisins. C'est presque malgré soi qu'on dévoile l'amitié avec ses voisins.

Voici quelques témoignages sur la vie de quartier et le voisinage ; les citations sont assez longues pour illustrer cette réserve en même temps que cette dépendance des voisins :

> *Dans les amis, il y a les voisins ; c'est sûr qu'on se voit, qu'on se parle assez souvent. On les voit régulièrement, mais on sort pas avec eux-autres. [...] Le voisin d'à côté, on s'est parlé de tomates dans nos jardins ; l'autre, on travaille un peu ensemble, on a fait des clôtures ensemble, des choses comme cela. [...] On parle aux voisins ; quand on part, ils savent qu'on n'y est pas ; quand on y est, ils savent qu'on y est, on donne signe de vie, même jusqu'au deuxième ou troisième voisin. On a des bons voisins. C'est pas des amis avec qui on va sortir, parce qu'ils ont pas les mêmes [...] mais par contre, pour nous autres, c'est des bons amis. Advenant qu'il y en ait un qui déménage , quelque chose comme ça, c'est ben certain que ça nous ferait quelque chose [...] même chez les enfants ; il y a des enfants qui sont fins avec nous autres. Mais je ne peux pas dire que c'est des amis avec qui on va sortir régulièrement [...]*
>
> *Les voisins, c'est pas des amis pour sortir ensemble. Moi j'appelle ça une famille parce qu'on sort dehors l'été. On est six maisons en arrière, en avant. On se réunit, on jase. S'il y en a une dehors, l'autre sort, on placote ensemble mais pas pour sortir [...] J'en ai une avec qui j'ai déjà sorti : ma voisine d'en avant, je vais au théâtre de temps en temps avec elle, au spectacle ou à une exposition mais pas une sortie avec nos maris. C'est pas une amie intime... c'est une amie... malgré que moi je trouve que c'est une amie intime, mais pas pour sortir la fin de semaine avec les enfants [...] c'est une amie [...] les six maisons, on forme quasiment une famille.*

C'est une amie... c'est pas une amie, mais c'est une amie semble-t-elle nous dire. Les voisins, des amis ? En tout cas, une fois qu'ils sont partis, on n'hésite plus à l'avouer.

> *Il y a eu beaucoup de déménagements dans le quartier cet été. J'ai perdu deux amies, deux voisines. C'étaient des cou-*

> *ples avec qui on s'entendait très bien. On a déjà été faire du ski avec un de ces couples [...] ça me fait de la peine de les perdre [...] et l'autre amie qui restait en face, ils sont partis à Singapour [...] je me retrouve un petit peu toute seule. [...] Là je sens un vide depuis que mes voisines sont parties.*

Les relations avec les voisins sont bien sûr modulées par l'âge des enfants. On connaîtra d'abord les voisins qui ont des enfants du même âge que les siens ; on les verra d'autant plus que les enfants sont jeunes, il faut davantage les surveiller... et puis quand ces enfants grandissent, plusieurs femmes qui s'étaient retirées du marché du travail y retourneront, comme l'explique bien un couple qui habite le quartier depuis 15 ans et dont les enfants ont 9 et 11 ans :

> *Les voisins, très peu... depuis que les enfants ont grandi. On avait plus de contacts avec les voisins quand les enfants étaient plus jeunes. D'abord on les surveillait plus. Le voisin, on le voyait plus quand les enfants étaient plus jeunes. On pouvait se voir tous les soirs et on jasait. Ça s'est fait longtemps. Si on les rencontre sur la rue, on peut jaser une bonne demi-heure. [...] C'est des amis, mais là les distances sont plus grandes que quand les enfants étaient petits. C'était plus souvent, il y a quelques années. [...] On surveille moins les enfants, elle travaillait pas, elle travaille.*

Le cycle de vie se fait sentir de différentes façons. Les voisins, le meilleur temps pour les connaître, c'est lorsque les enfants sont petits ; quand ils ont dix ans, c'est déjà un peu trop tard. Ainsi une femme qui est arrivée de Chicoutimi moins d'un an avant l'entrevue et qui a des enfants de 10 et 12 ans dans un secteur où il y a beaucoup d'enfants de cet âge (c'est pourquoi d'ailleurs ils s'y sont établis) est en train de restructurer son réseau et explique qu'elle travaille seulement depuis quelques mois : « *Quand tu travailles pas, y a pas grand contact* ». Ici quand on ne travaille pas, on ne voit personne ; l'opposition est manifeste avec la déclaration précédente à l'effet qu'on ne voit plus sa voisine depuis qu'elle travaille et que les enfants sont grands.

Le cycle de vie se manifeste encore dans la sélection ou l'autosélection du groupe d'amis. « *Tu regardes ça le groupe, c'est drôle, tout le monde a deux enfants, tout le monde vit ensemble, tout le monde est professionnel, on a tellement de facteurs en commun* ».

Voilà, le détour s'achève... Si certains quartiers du centre-ville sont des hauts-lieux de la vie de quartier — pensons à Saint-Jean-

Baptiste où parfois la vie de quartier s'entrecroise avec la vie de famille et pensons à Saint-Sauveur — on découvre dans cette banlieue une vie de « quartier » ou du moins de voisinage immédiat relativement intense. Qui disait que les banlieues sont anonymes et inhumaines ?

Revenons pour le moment à la sociabilité en général, telle qu'on l'observe dans les banlieues moyennes.

Une sociabilité sportive

Ce qui est étonnant dans l'étude de ces banlieues c'est de voir le grand nombre de personnes qui appartiennent à des associations diverses, principalement sportives. On pourrait presque parler de sociabilité sportive. Les hommes jouent à la « balle », les femmes aux quilles, au volley-ball ou font du *racket ball*. D'autres, sans pratiquer eux-mêmes un sport, « suivent » les sports des enfants, en viennent parfois à s'impliquer dans l'organisation de ces sports, ou à développer des relations amicales à travers le sport.

— « *Comment occupez-vous vos loisirs ?* », — « *Je vais au hockey et au baseball pour les enfants* ». Ses amies ? « *Trois femmes que j'ai connues au hockey ; ça fait deux ans qu'on est ensemble, l'hiver au hockey, l'été au baseball* ». Le sport permet de rencontrer des gens ; il permet également de maintenir le contact avec des gens qu'on ne verrait plus autrement. Écoutons les propos d'une femme qui avait travaillé 13 ans dans une entreprise ayant fait faillite.

> *Les amis que j'ai, c'est surtout dans les sports, mais je peux pas dire que c'est pas de vrais amis. [...] On travaillait ensemble ; où on était, ça a fermé. En faisant du sport, c'est une occasion de se voir, sinon on se verrait peut-être pas. [...] On se voit souvent l'été, on joue à la balle, ça arrive rarement qu'on se voit l'hiver.*

Plusieurs parlent longuement de sport, mais à peu près jamais de la forme physique. On ne pratique pas le sport pour se tenir en forme, mais pour « la compagnie », pour les gens qu'on y rencontre.

Pour quelques personnes, il ne s'agit pas de sport, mais d'autres types d'associations, par exemple une radio pour amateurs, une garderie coopérative, une chorale, un groupe religieux... dans un seul cas, il s'agit d'un parti politique. Cette participation est généralisée : (dans Neufchâtel par exemple, sur 18 personnes rencontrées dans les coops, 14 font partie d'un groupe ou d'un comité à part la coop ; c'est le cas aussi de 14 des 21 propriétaires) ; elle est aussi très peu « politique », en particulier on ne politise pas son appartenance à la coopérative.

Des horaires coupés

On l'a mentionné au début, les professions des gens rencontrés sont plutôt « classe moyenne inférieure » ou *high lower class* pour parler comme nos voisins du Sud. La banlieue se prolétarise. Les maisons unifamiliales y sont beaucoup moins chères que dans les secteurs plus anciens ; des coopératives d'habitation s'y installent permettant d'économiser sur le loyer. Un phénomène, lié aux précédents, est qu'on y retrouve plusieurs personnes travaillant « sur des shifts », ou avec des horaires coupés, et ce aussi bien chez les femmes (serveuses, infirmières auxiliaires, technicienne en informatique travaillant à temps partiel, à temps plein ou encore sur appel, le soir et les fins de semaine) que chez les hommes : chauffeurs d'autobus, représentants, ils travaillent « *des heures en dehors du monde* ».

Le fait de ne pas être « libre » en même temps que « les autres » restreint la vie sociale. La fin de semaine n'est plus le moment privilégié de rencontre ; on ne peut plus s'impliquer autant dans des groupes ou comités. En général cela restreint beaucoup la sociabilité, la participation aux relations de voisinage autant qu'aux réunions de famille ou au maintien du contact avec des amis. « *Ça fait trois ans qu'elle travaille le soir ; avant on sortait plus, on allait souper chez des gens du bureau et vice-versa* ». Ces horaires coupés nous ont toutefois permis de rejoindre quelques hommes, et d'en apprendre plus sur la sociabilité masculine.

LES COOPÉRATIVES D'HABITATION EN BANLIEUE

Si on a choisi d'interroger des familles à Neufchâtel, Duberger et au Domaine Saint-Charles, c'est précisément parce qu'on y trouve des coopératives d'habitation. On se demandait si on y rencontrerait des réseaux d'entraide et d'amitié différents de ceux observés dans les banlieues « ordinaires » : par définition, dans une coopérative d'habitation, tout le monde se connaît et se rencontre, ne serait-ce qu'aux Assemblées générales. Cela entraîne-t-il autre chose ou s'en tient-on à des rencontres formelles ? Qu'est-ce qui différencie les banlieusards coopérateurs des autres banlieusards ?

À première vue pas grand-chose ! Encore que dans les coopératives, surtout celles qui se sont installées dans des immeubles à appartements, on trouve davantage de mères seules que dans les maisons unifamiliales. Les femmes séparées dans le secteur unifamilial — ou dans les maisons en rangées coopératives — sont souvent séparées récemment, c'est-à-dire qu'elles se sont séparées après leur installation. Elles semblent rares celles qui choisissent de déménager dans une maison de banlieue sachant qu'elles auront à l'entretenir seules. Dans les coopératives donc, on trouve davantage de familles monoparentales que dans les rues avoisinantes ; à Neufchâtel, plusieurs de ces femmes ont cherché, à leur séparation, à se rapprocher de leur famille, de leur lieu d'origine et on note chez elles une forte présence de la parenté dans le quartier. La coopérative d'habitation serait en quelque sorte la porte d'entrée — ou de retour — dans le quartier, pour des femmes qui de façon générale, après une séparation, se retrouvent trop souvent avec un budget réduit pour s'offrir une maison unifamiliale.

Types de familles dans les coopératives de banlieue

	MONOP.	RECONST.	« COUPÉE »	« PETITE »	ORDINAIRE	TOTAL
Le Domaine	2(.2)	–	3(.3)	2(.2)	5(.5)	10
Duberger O.	2(.125)	–	7(.44)	3(.19)	5(.31)	16
Neufchâtel	10(.55)	2(.11)	6(.33)	7(.39)	1(.06)	18
Total	14(.31)	2(.05)	16(.36)	12(.27)	11(.25)	44

Matrilocalité et patrilocalité dans les coopératives de banlieue

	MATRILOCALITÉ	PATRILOCALITÉ	TOTAL DES COOPÉRATEURS (FAMILLES)
Le Domaine	3(.3)	5(.5)	10
Duberger O.	6(.38)	4(.25)	16
Neufchâtel	6(.33)	–	18
Total	15(.34)	9(.2)	44

Dans certains cas, non seulement la famille est dans le quartier, mais jusque dans la coopérative ; on peut y avoir une mère, une soeur, une belle-soeur ou une cousine ; ceci ne s'observe pas que chez les familles monoparentales. Ajoutons à cela les cas de patrilocalité et de matrilocalité, ceux où on a des frères ou des soeurs dans le quartier même si on n'en est pas originaire ; les coopérateurs sont solidement implantés dans le quartier, y ont une vie de famille intense.

Mais ce n'est pas le cas de tous et de toutes. Au Domaine Saint-Charles, le profil de la population des coopératives en termes de types de famille est très semblable à celui de leurs voisins ; la proportion des coopérateurs ayant de la parenté dans le quartier étant de plus de 50 %. À Neufchâtel cependant, la présence de la parenté dans le quartier se fait davantage sentir chez les coopérateurs. Au Domaine Saint-Charles les coopératives abritent plusieurs résidents de longue date, habitant l'immeuble ou la rue depuis plus de 10 ou 15 ans ; ceux-ci, on ne s'en surprendra pas, sont parmi les plus intégrés au quartier, y ont de la parenté : « *Ça fait 17 ans que je reste ici, j'ai resté avec ma mère ici avant, et mon mari sur la même rue [...]* »

Ce n'est pas tant dans le type de famille ou dans la proximité de la parenté qu'il faut chercher la spécificité des coopérateurs de banlieue par rapport à leurs voisins non coopérateurs, mais dans leur revenu. Les familles monoparentales vivent souvent chichement, d'aide sociale ou d'emplois au salaire minimum ; même du côté des couples, le revenu n'est pas toujours très élevé ; on rencontre des ouvriers et des ouvrières, des petits employés de bureau, des épouses au foyer, des « gagne-petit ».

Conséquemment, ce n'est pas tant l'idéal coopératif qui fait choisir ce type d'habitat que des considérations économiques : les loyers sont moins chers dans les coops, et ce aussi bien dans les immeubles que dans les maisons en rangée. Pour des gens à revenu modeste, la coopérative est le seul moyen d'accès à la banlieue, à un habitat de qualité avec plusieurs services et une grande cour pour les enfants, et/ou à la maison unifamiliale, fût-elle en rangée. À Place Neuviale, spontanément, les gens se définissent comme locataires dans une coopérative. La coop existe depuis plus de 10 ans et avait été construite en tant que coop. À Neufchâtel, où les logements avaient été transformés en coopérative quatre ou cinq ans avant notre passage, plusieurs des personnes avaient vécu cette période de vie coopérative intense. On les a interrogés sur la coopérative : « *On a des petites tâches à accomplir : ramasser des papiers dans la cour pour que ça reste propre, c'est normal* ». « *C'est une coop, il faut faire notre part coopérative. Moi je nettoie l'entrée et il y a des corvées dans la cour pour nettoyer le terrain et ramasser les papiers ; je participe* ».

La vie coopérative semble se résumer à ces diverses corvées. On est loin de l'idéal coopératif. Même si les gens connaissent parfois très bien la loi des coopératives et les règlements de régie interne de leur propre coop, comme cet homme qui se lance dans une tirade sur la coopérative en général et la sienne en particulier,en racontant l'histoire et le fonctionnement... mais sans le moindre enthousiasme !

Parfois, bien sûr des considérations sociales ou collectives interviennent dans la décision de vivre en coopérative, mais on ne peut pas pour autant parler d'esprit coopérateur. Ainsi une femme raconte qu'elle a d'abord connu une dame de la coop parce que leurs filles font du patinage artistique ensemble. « *Je me suis informée à elle des démarches à faire ; j'avais demandé un 4 1/2 ; dans le moment il y en a pas* [elle est dans un 3 1/2 avec deux enfants]. *Le coût du loyer est plus faible... et le contact : j'aime ça avoir beaucoup de monde autour de moi* ».

On aime le monde... mais pas nécessairement la coop. Une déclaration intéressante est celle de ce membre fondateur qui raconte : « *On est venus pour la coop, et pour le secteur. C'était au début de la coop. On a été parmi les premiers à donner notre nom, le bloc était encore en rénovation* » et qui ajoute plus tard :

> *On n'a pas d'amis dans la coop, on veut pas établir de lien parce que là encore c'est des troubles. [...] Il y a des femmes dans la coopérative, moi je les vois souvent, je suis ici durant le jour, je vois qu'il y a des femmes qui se parlent beaucoup. Par contre, il y en a d'autres qui ont essayé de se parler, ça a marché un bout de temps, et il y a eu quelque chose qui a brisé ; c'est dix fois pire après [...] il faut pas aller trop au devant de cela.*

On recherche la coopérative d'une part, mais on ne veut pas trop s'y mêler d'autre part ; la vie coopérative, ce sont les corvées et il faut faire attention à la chicane...

La seule fois où on a rencontré l'élan communautaire, c'est chez une femme du Domaine Saint-Charles qui se déclare « copropriétaire ». Elle réside dans l'immeuble depuis 18 ans et précise que ça fait 28 ans qu'il est bâti. Mais, on sent encore des réticences.

> *On était 7-8, on faisait des feux avant, en arrière. Là on n'a plus le droit. Il y en a ici qui sont âgés* [notre interlocutrice a 47 ans], *ils ont fait une pétition. On devait avoir une éplu-*

chette de blé d'Inde, ça a été cancellé. [...] Les feux, on est en loi, les pompiers sont venus. [...] C'est les vieux qui restent dans le bloc qui sont pas d'accord parce que ça mène trop de bruit... Là on a une assemblée spéciale dimanche pour ça.

L'élan coopérateur est souvent essoufflé. Plusieurs fois on a eu l'impression de se trouver devant des « amoureux déçus » du coopératisme, des gens qui y ont consacré beaucoup d'énergie, mais qui n'y ont pas trouvé ce qu'ils escomptaient.

Avant, ça marchait beaucoup dans la coopérative, mais là ça tourne pas rond. On entreprend la quatrième année et c'est une dégradation, ça baisse tout le temps. Il y a eu des épluchettes de blé d'Inde dans la cour communautaire, plusieurs activités, mais il s'est fait un genre d'animosité dans la coop ; là c'est chacun pour soi, presque.

En fait, nombreux sont celles et ceux qui dénoncent le potinage, le « mémérage » dans la coop, et ce, presque à l'unanimité chez celles habitant une coop sise dans un immeuble à appartements. La proximité favorise donc, on ne s'en surprendra pas, non seulement l'entraide, mais aussi le potinage. « *Ici, les gens sont trop proches. Il y a beaucoup de gens seuls, on dirait qu'ils ont juste ça à faire potiner ; c'est ça qui m'a arrêtée d'être sociable* ».

C'est une coop ; ça fait des belles façons devant toi et par en arrière ça placote un peu, moi je trouve. Je ne suis pas un genre de personne qui placote, c'est pour ça que j'aime ben faire ma petite business. Avant, je m'occupais plus de ça [de la coop] je me plaçais dans la cour, j'avais plusieurs amies dans la cour, je pourrais dire. J'ai laissé ça tomber ; ça fait toutes des histoires pour rien, ça sait à quelle heure tu rentres, à quelle heure tu sors, à quelle heure tu te couches, t'as plus de vie privée à toi, et j'aime pas ça.

Devant une dénonciation aussi unanime du potinage, on ne peut que se poser des questions sur les personnes rencontrées : participent-elles aussi à ce « mémérage », ou par miracle a-t-on rencontré les seules exceptions ?

Les conflits naissent non pas autour de questions de « fond » sur l'orientation de la coopérative, mais sur des choses aussi banales qu'une épluchette de blé d'Inde trop bruyante, un potin qui circule trop vite. Dans des associations ou des coopératives où les membres ont un projet explicitement « politique » ou politisé, on sait que les conflits de personnalité masquent souvent des conflits politiques qui ne veulent pas s'avouer comme tels [3]. Mais ici, les gens ne semblent pas avoir de projet « politique » au départ et les conflits de personnalité semblent de « vrais » conflits de personnalité. Des chicanes de voisins, futiles au premier abord, risquent de dégénérer et de gâcher complètement le climat.

Cependant, il y a des gens qui se plaisent dans les coopératives et qui ne les quitteraient pas volontiers.

> *Nos amis sont tous dans la coop [...] On part un soir, on va manger à la brasserie avec quelqu'un. [...] La coop, c'est comme une vraie famille ; quand ça fait 5 ans qu'on demeure à une place, on apprend à plus les connaître. J'adore ça ici. Y a pas personne qui me ferait sortir d'ici, pas pantoute.*

Celle qui parle ainsi est originaire de Neufchâtel, sa famille à elle est dans le secteur, mais son mari travaille « sur les *shifts* » et est coupé de sa famille. Une autre raconte : « *Les femmes de la coop, on se voit souvent, surtout celles du CA* ». La secrétaire de la coop « *c'est une grande amie* », elles mangent souvent ensemble. « *Coo-prix c'est pas loin, on y va à pied avec nos paniers* ». La présidente de la coop, « *des fois, on sort ensemble* ». Sa soeur a déjà habité la coop ; il s'agit de son unique soeur qui réside désormais dans Portneuf, dans la même ville que leurs parents. « *Ici dans la coop, il y a beaucoup de femmes séparées, on s'est aidées pas mal* ». Elle a une amie dans la coop avec qui elle échange des services de gardiennage et avec qui elle sort. « *L'ami d'une des filles de la coop, qui habite dans la coop depuis peu, fait des réparations* ».

Ce témoignage, révélant une forte vie communautaire contraste fortement avec les précédents. On est ici en présence du « noyau dur » de la coop, des « femmes du Conseil d'administration ». Ces femmes présentent un profil similaire : femmes seules ou dont le mari a un horaire de travail coupé, n'ayant pas ou peu de parenté à Québec. Ainsi une autre femme qui mise beaucoup sur la coopérative pour sa vie sociale provient d'un couple reconstitué. Enfant, elle avait été adoptée par une dame assez âgée et ne voit presque plus sa mère adoptive qui vit en institution pour personnes âgées. Lui est brouillé avec ses parents et ne les voit plus du tout. Elle voit « *beau-coup beaucoup les gens de la coop. Si j'avais pas ça, je trouverais ça difficile, je m'ennuierais* ». Mais même chez les gens impliqués, le besoin de solitude se fait sentir.

> *Je trouve ça important de faire ma part parce que c'est une coopérative. J'ai étudié ça un petit peu, faut que tu donnes un*

peu de toi-même. Quand je suis capable, je travaille un peu. C'est arrivé deux hivers que j'ai fait la patinoire dehors, que je l'ai partie. [...] On a le goût d'avoir la paix, d'avoir un chalet pour se retrouver tout seuls. On se retrouve jamais tout seuls, on est entraînés, les enfants par leurs amis de la coop, ma femme par ses amies de la coop, moi par mon travail. (Un homme)

On a donc ici un discours ambivalent. Malgré ces ambivalences, quelques activités communautaires (épluchettes, volleyball, fers, pétanque...) et une amie de femme survivent. En effet, même celles qui dénoncent le mémérage et l'empiétement de la vie coopérative sur la vie privée ont une amie de femme dans la coop. Il ne s'agit pas nécessairement d'une voisine immédiate, mais d'une qui partage des goûts ou des intérêts communs... ou une même situation de monoparentalité plus ou moins facile à assumer.

Si on voulait résumer, synthétiser ces ambivalences, on pourrait dire que :

1) on a besoin de la coop, surtout parce que ce n'est pas cher ;
2) on peut y rencontrer des gens et nouer des relations *si on le veut bien*, sinon il faut « faire avec » et supporter le mémérage ;
3) on rencontre souvent une personne avec qui on a des affinités profondes et qui devient une véritable amie.

En ce qui concerne la coopérative en tant que voisinage et non pas en tant qu'association, il y a plusieurs choses à remarquer. D'abord, au sujet de l'amie de femme-voisine, notons qu'on n'a pas la même hésitation ou la même réticence à avouer qu'une voisine est aussi une amie comme on l'a senti chez des banlieusardes ne faisant pas partie de coopératives. La coopérative serait donc un raccourci pour connaître des voisins et créer des liens solides avec eux. D'autre part, le voisinage, pour les membres de la coopérative, c'est souvent la *coop-point-à-la-ligne*, sauf pour ceux et celles qui ont de la parenté dans le secteur. On serait tenté de dire que la coopérative de banlieue est un milieu presque autosuffisant en termes de relations ; pour ceux qui ne sont pas de la région de Québec, la coopérative est plus ou moins le pivot de leurs relations sociales. S'ils ont des amis en dehors de la coop ceux-ci connaîtront généralement leurs voisins (amis) préférés de la coop.

Tout ceci n'est pas sans rappeler la vie villageoise...

* * *

Le fait de vivre en coop change-t-il quelque chose dans la vie des résidents ? La coopérative, on l'a dit force à rencontrer des gens, à discuter avec eux. Si on veut, on peut s'en faire des amis, mais pas forcément :

> *Ça fait 5 ans qu'on est dans la coop, mais ça fait 17 ans qu'on reste ici. [...] Je m'en suis occupé pas mal, j'y étais au commencement. J'ai travaillé pas mal dans tout ça, je m'occupe de la comptabilité [...] J'ai pas d'amis, pas d'ennemis non plus ; Ça fait 3-4 ans seulement que c'est coopératif [7 ans de résidence]. — Ça faisait longtemps que ça se parlait, je suis venue icitte à cause de ça. On a plus d'affaires à faire depuis que c'est coopératif. Faut faire le passage, mais je le faisais avant pareil. Il y a rien qui a changé ben ben, c'est rien que parce qu'ils font des jeux et ont arrangé la cour... et le loyer a un peu baissé. [...] C'est ben arrangé pour les enfants.*

Finalement, à travers toutes ces ambivalences les grands gagnants ce sont les enfants. Les coopératives d'habitation avec leur cour communautaire sont le royaume des enfants. Même un couple de Témoins de Jéhovah qui restreignent leurs relations sociales à leurs coreligionnaires, échangent des services de gardiennage avec les gens de la coop : leurs enfants amènent à la maison les autres enfants de la coop.

A-t-on rencontré de « nouveaux réseaux » dans les coopératives de banlieue ? Oui, en ce qui concerne les familles monoparentales et/ou les gens coupés géographiquement de leur famille jusqu'ici rien de très différent de ce qu'on rencontre dans d'autres types d'habitat. Ceux et celles qui s'impliquent le plus dans la vie coopérative se recrutent d'ailleurs généralement dans ces deux groupes... La coopérative remplacerait-elle donc dans certains cas la famille ? Mais vie familiale et vie coopérative ne sont pas en compétition ; généralement la vie familiale l'emporte. Cependant, les deux peuvent se superposer ; les relations de famille, d'amitié et de voisinage se court-circuitent dans le milieu coopératif.

C'est seulement à Place Neuviale qu'on a rencontré des réseaux d'échange et de services allant au-delà de l'habituel échange de services de gardiennage. Dans cette coop d'une centaine de membres on a repéré différents sous-groupes bien marqués, des « talles de voisines » à sous-culture vraiment différente. Dans des coopératives d'une trentaine ou même d'une vingtaine de membres, il est difficile de repérer des *gangs* aussi marquées. Ces sous-groupes se distinguent sur différents points : ce n'est pas ici une question d'éducation, de revenu ou de type d'emplois mais de loisirs — à dominante culturelle ou sportive — et de valeurs ayant trait à l'éducation des enfants. Si la coop est le royaume des enfants, ceux-ci seront au coeur de conflits, conflits non pas entre eux, mais entre leurs parents ! À Neufchâtel, où il y a un grand nombre de familles monoparentales, on a senti une tension — chez les adultes toujours — entre familles à un ou à deux parents, les couples semblant craindre une certaine « contamination » de leurs enfants par ceux des familles monoparentales... tout en étant amis parfois avec les dites familles monoparentales.

Les « nouveaux réseaux » qu'on observe parfois dans les coopératives de banlieue, les expériences d'entraide qui vont au delà du bon voisinage coopératif, sont surtout le fait des gens qui de toute façon sont le plus susceptibles d'adopter ce type de réseau et d'échange, quel que soit le milieu où ils habitent.

En ce sens, la coopérative pourrait être un raccourci permettant à des femmes seules ou à des gens coupés de leur famille d'origine d'établir des relations d'entraide et de voisinage, tout comme la coopérative est un raccourci pour la vie de banlieue, pour l'accès à des cours sécuritaires et bien aménagées pour les jeunes, pour des gens à revenus modestes.

* * *

Nous devons donc remettre au placard nos vieux préjugés sur la vie de banlieue. La vie sociale dans le quartier, liée au voisinage immédiat et aux activités sportives y semble très intense. Le mode de sociabilité dans le secteur unifamilial et dans les coopératives « en rangée » se ressemble étroitement. Les hommes s'échangent des outils, bricolent ; les femmes gardent les enfants de leur(s) voisine(s) à tour de rôle.

Ce type de sociabilité est cependant très lié au voisinage immédiat : on se connaît entre voisins immédiats ou à l'intérieur d'une coop, mais pas d'une coop à l'autre ; à tout le moins, on sait qu'il y a des coops autour. Enfin, entre les coopératives et leurs vis-à-vis non coopératifs, c'est l'ignorance mutuelle ; pas de référence dans les entrevues ni d'un côté ni de l'autre à deux exceptions près : une mention d'une dame rencontrée aux parties de hockey des enfants et deux soeurs dont une résidant déjà dans le quartier qui a trouvé une place dans la coop pour sa soeur revenant à Québec après plusieurs années d'absence.

En ce sens, si on peut parler de vie de quartier, de voisinage, on pourrait difficilement parler d'une identification collective au quartier. Ce sont des quartiers relativement jeunes et ce, dans les deux sens du mot : de construction relativement récente, la pyramide des âges y semble tronquée, peu de personnes plus âgées y habitent. Les enfants sont des importants agents de socialisation : tout le monde a des enfants et ceux-ci, à leur arrivée dans le quartier, font rapidement connaissance. D'ailleurs plusieurs personnes sont venues s'y établir « à cause des enfants » : proximité de l'école, terrains, cours communautaires des coops.

CONCLUSION SUR LES BANLIEUES

Contrairement aux villages en ville où le revenu n'a pas d'influence très importante sur le type de sociabilité, même s'il varie parfois de bien en deçà du seuil de la pauvreté (Bien-être social) au confort des petits commerçants et notables locaux, dans les banlieues le type de sociabilité obéit plus à une logique de classes sociales.

Cependant, il faut remarquer que les revenus élevés se doublent souvent de scolarités élevées qui ont forcé les gens à quitter leur région d'origine. Bien sûr, il y a des professionnels de deuxième ou de troisième génération, mais ils sont plus rares que ceux de la première génération, qui se reconstruisent un réseau sur une base non territoriale et professionnelle. Ce sont des milieux « sélects et sélectifs » dans leurs fréquentations, contrairement aux banlieues plus moyennes où on noue plus facilement avec les voisins immédiats (lesquels sont d'ailleurs plus « collés »). On rencontrera davantage les professionnels de lignée au centre-ville.

Notes

[1] Voir Francine Dansereau et Michel Beaudry, « Les mutations de l'espace habité montréalais : 1971-1981 » dans Simon Langlois et François Trudel, éd., *La Morphologie sociale en mutation au Québec*, Cahiers de l'ACFAS, n° 1, 1986, p. 283-308.

[2] Ici on élargit « au grand Charlesbourg » puisque c'est ainsi que raisonnent nos interlocuteurs, munis d'automobiles (à 100 %) et qui mentionnent Charlesbourg comme une « entité transcendant les paroisses ».

[3] Voir mon étude précédente : A. Fortin, *Le Rézo, essai sur les coopératives d'alimentation saine au Québec*, IQRC, Québec, 1985.

7

Vivre en ville

Comprendre le paysage urbain et la structure du tissu social dans le centre-ville de Québec est impossible en dehors du recours à l'histoire d'avant les années 60 et même d'avant la Seconde Guerre mondiale. Croissance rapide des banlieues, démolitions au centre-ville, construction d'édifices à bureaux, d'hôtels et d'autoroutes ; tout cela enclenche un processus de spéculation foncière et de taudification au centre, accélérant encore davantage la croissance à la périphérie. La population du centre, chassée par les démolitions et la mauvaise qualité des immeubles, s'installe dans de « nouvelles » banlieues : Neufchâtel, Duberger, Val-Bélair, Les Saules, Orsainville, Saint-Nicolas...

Dès la fin des années 60, un mouvement de résistance s'organise au centre-ville : comités de citoyens et protestations contre la démolition. Graduellement, au fil des années 70 le processus s'inverse : des coopératives d'habitation se multiplient au centre-ville et rénovent à qui mieux mieux. Et puis, comme un peu partout en Amérique du Nord, c'est le « retour » au centre-ville de la classe moyenne qui achète à bas prix des logements plus ou moins laissés à l'abandon. On a parlé à ce sujet de « la petite bourgeoisie décapante », expression qui met bien en évidence leur travail de rénovation et de revalorisation de ces quartiers.

Peu à peu, le centre de Québec prend des allures de courtepointe. Dans Montcalm, on peut voir un HLM, des copropriétés luxueuses, des édifices gouvernementaux, des artères commerciales et quelques rues résidentielles. Dans Saint-Roch d'anciens entrepôts se transforment en copropriétés alors que d'autres sont encore la proie de la taudification ; les bureaux d'avocats s'installent à côté des *bineries* ; les berges de la rivière Saint-Charles, débarassées de l'ancienne gare de triage, se couvrent d'immeubles à appartements : coopératives, copropriétés, immeubles locatifs que rien ne distingue extérieurement.

Actuellement (et le prix de l'essence y est sûrement pour quelque chose, ainsi que le vieillissement de la population) le mouvement de retour au centre-ville l'emporte. La spéculation a repris ; elle n'est plus que foncière, elle est aussi immobilière. Le prix des maisons augmente en flèche. À moins d'un changement radical, à moyen terme, ne demeureront des populations autochtones de ces quartiers que deux groupes : les propriétaires occupants et ceux qui se sont donné — ou à qui on a donné — des formes d'habitation communautaire avec un loyer inférieur à celui du marché, coopératives d'habitation et HLM.

Dans ce dernier chapitre consacré à la géographie sociale on ira voir de plus près ce qui se passe au centre-ville, non pas du côté des villages en ville qui correspondent aux quartiers plus populaires, mais dans le centre non villageois, dans le quartier Montcalm et à Saint-Sacrement, ancienne banlieue intégrée au centre.

On jettera aussi un coup d'oeil du côté de l'habitat collectif : coopératives, copropriétés et HLM. S'y recrée-t-il de nouveaux villages en ville ?

QUAND LE CENTRE ABSORBE LA BANLIEUE

Saint-Sacrement, ce n'est pas encore Sainte-Foy, mais la transition se fait imperceptiblement. C'est un secteur résidentiel qui date de 30 ou de 40 ans, où l'on trouve quelques immeubles à appartements.

Ce quartier, au début des années 60, était à la périphérie : l'Université Laval logeait encore au centre-ville ; les centres d'achats n'existaient pas encore, même dans les rêves fous de quelques hommes d'affaires. Avec le développement des banlieues la situation a changé ; Saint-Sacrement, c'est la périphérie du centre, pourrait-on dire, et il comportera des caractéristiques à la fois du centre et de la banlieue, aussi bien dans sa population, dans sa vie de quartier, que dans son urbanisme. On y trouve des gens de tous les âges et de tous les revenus, des professionnels aussi bien que des pigistes, des couples, des femmes seules, des mères célibataires ou des divorcées... et même des hommes au foyer.

On parle beaucoup, depuis quelques années, des nouveaux habitants des centres-ville, les *Yuppies* (Young Urban Professionals), professionnels assez fortunés. Dans Saint-Sacrement, ce ne sont pas des *yuppies*, non pas des « professionnels urbains » qui y vivent mais des « intellectuels urbains ». On y retrouve un sociologue, un travailleur social, un professeur de cégep, un professeur d'université, un sérigraphiste, un graphiste, un producteur de disque, un journaliste, un professionnel au gouvernement ; les femmes sont retournées aux études en travail social, littérature, etc. On y rencontre aussi des exceptions qui confirment la règle : par exemple un couple de fonctionnaires qui ont chacun une dixième année, mais elle est présidente de son syndicat... et un cuisinier, fier de son fils au collège des Jésuites et de sa fille qui entre à l'université... Bref, des intellectuels de formation, ou par vocation, ou de la deuxième génération. Des urbains aussi : plusieurs utilisent l'autobus pour aller travailler, même s'ils possèdent une voiture ; l'été, certains vont travailler à vélo ou à pied ; c'est aussi à vélo ou à pied qu'on rend visite à ses amis.

Ces gens sont diversement fortunés, selon qu'ils sont à la pige, à contrat, aux études, ont une *job steady*, qu'il y a un ou deux parents sur le marché du travail. Les préoccupations seront donc différentes. D'un côté, ce sera déménagement, contrat, retour aux études ; ces termes qui reviendront constamment dans le discours manifestent la précarité des revenus, l'instabilité ; alors que de l'autre côté, on n'entend ni ces mots, ni même leur écho... on parle plutôt de club de voile...

Deux groupes très différents, mais dont la majorité a suivi un cours universitaire (à tout le moins collégial), souvent dans les secteurs arts et lettres ou des sciences sociales. Des manipulateurs de mots autant que nous ! Le sociologue que nous avons rencontré, par exemple, se montre plein d'empressement à collaborer, le tout fait avec humour. À deux moments, il déclare à l'intervieweur « *si tu veux un indice* »... avant d'élaborer une réponse. Il ira même, dans une recherche « *d'indices mesurables pour toi* » chercher sa facture de téléphone pour lire les destinations des appels interurbains, afin de démêler si on en fait plus dans sa famille à lui ou dans sa belle-famille...

Quartier très polarisé en termes de revenus donc que Saint-Sacrement, bien que la population soit facilement caractérisable en termes d'éducation et de valeurs. Une fois sur cinq, les enfants ne sont pas (ou pas tous) baptisés. C'est la proportion la plus forte de tous les quartiers visités. On avoue même avoir fait baptiser seulement pour plaire aux grands-parents... On annonce qu'un enfant entrera l'année suivante à l'école alternative (ce sont les seules mentions de l'école alternative dans les douze quartiers visités). Dans cette population d'intellectuels, des couples se sont connus dans des bibliothèques ; et un à « La Résille », bar de l'Université Laval.

Ces « intellectuels » sont peu portés sur le voisinage immédiat, mais Saint-Sacrement est un quartier qui a sa personnalité bien spécifique aux yeux de tous les résidents. On ne peut pas parler, pour l'ensemble de la paroisse, d'une vie de quartier au sens de voisinage immédiat (bien que l'on trouve ici et là des « talles » de voisines), mais la vie est très intense autour d'organismes paroissiaux et surtout autour du Centre Saint-Sacrement auquel presque tout le monde fait référence, soit qu'eux-mêmes le fréquentent régulièrement, ou les enfants, ou qu'ils le fassent tous ensemble via les « loisirs familiaux ».

Des couples dont les membres sont tous deux originaires du quartier se sont connus adolescents à ce centre de loisirs. On le fréquente, les enfants vont au terrain de jeu, les parents participent à des clubs (club de photo) y font de la natation, etc. C'est essentiellement de sports pratiqués individuellement comme la natation dont on parle : il y a même du « hockey libre » et des « quilles libres », c'est-à-dire en dehors d'une équipe. Fait curieux, seulement une ou deux mentions de sports d'équipe pratiqués par les enfants : pas de hockey, deux références au baseball (et pourtant il y en a au Centre de loisirs Saint-Sacrement). On ne suit pas les enfants au sport... mais on les suit tout de même. « *Les enfants font de la musique, on va à des petites fêtes, on rencontre les professeurs, on se fait des amis comme ça* ».

Population « d'intellectuels » disait-on, quartier en repopulation ou flottement selon les secteurs. Peu de gens sont originaires du quartier et même de la ville de Québec. La majorité vient de l'extérieur de la région. En ce qui concerne les gens qui viennent du quartier, dans tous les cas, on a encore de la famille dans le quartier, c'est-à-dire ses parents ou des oncles et tantes. On retrouve donc à la fois des caractéristiques associées aux banlieues aisées : provenance de l'extérieur de la région et d'autres qu'on aurait pu croire le fait des villages en ville, mais qui seraient plutôt dues à l'âge du quartier : la présence de la parenté dans le même quartier.

La majorité des gens rencontrés dans Saint-Sacrement vient de l'extérieur de l'agglomération québécoise ; cela a des incidences certaines sur la vie sociale. D'abord, comme la parenté est éloignée, on la verra moins que les amis. Les femmes et les hommes qui ont des professions liées aux sciences sociales, enseignent ou étudient ; ils sont venus à Québec pour étudier, pour travailler, ils auront plusieurs amis d'étude et de travail. Mais, même chez ceux dont la parenté est proche, on ne lui accorde pas systématiquement la préférence. Un couple dont les deux conjoints viennent de Saint-Sacrement et dont les parents habitent le quartier déclare : « *On ne fréquente pas du tout les familles, une fois par deux mois, mettons, on ne voit presque plus les parents non plus* ». Les parents de l'homme habitent juste au coin de la rue : « *C'est pas qu'il y ait de mauvaises relations, c'est juste que ça se prête pas* ». Ce couple a deux enfants. Comme parrain et marraine du second, on a choisi les voisins d'en face... (Il faut dire que la parenté des deux conjoints est très réduite).

En général, on peut dire que les relations avec la famille, forcément pour ceux qui en sont coupés géographiquement, et même chez les autres, sont souvent d'ordre rituel. « *À Noël, de plus en plus on crée des liens avec des amis plutôt qu'avec la famille* ».

On n'a pas ou peu de parenté dans le quartier ; le fait qu'on en ait ne signifie pas qu'on la fréquente. Qui fréquente-t-on ? Des voisins ? La plupart des gens disent avoir « de bons contacts avec les voisins, mais pas plus ; on garde ses distances ». Chez les locataires, qui souvent habitent des immeubles, on se connaît, on a souvent un-e voisin-e privilégié-e dans l'immeuble ou celui d'à côté qu'on a connu-e généralement via les enfants. Dans le secteur résidentiel, à de rares exceptions près, on semble assez réticent. Plusieurs personnes n'iraient pas emprunter quelque chose à la voisine, préférant s'en passer ou courir au dépanneur. De même, on a davantage recours à des gardiennes qu'on paie plutôt qu'à des voisines. Ou bien on dit « *je n'hésiterais pas à demander à des voisins immédiats, le contact est assez bon, mais ça n'est pas arrivé* » ; « *une très bonne entente entre voisins [...] les gens aiment rendre service, mais garder une distance en même temps* ». Pour la garde d'enfants, on a recours à la famille, ou aux parents des amis des enfants de façon exceptionnelle. Peu de voisinage immédiat, sauf dans des « talles » de voisines, (qui sont des locataires d'ailleurs).

En fait, la vie de quartier n'est pas absente, mais on ne connaît pas les gens en tant que voisins, on les connaît soit à travers des organismes bénévoles ou via le comité d'école. « *Deux gars du comité d'école qu'on voit de temps en temps parce qu'ils ont des enfants de l'âge des nôtres. Ils sont dans le comité d'école et les enfants sont dans la même classe* ». Sur le bénévolat, on peut faire remarquer que ce sont surtout des femmes au foyer qui s'y impliquent, et qu'elles peuvent participer à des organisations paroissiales, même si les enfants ne sont pas baptisés.

Pour presque tous ceux qui ont des amis dans le quartier, quand ce ne sont pas des amis d'étude ou de travail, ce sont des gens connus par les enfants via l'école, parents d'amis des enfants avec qui la relation se noue et ce, aussi bien chez les propriétaires que chez les locataires. Cependant, les locataires sont « moins sélectifs », rencontrant souvent à proximité des voisins susceptibles de devenir amis, alors que les propriétaires vont les chercher « plus loin » : on doit les « voisiner en bicyclette ».

La vie de quartier est polarisée autour du quartier comme « entité », mais on ne voisine que très peu. Plusieurs personnes notent qu'avant elles habitaient un quartier où la vie de quartier était plus intense. Certaines trouvent cela difficile, entre autres des femmes originaires de la campagne. « *Je ne sais pas si c'est parce que je viens du Bas-du-Fleuve et que j'ai la vieille mentalité, mais je trouve que les gens ne communiquent pas* ».

Peu de communication au-delà des conversations de corde à linge, sauf avec les parents des amis des enfants, peu de services entre ces « intellectuels » diversement fortunés. La vie sociale est souvent polarisée autour d'amis de travail et d'études et de un ou deux couples d'amis. Les gens que l'on fréquente dans le quartier, à part les parents des amis des enfants seront un ami ou une amie d'études ou de travail qui habite aussi le quartier ; des amis de longue date seront revus dans la mesure où les activités professionnelles rapprochent les gens. Notons que les amis de travail se dédoublent quand les deux conjoints travaillent. Il y a alors deux groupes d'amis de travail qui ne se connaissent pas, un conjoint ne connaît pas les amis de l'autre...

Quelques femmes effectuent un retour aux études ; dans tous les cas, cela implique une réorganisation du réseau de fréquentations. Les rencontres avec les vieux et les vieilles amies s'espacent pour faire place aux amis d'étude... qui deviendront plus tard peut-être des amis de travail ou « collègues ». Chose certaine, le processus semble irréversible : avec un retour aux études, on s'éloigne du voisinage et des anciens amis. « *Après avoir travaillé quelques années, je suis retournée à l'école et c'est là que je me suis fait des amies. J'ai un gros groupe d'amis — gars et filles — en service social* ».

En résumé, on peut dire que ce sont des gens assez sélectifs dans leurs fréquentations. Le fait que plusieurs soient coupés géographiquement de leur famille ne les incite pas nécessairement à miser sur le voisinage immédiat. Celui-ci est fort presque uniquement chez des gens originaires du quartier, ceux qui sont locataires.

On a mentionné ci-dessus une différence importante entre propriétaires et locataires, sentant chez ces derniers une instabilité financière qui entraîne éventuellement plus de mobilité géographique ou en tout cas un investissement « émotif » différent dans le quartier. Notons simplement que tous les membres du comité d'école, ainsi que le couple qui est en contact avec le comité sans y appartenir, sont propriétaires.

Enfin, on a dit que ce qui caractérisait le mieux les habitants de ce quartier était l'étiquette *Young Urban Intellectual*. C'est ici que nous avons rencontré un homme au foyer ayant un diplôme universitaire, le seul de notre échantillon qui se définit en tant que tel.

LES EXTRÊMES AU CENTRE

Le quartier Montcalm regroupe trois paroisses : Saint-Dominique, près des Plaines, Notre-Dame-du-Chemin, voisine de Saint-Jean-Baptiste avec laquelle la transition est presque imperceptible et Saints-Martyrs, que traverse la célèbre rue des Braves, autrefois la rue la plus « huppée » de Québec [1]. Mais sous le coup de la dénatalité et du vieillissement de la population, il ne subsiste dans le quartier qu'une seule école primaire, l'école Anne-Hébert qui, toutefois, regroupe près de 700 enfants [2]. On n'a donc pas ici une école de quartier au même titre que Saint-Sacrement [3] ou Saint-Jean-Baptiste [4] par exemple, desservant une aire géographique et un bassin de population plus restreint. Le quartier est beaucoup plus étendu.

Nous voici donc en plein coeur de la Haute-Ville. On y trouve un HLM, les maisons en copropriété les plus luxueuses de la région, des coopératives d'habitation : « le complexe Bon-Pasteur » à la frontière de Saint-Jean-Baptiste. Cette diversité dans l'habitation se reflète bien sûr dans la population rencontrée.

La moitié des familles sont des familles monoparentales (23 sur 47). On a également trouvé 7 familles reconstituées, ce qui fait que les familles « ordinaires » nucléaires sont ici en minorité. En fait, cela correspond bien à la population de l'école Anne-Hébert où, bon an mal an, environ la moitié des élèves proviennent de familles monoparentales. De plus, sur les 47 familles rencontrées, on remarque 7 cas de cohabitation ; c'est le quartier où il y en a le plus, proportionnellement. Dans 5 cas, il s'agit de cohabitation avec des membres de la famille : 2 mères seules « réfugiées » chez leur parent et un couple qui vit avec la mère de l'homme ; une « mono » qui vit avec sa soeur, un couple héberge en tant que gardienne la jeune soeur du mari. Une autre fois, il s'agit d'une mère seule qui a un colocataire permettant de diminuer les frais du loyer et enfin un cas plus surprenant : une ancienne employée qui a été plus ou moins adoptée par la famille.

Il vaut la peine ici de se livrer à de petits calculs. Si on additionne ces 7 cas de cohabitation avec les 5 copropriétaires, les 4 coopérateurs et la famille vivant en HLM, ce sont donc 17 cas en tout où l'habitat est plus ou moins communautaire dans le sens où il déborde de la famille nucléaire, où celle-ci est « forcée » à des contacts plus ou moins intenses avec le voisinage immédiat. Sur un total de 5 coopératrices (4 actuelles et 1 prochaine), on compte 4 familles monoparentales et 1 reconstituée ; et sur 6 copropriétés (5 actuelles et 1 prochaine), on compte 3 familles monoparentales et une reconstituée, une « petite » et une « ordinaire ». La famille rencontrée dans le HLM est reconstituée. Si on ajoute que 4 familles monoparentales cohabitent avec d'autres personnes (sur 7 cas de cohabitation), on ne peut s'empêcher de songer que les familles monoparentales ont tendance plus que les autres à se donner une forme d'habitation « communautaire ».

Plus que de diversité, on pourrait parler de polarisation entre deux groupes : les couples en général, plus aisés financièrement, et les familles monoparentales à la situation très précaire. Cette polarisation s'observe aussi dans un quartier comme Saint-Sacrement, mais de façon beaucoup moins extrême dans cette « presque banlieue » ; en un mot, on n'y trouve pratiquement pas, comme dans Montcalm, des femmes devant recourir à l'aide sociale ou à la Saint-Vincent-de-Paul d'une part ou des hommes d'affaires « courant après l'argent ».

La majorité des résidents du quartier proviennent de l'extérieur de Québec. Une femme dont la mère habite au deuxième étage, dont le mari a déjà vécu sur la même rue, avant de se marier, et dont plusieurs membres de la parenté sont voisins, déclare « *la rue nous appartient* ». Ce cas est une exception. Plusieurs femmes seules sont coupées géographiquement non seulement de leur propre parenté, mais encore de leur ex-belle-famille, ce qui signifie que les enfants verront très peu leurs grands-parents.

Un autre phénomène intéressant dans Montcalm est le temps de résidence : près de la moitié des familles résidaient dans le quartier depuis deux ans ou moins (deux ans c'est assez précis, les baux se terminant en juillet et les entrevues étant réalisées l'été), alors que le quart y étaient depuis cinq ans ou plus. En fait, cette mobilité assez importante ne saurait surprendre étant donné le retour en ville qui s'effectue surtout dans ce secteur où les copropriétés poussent comme des champignons et où on rénove à qui mieux mieux. Montcalm, comme le reste du Québec, est un quartier vieillissant, ce que soulignent plusieurs résidents. Un homme raconte que dans le gros immeuble où il habite, un seul autre appartement abrite un enfant et que les deux mères sont devenues bonnes amies. Une grand-mère qui répond en l'absence de sa fille dit de sa petite-fille de sept ans : « *Je pense qu'elle est la seule enfant sur la rue ; des fois, des voisins reçoivent des petits-enfants et viennent la chercher ; c'est pour ça qu'elle va au centre de loisirs [...]* ».

Comme il y a une majorité de familles monoparentales et reconstituées et une majorité également de gens qui viennent de l'extérieur de la région de Québec, on ne se surprendra pas que la vie de famille ne prime pas dans le quartier Montcalm. Le fort taux de mobilité géographique ne favorise pas non plus la vie de quartier, même si divers cas de cohabitation ou d'habitat communautaire entraînent souvent l'apparition d'échanges intenses dans le voisinage immédiat.

Pas ou peu de vie de famille donc, et pas ou peu de vie de quartier. Si on compare Montcalm avec les quartiers voisins, on constate une grande différence avec Saint-Jean-Baptiste, quartier plus petit, mieux délimité géographiquement et « imaginairement », à très forte densité de population. La différence avec Saint-Sacrement est aussi très forte puisque ce quartier est doté d'équipements communautaires bien intégrés auxquels font référence un grand nombre de personnes rencontrées, et que le quartier a une couleur intellectuelle qui n'est pas présente dans Montcalm.

Malgré tout, la moitié des gens ont de la parenté dans le quartier ! Ceci comprend bien sûr les cas de cohabitation déjà mentionnés, mais aussi plusieurs autres cas où c'est la mère, le père ou les deux parents, un frère ou une soeur, des oncles ou des tantes. Parfois on les voit peu, mais ils sont là. Il reste aussi que pour plusieurs personnes relativement à l'aise, la distance géographique n'est pas forcément un obstacle à la vie de famille... Mais il reste surtout des amis connus à travers des groupes ou au travail.

On observe dans Montcalm plusieurs cas de « nouveaux » réseaux : des familles monoparentales qui se fréquentent beaucoup entre elles et s'échangent une foule de services ; on trouvera aussi des familles reconstituées où la femme continue à fréquenter son ex-belle-famille en compagnie de son nouveau conjoint. Les personnes rencontrées à la coop « Grandir en ville », composée majoritairement de familles monoparentales, insistent sur le fait que les voisins, « *c'est plus que des voisins* ».

Comme il y a plusieurs familles monoparentales et reconstituées, on rencontre beaucoup d'enfants qui se promènent entre le père et la mère, ou même des frères et soeurs vivant l'un avec son père, l'autre avec sa mère. Le cas le plus complexe qu'on a rencontré est celui d'un homme ayant la garde d'un de ses quatre enfants, vivant avec une femme et ses deux enfants et qui sous peu recevra ses trois autres enfants de façon définitive, ce qui forcera la nouvelle conjointe à déménager faute d'espace. En fait, on rencontre quelques cas de familles reconstituées où cohabitent les enfants des unions précédentes des deux conjoints. Parfois c'est l'enfant du couple qui vit avec un demi-frère ou une femme seule qui a des enfants de deux unions précédentes. Tout cela fait des histoires compliquées ! En fait, c'est le quartier où l'on rencontre les histoires les plus compliquées, toutefois celles-ci ne sont pas nécessairement vécues douloureusement. Remarquons aussi en passant que la proportion d'enfants non baptisés est plus faible proportionnellement que dans le quartier Saint-Sacrement que nous avons qualifié « d'intellectuel ».

Montcalm n'est peut-être pas aussi intellectuel que Saint-Sacrement, mais on y rencontre très peu de sportifs, assez peu de mentions de sports d'équipe pour les enfants. On parle plutôt d'escalade, de jogging, de course à pied ou de planche à voile. Les enfants suivront des cours de danse ou de musique plutôt que de jouer au hockey, ce qui astreint tout autant les parents à faire le taxi : « *Ça fait partie de mes loisirs d'aller reconduire ma fille au ballet* ». Peu de sports d'équipe donc, une mention de ballon-balai de *Old Timers*, une mention de quilles et c'est le couple vivant en HLM... Un autre couple s'est connu dans une salle de quilles mais n'en fréquente plus ! On est donc ramené ici à des considérations de type loisirs et classes sociales. Comment conclure sur le quartier Montcalm autrement qu'en réinsistant sur sa complexité, sa diversité et sa polarisation.

Contrairement à ce qu'on aurait pu croire, ce n'est pas dans Saint-Jean-Baptiste que nous avons trouvé les histoires de famille les plus compliquées — Saint-Jean-Baptiste ayant la réputation d'être repeuplé par des *freaks*, mais dans Montcalm ; c'est là aussi où nous avons rencontré les cas les plus nombreux de cohabitation qu'on retrouve chez des gens très « cassés » ou chez des gens très fortunés.

L'HABITAT COMMUNAUTAIRE

Les coopératives, des formes d'habitation communautaires ? Dans quel sens peut-on parler de communauté ici ? Jusqu'où s'étendent les frontières communautaires ? Jusqu'aux portes de la coopérative ou jusqu'aux limites du quartier ? S'y développe-t-il des pratiques d'échange, de sociabilité différentes ou s'agit-il simplement d'un nouveau mode de propriété foncière ? Et dans les copropriétés ? Et dans les HLM ? On scrutera dans cette section les différentes formes d'habitat communautaire, telles qu'elles se retrouvent dans les quartiers centraux, villages en ville ou centres non villageois.

Les coopératives

Chez les coopérateurs, on remarque une énorme différence dans le rapport « affectif » à la coop selon qu'ils en ont connu les débuts héroïques (lutte contre la démolition, structuration, rénovation) ou qu'ils y sont arrivés par la suite. Dans le cas des coopératives « neuves » comme le complexe du Bon Pasteur ou celles qui longent la rivière Saint-Charles, la différence est entre ceux qui ont fait partie du noyau fondateur et les autres.

Ainsi deux personnes ne font que mentionner qu'elles habitent dans une coopérative sans y faire d'autre allusion. Une est âgée de 50 ans ; elle réside dans le même logement depuis neuf ans, c'est-à-dire qu'elle y était bien avant que son logement ne devienne coopératif : « *c'est une coop d'habitation ; on a six pièces, on est propriétaires du logement* ». On devine une résidente qui a « profité » de la transformation de son logement en coopérative sans s'y impliquer fortement. L'autre est une femme à Québec depuis neuf mois seulement. « *J'avais une soeur qui habitait ici avec nous autres jusqu'à il y a deux mois* ». Cette soeur aurait probablement pu nous en dire davantage sur la coopérative. Le contraste est énorme avec des gens fiers d'avoir sauvé leur immeuble de la démolition, fiers de le dire. Les membres fondateurs et fondatrices ont une vision plus politique du projet coopératif. Alors que les membres « ordinaires » parlent surtout de bon voisinage, d'échanges, au Bon Pasteur deux personnes se félicitent de la fermeture de la rue Berthelot pour en faire une cour : « *On a gagné ça ; on a gagné ça avec des tractations politiques personnelles* » déclare une des membres fondatrices de « Grandir en ville ».

Les gens qui sont membres de la coopérative depuis la fondation ont souvent connu une période fusionnelle où les relations interpersonnelles étaient très intenses, et les échanges nombreux. Voici un témoignage qui met bien en évidence cette intensité... et sa retombée.

> *Les relations de coop étaient beaucoup plus intimes et serrées au début de la coop, mais on a eu des divergences idéologiques assez terribles à un moment donné, ce qui a fait que les*

> *gens sont retournés chacun chez eux. Il y a des choses qu'on vit encore ensemble. Là il y a une activité : à partir du 13 août la coop a loué un site de camping sur l'Île d'Orléans ; il va y avoir des activités pour ceux qui veulent aller camper. Il y a aussi des échanges au niveau des dîners des enfants. Mais à part ça... Avant les portes étaient quasiment ouvertes, les gens s'appelaient beaucoup... là beaucoup moins. Je pense que les gens se sont rendu compte à un moment donné que c'était très lourd [...]. La vie coopérative c'était pas la même chose dans la vie de tout le monde. Il y a des gens pour qui c'était vraiment un besoin d'avoir un contact très proche avec d'autres personnes, quasiment comme une commune, tandis que pour d'autres, c'était plus l'idée de partager une entreprise ensemble, d'avoir un logement à bon prix, avec de bonnes conditions, une belle qualité de vie. Au début, vraiment, je te dis, il y avait des appartements où les portes étaient ouvertes. Il y avait 3, 4 appartements qui étaient dans le même coin où les portes étaient ouvertes et les gens circulaient. Les enfants continuent à vivre ça. On aime beaucoup ça. Les enfants viennent beaucoup à la maison, il y a toujours des enfants chez nous. Ça cogne, ça vient jouer aux jeux vidéos même si mon fils n'est pas là... Il y a des échanges de cassettes de jeux vidéos, il y a beaucoup d'échanges au niveau de la garde des enfants (pour manger, pour coucher) ... Il y a de beaux échanges au niveau des enfants. Mais au niveau des adultes...*

On se sent parfois envahi, d'autant plus que les membres fondateurs ont toujours une foule de problèmes à régler. « *On connaissait 23 des 24 membres de la coop, avant que la coop naisse* ». Ce ne sont pas tant les voisins qui sont envahissants — ou en tout cas pas nécessairement en tant que voisins — mais la vie coopérative et communautaire qui a ses exigences. On est parfois amené à s'impliquer dans : « *[...] une garderie coopérative et une épicerie coopérative. Tous les groupes dont je faisais partie c'étaient des groupes pour vivre, pour assurer la qualité de la vie ici* ».

Le témoignage suivant rend bien compte de l'essoufflement de l'idéal coopératif :

> *Le milieu coopératif prend beaucoup de ton temps dépendant si tu veux faire le strict minimum ou si tu veux t'y impliquer. Moi je m'implique. Ça demande beaucoup de temps, des soirées de réunions, des téléphones le jour, courir ici, faire cette*

commission-là... Surtout si t'es dans un loyer coopératif, que tu fréquentes une épicerie coopérative et que les enfants fréquentent une garderie coopérative. À un moment donné, t'as hâte d'en sortir. Cette année, j'ai mis la clé dans la garderie, j'ai dit : « au moins une de moins [...] » et si je veux travailler. J'ai déjà travaillé et ce fut un handicap d'essayer de te concentrer sur un emploi, d'assumer ta responsabilité avec tes enfants ; en plus quand t'arrives à la maison, t'as toutes ces responsabilités-là. J'ai perdu ma job. C'est clair. Le prochain coup quand je serai prête pour le marché du travail, on va mettre beaucoup de choses de côté. La seule chose à laquelle je tiens, en dernier lieu, c'est mon logement parce que c'est une perle. [...] Tu deviens efficace nulle part... trois (3) heures de travail dans un comité de coop par mois, c'est pas éreintant et ça nuit pas à la vie privée de personne. [...] Moi je me suis impliquée ; je me suis dit que c'est de l'expérience que j'allais acquérir. Je ne le regrette pas. C'est beaucoup de temps, mais j'apprends. J'ai appris la gestion, l'administration ; j'ai été jusqu'au CA, c'est beaucoup. Si je veux aller en gérance, si je veux être compétitive sur le marché, c'est tout des acquis.

Que retenir de ces témoignages ? Période fusionnelle, essoufflement, découverte que les intérêts et valeurs de chacun et chacune des membres sont différents, institutionnalisation relative. On reconnaît là les étapes caractéristiques de la vie des groupes et des associations, telles que mises en évidence par Meister dans son ouvrage : *La participation dans les associations* (voir le schéma suivant.)

Mais si on ne peut faire autrement que de remarquer une relative stabilisation, institutionnalisation, dans les coopératives d'habitation après deux ou trois ans de « vie commune », des choses se sont mises en place :

Ici c'est une coop à majorité de familles monoparentales. Généralement, on avait les mêmes besoins ; il y a beaucoup de liens qui se sont créés, je me suis fait pas mal d'amies. [...] Une voisine... qui est comme ma soeur. Si j'ai besoin de quoi que ce soit, je vais la voir ; si elle a besoin de quoi que ce soit, elle vient me voir. Si on n'est pas là, on a la clé, on rentre l'une chez l'autre. C'est beaucoup d'amitié forte, mais c'est beaucoup une relation d'aide, d'entraide qu'on a.

Un développement par phases

1re phase	Petit noyau missionnaire	intégration fusionnelle entre des personnes fortement motivées
2e phase	Augmentation du personnel de la coopérative	conflits entre les personnes qui n'attendent pas la même chose dans leur travail et qui découvrent les différences qui les séparent
3e phase	Développement, réunions, informations sous toutes les formes possibles	les idéologues dirigeants ou contestataires renforcent les modalités d'intégration
4e phase	Développement du contrôle. Beaucoup de contacts informels	système généralisé de négociations fortes pour colmater les brèches et développement partiel d'une buraucratie

D'après Albert Meister, *La participation dans les associations*, Éditions ouvrières, 1974.

Une voisine... qui est comme ma soeur, nous dit cette femme séparée, qui a trois enfants, et justement pas de soeur... Voilà qui nous met la puce à l'oreille. Qui sont les gens qui s'installent dans les coopératives ? Souvent il s'agit de familles monoparentales ou reconstituées. On trouve également beaucoup de personnes qui sont coupées géographiquement de leur parenté ou qui ont peu de frères et soeurs. On remarque aussi, dans Saint-Jean-Baptiste et dans Saint-Roch, des familles en tout point « ordinaires », originaires du quartier, ce qui n'empêche pas que les familles monoparentales et reconstituées y sont surreprésentées, comme c'est le cas pour l'ensemble des logements de type communautaire.

Au-delà du militantisme urbain de résistance aux démolitions et à la spéculation immobilière, au-delà du désir de se donner un logement convenable à prix abordable, on a l'impression que pour plusieurs, la coopérative sert de substitut à la famille élargie ; ceci s'observe bien sûr surtout chez les gens coupés géographiquement de leur parenté ou qui en ont peu. Ainsi une femme de Saint-Roch, dont la mère vit également dans une coop, à Saint-Malo, qui a un seul frère, à Vanier et dont le mari avait été adopté par son parrain et sa marraine au décès de ses parents, raconte qu'ils connaissaient « *23 des 24 membres de la coop avant que la coop naisse* », qu'elle a été élevée avec les gens de la coop. « *On va même jusqu'à manger ensemble, mais dehors* ». La coop prend des allures de grande famille.

En fait, plusieurs des membres des coopératives de la Basse-Ville ont de la parenté dans le quartier, même s'ils n'en sont pas originaires (une cousine ou une tante par exemple). Ceux qui ont de la parenté dans le quartier en ont souvent jusque dans la coopérative : Dans Saint-Roch, 5 des 11 familles rencontrées dans des coopératives y avaient de la parenté ; dans Saint-François d'Assise, 1 sur 2. Sans qu'il soit question de s'emballer, car statistiquement parlant il s'agit de très petits nombres, cette proportion semble significative : les coopératives sont « investies » par les familles. Pour les gens du quartier, la coop prolonge la vie de famille, qui de toute façon se déroule le plus souvent dans le voisinage et même le voisinage immédiat. (Selon le sens « populaire » du terme « voisiner » qui s'applique essentiellement aux relations familiales...) D'autre part, pour ceux qui n'ont pas de parenté dans le quartier, ou qui n'en ont pas du tout, l'appartenance à la coopérative, en « forçant » les gens à se connaître, permet de surmonter la résistance ou la réserve qu'on peut avoir face à des voisins qui ne sont pas de la famille et de créer des liens avec eux ; liens d'aide, d'entraide autant que d'amitié comme le faisait bien ressortir un des témoignages cités ci-dessus. On a vu dans le chapitre précédent que dans les banlieues, la distance des services, l'entretien des maisons et des terrains pouvaient inciter au voisinage... ceux qui le veulent bien ou qui sentent le besoin de créer des liens, en particulier ceux qui sont coupés géographiquement de leur parenté.

Types de familles dans les coopératives du centre-ville

	MONOP.	RECONST.	« COUPÉE »	« PETITE »	ORDINAIRE	TOTAL
St-Jean-B.	2	–	–	–	3*	5*
Montcalm	4*	1	1	3	–	5*
St-Roch	3	1	4	5	–	11
St-Sauveur	–	2	2	1	1	3
St-François	–	–	1	1	–	2
Total	9*	4	8	11	4*	26*

* comprend une famille qui déménagera sous peu en coop ou copropriété

Types de familles dans les copropriétés du centre-ville

	MONOP.	RECONST.	« COUPÉE »	« PETITE »	ORDINAIRE	TOTAL
St-Jean-B.	3	1 *	1	3	1	6 *
Montcalm	3 *	1	4	2	1	7 *
Total	6 *	2 *	5	5	2	13 *

Types de familles dans les HLM du centre-ville

	MONOP.	RECONST.	« COUPÉE »	« PETITE »	ORDINAIRE	TOTAL
Montcalm	–	1	–	–	–	1
St-Roch	1 * *	–	–	2	2	4
St-Sauveur	5 * *	–	3	1	–	5
Total	6 * *	1	3	3	1	10

Total de familles dans des habitats « communautaires » au centre-ville

MONOP.	RECONST.	« COUPÉE »	« PETITE »	ORDINAIRE	TOTAL
21(.43)	7(.14)	16(.33)	19(.39)	7(.14)	49

* * comprend une famille de grands-parents hébergeant leur petit-enfant, dont la mère est fille-mère.

Au centre-ville quand le dépanneur et tous les services sont à cinq minutes à pied, pourquoi créer un lien avec le voisin ? Quel prétexte utiliser ? La vie coopérative permet de transgresser les résistances qu'on peut avoir envers le voisinage. La fréquentation des voisins est souvent perçue comme un pis-aller ; on n'aime pas avouer sa dépendance envers les voisins. Cependant, dans Saint-Roch, plusieurs membres de coopératives affirment voisiner des gens de leur coop tous les jours : et ce ne sont pas que ceux qui ont de la parenté dans la coop même. Trois femmes, dont deux veuves forment un trio d'amies et vont régulièrement déjeuner au restaurant ensemble, une fois les enfants partis à l'école. Un couple joue aux cartes avec les gens de la coopérative ; ils sont tous les deux géographiquement coupés de leur parenté, n'ont aucune parenté à Québec... mais s'en organisent une ! En plus des gens de la coop qu'ils voient tous les jours, ils font partie d'un groupe de charismatiques du quartier qu'ils appellent « frères et soeurs » ; leur fils a comme parrain et marraine un couple de la coop. Un voisin dit d'eux : « *La coop, c'est leur vie* ».

La coopérative au centre-ville permet de créer des liens avec des voisins qui deviennent « plus que des voisins ». La dynamique ici ne serait pas proprement coopérative. En effet, l'élan coopératif s'essouffle dans les années qui suivent la fondation de la coopérative... mais « tout se passe comme si » à travers cette période fusionnelle — et même ultérieurement pour les membres qui adhèrent à la coop après cette époque — il était possible de créer des liens avec des voisins sous le mode de l'amitié ou sous un mode quasi familial. Et quand l'esprit coopératif faiblit, ce n'est pas nécessairement chacun chez soi que s'effectue le repli, mais par sous-groupes d'amis. « *Une voisine... qui est comme ma soeur. [...] C'est beaucoup une relation d'amitié forte, mais c'est beaucoup une relation d'aide, d'entraide* ». Cette phrase déjà citée mériterait à elle seule toute une exégèse ; elle sous-entend une foule de choses sur le sens de la vie de famille, et sur la « nécessité » d'avoir de la famille à proximité.

La création de liens d'amitié ou « quasi familiaux » est peut-être un sous-produit coopératif, mais répétons-le n'est pas un phénomène propre aux coopératives ; il est parallèle à ce qui se passe dans les banlieues entre « talles » de voisines et ne relève pas nécessairement d'un esprit coopératif et communautaire. Cela n'empêche pas bien sûr que la vie communautaire puisse être forte dans certaines coopératives ou chez certains membres, soit à cause de la présence familiale importante dans le quartier et même dans la coop, ou à cause d'un esprit communautaire qui préexistait :

> *À cause du fait que c'est une coopérative, le voisinage prend beaucoup d'importance. Bien que quand j'étais sur la rue X [dans le même quartier] aussi c'était très spécial. On avait beaucoup beaucoup de plaisir ensemble. Mais c'était beaucoup par choix aussi. Il y avait trois blocs... On était vraiment [...] en revenant du travail, on disait « qu'est-ce qu'on fait ? On se fait-tu un souper à soir ? » Puis on partait, on allait chercher du vin, du homard, n'importe quoi, puis là on s'improvisait un souper. Puis là tout le monde est parti de ces blocs-là.*

L'esprit communautaire peut donc être présent dès le départ chez certains coopérateurs. Sauf qu'une expression comme « *du vin, du homard, n'importe quoi, on s'improvisait un souper [...]* » laisse entendre qu'on est dans un milieu différent de cette coop de Saint-Roch :

> *La coop est composée de 14 membres, en majorité des femmes seules. Il y a seulement 4 hommes dont 3 ont eu des opérations à coeur ouvert et un a plus de 65 ans. Les hommes sont sans travail [...] toujours sur place, ils sont disponibles et très occupés [...]. On a rénové deux maisons qui devaient être démolies.*

Cela amène une distinction importante. Il y a deux sortes de coopératives et donc deux sortes de membres de coopératives. On parle des coops « de l'ancien programme » et de celles du « nouveau programme ». Sans entrer ici dans les détails disons simplement que les anciens programmes de subventions permettaient de fixer les loyers des logements coopératifs bien en deçà du prix du marché, favorisant ainsi les gens à faible revenu, alors que les nouveaux programmes fixent les loyers aux prix du marché : les coopérateurs seront donc des gens un peu plus fortunés. On a rencontré à Saint-Roch, un couple à Québec depuis six mois seulement et qui avait été propriétaire d'une maison en copropriété dans sa région d'origine. Dans la même coop, un homme consacre tous ses loisirs à la micro-informatique... Nous sommes à la coop Ludovica, sur les berges de la Saint-Charles. Ces deux couples n'ont pas fait baptiser leurs enfants, ce qui n'est pas très typique de la mentalité « populaire » du quartier. Comme si le fait de ne pas avoir fait baptiser ses enfants ne suffisait pas à le démarquer de la « tradition », un de ces hommes explique, qu'au grand désarroi de leurs amis et connaissances, son fils porte le nom de famille de sa mère et sa fille, celui de son père... il raconte aussi qu'il a deux « amis de gars » à qui il fait des confidences ; il est un des seuls hommes rencontrés à faire un tel aveu, à part un père de famille monoparentale dans le quartier Montcalm. Atypique... c'est dans les coopératives qu'on rencontre les gens les plus instruits dans les quartiers Saint-Roch et Saint-Sauveur.

Qu'il s'agisse de gens originaires du quartier comme un avocat à Saint-Roch ou de l'extérieur comme un étudiant au doctorat à Saint-Sauveur, la coopérative semble attirer dans le quartier une nouvelle population. Cela est assez évident en ce qui concerne Saint-Roch et les coopératives situées sur les berges de la Saint-Charles que rien — ou presque — ne distingue extérieurement des copropriétés voisines.

En ce qui concerne les gens originaires du quartier, la coop permet alors une mobilité sociale. Plusieurs indices laissent deviner un capital culturel plus élevé chez les gens des coopératives, et pas seulement en termes d'éducation et de diplômes. Si on considère les loisirs par exemple, il est bien sûr que les membres des coops jouent aux quilles, à la balle-molle, aux cartes, suivent des cours de relations humaines, mais ils s'intéressent aux ordinateurs, font du ballet-jazz, du conditionnement physique, de l'émail sur cuivre.

Par ailleurs, en ce qui concerne la vie communautaire « extra-coopérative » on remarque une bonne information et une satisfaction à l'égard des services communautaires et en particulier du CLSC. Plusieurs personnes ont fait allusion au CLSC de la Basse-Ville, certaines y font même du bénévolat, ce qu'on ne trouve pratiquement pas dans le reste du quartier. L'information sur le CLSC circule-t-elle dans la coop ou est-ce la fréquentation du CLSC qui injecte la piqûre coopérative ? On remarque aussi chez les coopérateurs moins de réticence à avouer qu'ils reçoivent du Bien-être social et moins de méfiance envers les intervieweurs ; on ne se vante pas de recevoir de l'aide sociale bien sûr, mais il y a quelque chose dont on peut être fier : c'est d'avoir sauvé sa maison de la démolition, d'avoir contribué au renouveau du quartier...

En conclusion sur les coopératives d'habitation du centre-ville, on peut donc dire qu'on y observe des choses originales en termes de sociabilité et de vie de quartier. D'abord on y trouve beaucoup de familles monoparentales et reconstituées qui s'épaulent les unes les autres et s'échangent une foule de services. Pour les gens bien implantés dans le quartier, la coopérative constitue un prolongement de la vie de famille et de quartier, pour les autres, la coopérative remplace parfois la parenté. Il est important d'insister de nouveau sur le nombre de coopérateurs qui ont de la parenté dans la coop, ou de la parenté dans une autre coop ; il y aurait donc une relative contagion du phénomène coopératif le long des réseaux familiaux.

Dans les cas où la coopérative semble remplacer la famille dans son rôle d'échange, de soutien,cela ne veut pas dire qu'il y ait éloignement affectif. « *Moi c'est la famille en premier. On est très familiaux nous autres ; moi surtout, c'est très important la famille, c'est très très important. Il se passe pas un samedi sans que moi ou ma mère on s'appelle même si c'est longue distance* », déclare cette femme qui est coupée géographiquement de sa famille d'origine, de celle du père de ses enfants — famille qu'elle fréquente aux grandes occasions — et de celle de son nouveau conjoint. Qu'est-ce que cela veut dire, avoir l'esprit de famille quand la famille est loin, ou quand on n'en a pas ?

On a l'impression d'être en présence de gens « faits pour » la vie de famille, et plutôt que de voir cette disposition familiale s'épuiser faute de famille, on transpose le *pattern* familial sur la coop.

Avant de terminer, un mot sur les copropriétaires : ce sont souvent aussi des familles monoparentales ou reconstituées. Les copropriétaires sont plus souvent qu'à leur tour des membres de la parenté — ou des compagnons de travail. Ici aussi se produit un échange assez intense de services de toutes sortes, et surtout l'été on remarque beaucoup de circulation entre voisins. Rappelons les exemples de partage de services rencontrés dans le quartier Saint-Jean-Baptiste entre copropriétaires : partage d'une laveuse et d'une sécheuse, d'un congélateur, d'une corde à linge et d'une litière pour le chat. Quand on considère que dans les coopératives souvent au bout de quelques années les membres se replient en petits groupes d'amis-voisins, on ne peut s'empêcher d'y voir des processus analogues.

Habiter un HLM *

On aurait beau apporter toutes sortes de nuances, on ne peut échapper, ainsi qu'on le verra ci-dessous, à deux portraits antithétiques de ces modèles d'habitation que sont le HLM et la coopérative.

Certaines familles peuvent reproduire parfaitement le mode d'organisation traditionnel fondé sur la parenté tout en habitant un HLM. Cela n'est possible toutefois que si le HLM est situé dans le quartier d'origine où habitent encore plusieurs parents. Le ménage maintient alors ses liens étroits avec la parenté résidant à proximité. Il se peut même que des proches parents habitent le HLM. Comme dans le cas de cette famille qui, sans avoir de parents proches, compte déjà quatre grands enfants, ces familles reproduisent le modèle typique, sans se distinguer des autres familles du quartier si ce n'est dans leur attitude à l'égard des voisins. S'il est, comme on le sait, de règle dans le modèle typique de démarquer très clairement ce qui relève de la parenté et ce qui n'en relève pas, avec les voisins, les relations peuvent être cordiales mais non intimes. Dans les HLM, la distance maintenue à l'égard des voisins est plus grande. D'abord contrairement au mode de résidence « traditionnel » où l'on connaît tous ses voisins, tel n'est pas le cas dans les HLM. Aussi les craint-on davantage et insiste-t-on plus souvent qu'ailleurs pour dire que les

* Section rédigée par Denys Delâge

voisins « *ça apporte des complications* ». Les ménages qui ont de la parenté dans leur HLM n'y entretiennent de relations qu'avec celle-ci. D'ailleurs, une seule femme dit aimer habiter son HLM, sa belle-soeur y réside aussi, et la proche parenté réside tout autour. Les autres disent toutes très peu connaître ou encore ne pas connaître du tout leurs voisins du HLM. Des femmes qui n'y ont pas de parenté s'y sont fait une amie de femme. Toutefois, même cette relation semble moins forte que dans un secteur locatif « ordinaire ».

> *J'ai une amie de femme, on est un groupe de trois ou quatre voisines. Mais à vrai dire, je n'en considère aucune comme une amie de femme. Il faut faire attention de ce côté. D'abord c'est pas toutes des couples. Y en a qui sont monoparentales, d'autres accotées, puis d'autres alcooliques aussi, nous on n'est pas comme eux, puis il y a de la jalousie dans le voisinage.*

Alors que dans un village en ville on parle fréquemment aux voisins, ici on dira qu'« *on se parle un peu* » mais les contacts demeurent superficiels et surtout impersonnels. On peut aussi n'avoir absolument aucun rapport avec qui que ce soit dans l'édifice. Pas surprenant dès lors que le tiers des femmes rencontrées à Saint-Roch habitant en HLM y souffrent de dépression. Dans cet univers, ce sont les familles monoparentales qui sont les plus isolées. Si elles sont coupées de la parenté, soit qu'elles n'en aient pas soit qu'elles soient en chicane, dépourvues du réseau « traditionnel » de support, elles se retrouvent dans un environnement où il n'est pas possible de reconstituer un réseau substitut ; aussi l'isolement y est-il tragique.

Dans les villages en ville, les familles vivent à proximité de la parenté et c'est à l'intérieur des liens du sang que se tissent les rapports sociaux. Dans ces quartiers on connaît ses voisins généralement depuis longtemps, on les salue dans la rue, on échange avec eux mais on ne les visite pas. Ce sont en effet des parents tout autour que l'on voisine. Bien que connus, les voisins sont en quelque sorte des étrangers avec lesquels on n'est jamais très intimes et dont on se méfie. Seule(s) une ou deux amie(s) de femmes peuvent contrevenir à cette règle. Dans les HLM, les ménages sont beaucoup plus hermétiques à leurs voisins : non seulement ceux-ci sont-ils des étrangers, mais encore on ne les connaît pas. D'une manière générale, les ménages restent imperméables au voisinage. S'ils ont dans le quartier un bon réseau de parenté, ils continuent de s'y accrocher et vivent en HLM comme dans tout autre logement. S'ils n'ont pas de parents autour alors ils font face à la solitude et à l'isolement parce que sauf exception, il n'est pas possible d'y nouer des contacts nouveaux, encore moins des réseaux de solidarité.

Le HLM comme mode de logement redouble donc la crainte qu'ont les familles typiques de tout ce qui n'est pas apparenté, et plus spécialement du voisinage. Le HLM brise les réseaux de solidarité, d'échanges fondés sur la parenté, en regroupant des gens qui ne sont pas apparentés, tout en rendant impossible la constitution d'autres réseaux fondés sur des rapports autres que ceux du sang. La coopérative d'habitation a exactement l'effet inverse. Elle crée des réseaux sociaux en dehors de la parenté et arrive à faire déborder des liens du sang des familles qui ne l'avaient jamais fait auparavant. Elle est en outre — c'est ce qui se dégage de toutes nos entrevues — le seul organisme qui ne soit pas populaire que de nom. Si, en effet, les comptoirs alimentaires, les regroupements de citoyens, Radio de Basse-Ville n'ont de populaire que la volonté d'un membership instruit de s'intégrer à la population de la Basse-Ville (ce qui est en fait impossible sauf par mariage), par contre les coopératives d'habitation regroupent des assistés sociaux, des chômeurs, des travailleurs non qualifiés.

En fait, ce n'est pas tant le HLM « en soi » qui nuit à la vie de quartier que le fait qu'à Québec, les HLM logent dans des tours ou des complexes qui s'intègrent mal ou pas du tout au tissu urbain, et deviennent de véritables ghettos et boîtes à problèmes.

* * *

Voilà que s'achève cette visite au coeur de Québec, lieu où coexistent des réalités tellement différentes. Le centre-ville apparaît comme le lieu à la fois de la sociabilité et de l'échange par excellence, et celui de la plus grande solitude.

Notes

[1] En fait, il s'agit même de quatre paroisses ; la quatrième, Saint-Coeur-de-Marie, ne compte à peu près plus sur son territoire que quelques immeubles gouvernementaux, le Grand Théâtre et plusieurs commerces.

[2] 671 élèves pour l'année 1983-84.

[3] 238 élèves pour l'année 1983-84.

[4] 251 élèves pour l'année 1983-84.

8

Modèles de sociabilité

> *« If society is conceived as interaction among individuals, the description of this interaction is the task of the science of society in the strictest and most essential sense ».*
>
> Georg Simmel

Une fois ce tour de ville complété, après avoir examiné le déploiement des réseaux et de la sociabilité dans l'espace, il faut maintenant en dégager une vue d'ensemble. La lecture des statistiques laissait présager qu'il ne serait pas simple de tracer *le* portrait de *la* famille d'aujourd'hui. Quand on plonge au coeur de la vie quotidienne, on est étourdi par le foisonnement de modèles. Ici, on essaiera de repérer des constantes, et de discerner les différences significatives ; bref, on explorera en détail les trois modèles de sociabilité évoqués à la fin du chapitre quatre ; on verra ce qu'ils signifient pour l'un et l'autre sexe, puis comment ils sont modulés par les cycles saisonniers et le cycle de vie. Mais en tout premier lieu, il convient de préciser que chez tous, à de très rares exceptions près, on remarque un noyau de base de sociabilité, sur lequel vient se greffer le réseau, quel que soit le modèle auquel il se rattache.

UN NOYAU DE BASE

Le noyau de base de sociabilité est tripartite. En fait partie, premièrement, la cellule familiale immédiate, c'est-à-dire les membres du ménage, à laquelle s'ajoute la parenté immédiate : mère, père, soeurs, frères, beaux-frères et belles-soeurs. Deuxièmement, on y trouve une « amie de femme » de la mère. Celle-ci habite généralement assez proche (même quartier ou quartier voisin, quand ce n'est pas la même rue). Avec elle, on partage des intérêts (sportifs ou associatifs par exemple), une condition (la monoparentalité, ou le fait d'avoir des enfants du même âge...). On la connaît depuis longtemps. Advenant une brouille, elle est très difficile à remplacer. Il peut s'agir d'une soeur ou d'une belle-soeur, de toute façon c'est une relation privilégiée : on se fait des confidences ; on se voit une fois par semaine au moins. Enfin, troisièmement, le noyau comprend un-e voisin-e, qu'on ne connaît pas nécessairement de façon intime, mais assez pour lui demander de menus services à l'occasion, assez pour lui confier un enfant le temps d'une course.

Parenté, ami-e, voisin-e, trois types de fréquentations se retrouvent dans ce noyau de base. La parenté est vue sous le mode du « *ça va de soi* », c'est un groupe d'échange autant que d'amour. « *C'est ma soeur, il faut que je l'aide ; on n'aurait pas poussé ça si loin pour des étrangers* ».

L'amie, c'est pour sortir ou faire des confidences ; la voisine, (comme souvent c'est une femme, on utilise le féminin) « *on peut compter dessus* ». Ces relations peuvent se télescoper, mais semblent toutes essentielles, ont chacune leur spécificité ; ce qui n'empêche pas que la voisine puisse être la mère, que l'amie soit une soeur ou que la voisine devienne l'amie au fil des ans. « *Ma mère c'est pas ma mère, c'est ma soeur ; ma mère c'est une grande amie* ».

Le noyau ne regroupe pas les personnes les plus intimes autour desquelles se rajouteraient des cercles concentriques successifs de relations. Il ne s'agit pas d'intimité : la voisine n'est pas nécessairement une amie intime, il n'en demeure pas moins qu'elle est essentielle. Ce dont on parle, ce sont plutôt des fonctions. La parenté, ce sont les liens du sang, les plus étroits, recours ultime... lieu d'obligation autant que d'amour. L'amitié, c'est une relation élective, affective. Le voisinage c'est le dépannage, il garantit une relative sécurité dans l'espace, une confiance en l'environnement. Trois catégories de personnes jouant des rôles bien précis ; si des personnes peuvent être les mêmes à jouer deux ou trois de ces rôles, ceux-ci n'en demeurent pas moins bien distincts.

Sur ce noyau vient se greffer le réseau de sociabilité. En ce qui concerne le réseau, on retrouvera des cercles concentriques d'amis ou de parents ; l'amie de femme sera très près, pas toujours plus près que la parenté, et la voisine, comme on disait, n'est pas nécessairement une intime. Bref, le noyau doit être compris en termes fonctionnels plutôt qu'affectifs ; ce sont deux façons différentes, deux angles d'analyse bien distincts, de considérer la sociabilité.

Ce n'est que dans des cas extrêmes, pathologiques, que le noyau est absent, et alors rien ne le remplace. Le réseau global peut s'y réduire, mais le comprend obligatoirement comme point de départ. Pas de noyau, pas de réseau. Cependant, très rares sont ceux qui se retrouvent dans une situation d'absence de réseau. Ceux qui viennent de changer de quartier ou de ville ont un réseau déstructuré à court terme — et un noyau flou —, ainsi que celles et ceux qui se sont récemment séparés de leur conjoint. Mais cette situation est transitoire, fréquemment évoquée par des personnes désormais réintégrées à un réseau. La période de réorganisation bien que très douloureuse, semble se traverser relativement rapidement et s'appuyer sur le voisinage.

En général, et contrairement aux différentes variantes de réseau qui peuvent s'ajouter à ce noyau de base, l'absence persistante du noyau ou de catégories de personnes dans le noyau, n'est pas indépendante du revenu ni de la scolarité. Pas de noyau ou un noyau fragmenté : il n'y a que des gens à très faible revenu *et* peu scolarisés qui se maintiennent dans cette situation, et encore, ce n'est pas le cas de tous : cela est souvent lié à une coupure géographique d'avec la parenté. Mais « coupure géographique », quand on vit en dessous du seuil de la pauvreté, quand on n'a ni les moyens de s'offrir des téléphones interurbains, ni de moyen de transport permettant de traverser l'agglomération urbaine de Québec (jusqu'à Beauport, Ancienne-Lorette ou Lauzon, en autobus et avec des enfants voilà un exploit qu'on ne réédite pas souvent !) cela ne veut pas dire la même chose que lorsqu'on dispose de revenus permettant de défrayer les coûts inhérents au maintien d'une relation. Ce ne sont pas tous ceux à faible revenu qui n'ont pas de réseau, loin de là, mais si cela se combine avec des études secondaires non terminées et une coupure géographique, le réseau se disloque ; on ne voit plus ses frères et soeurs, on n'a pas leur adresse, parfois même pas leur numéro de téléphone. Heureusement, cette situation demeure exceptionnelle.

Les cas ne sont pas rares où le réseau se réduit à ce noyau de base, ou du moins, où il se détache clairement sur un fond de connaissances ou de fréquentations plus superficielles. Cela peut être une question de tempérament, parfois aussi d'un horaire de travail différent qui limite la vie sociale. Parfois c'est le nombre imposant de frères et de soeurs qui fait qu'on arrivera à peine à fréquenter chacun-e à tour de rôle. Que le noyau se détache sur un fond ne veut pas dire que ce fond n'a pas d'importance. Prenons les exemples très contrastés de deux femmes de 29 ans et de 28 ans respectivement, séparées toutes les deux et habitant le même quartier : Saint-Jean-Baptiste.

La première est membre d'une coopérative d'habitation, d'une coopérative d'alimentation et jusqu'à tout récemment d'une garderie coopérative (son plus jeune vient d'entrer à l'école). Dans une semaine, du seul fait de son appartenance à ces groupes et de son implication dans divers comités qui y sont reliés, elle est en contact avec une foule de gens. Néanmoins cela reste pour elle des connaissances, « le milieu », avec qui elle sort, chez qui elle se rend à l'occasion, avec lesquelles elle échange une foule de services. Les personnes qui comptent vraiment pour elle sont sa mère (habitant Saint-Jean-Baptiste), ses soeurs (dont une habite le quartier également) et une amie de longue date, séparée elle aussi, qui vit dans Saint-Sauveur et avec laquelle elle partage une implication et une foi chrétienne.

La seconde à première vue serait très retirée : enfant unique, elle est voisine de sa mère qu'elle voit tous les jours. Elle voit également une amie de femme (qui habite dans Saint-Malo). Ce sont à peu près les seules personnes qui la visitent à part une soeur de son ex-mari qui travaille dans le quartier et arrête à l'occasion faire un tour. Mais elle joue aux quilles trois fois par semaine et y rencontre environ 150 personnes. « *Ce sont de bonnes connaissances, tout le monde se connaît, on placote* ». Sa mère et son amie jouent avec elle, tout comme quelques amies d'enfance, un ami de ses parents, le mari de son amie de femme, etc. « *Moi, mes vacances, c'est quand je joue aux quilles... ma mère joue aux quilles avec nous autres, c'est comme une grande famille* ». Les anniversaires se fêtent après les parties : « tout le monde » va manger au restaurant.

Dans ces deux exemples, compter le nombre de personnes du noyau seulement ou y ajouter toutes les connaissances induirait également en erreur. Dans les deux cas, c'est une centaine de personnes que l'on voit chaque semaine, qu'on connaît par leur nom et avec lesquelles on discute d'une foule de sujets, sans qu'on les « fréquente » en dehors d'occasions bien spécifiques : réunions, parties de quilles... Il est toujours délicat d'évaluer la qualité exacte de ces relations ; dans le second exemple, ils sont considérés comme « une grande famille », dans le premier, on les qualifie comme « le milieu ». Mais il ne faudrait pas sous-estimer leur importance tant au niveau affectif que pour les échanges de biens et de services ou d'informations.

On ne peut pas préjuger de la qualité des relations ou de la vie sociale d'après la quantité de personnes impliquées dans le réseau, d'après l'importance relative du noyau ou des connaissances dans sa composition. Le sentiment d'être isolé ou entouré est indépendant du nombre de personnes rencontrées ou de la fréquence objective des rencontres. « *Y a jamais personne qui vient ici* » répète trois fois pendant une entrevue d'une demi-heure une femme, qui au moment même de l'entrevue, reçoit la visite d'un membre de sa parenté — qui passe « quelques fois par année ». De même, dans tous les cas où nous avons pu mettre à jour des réseaux précis, presque immanquablement il est décrit par une personne comme riche et dense, et par une autre par assez peu satisfaisant.

Taille de la famille et noyau

Dans les familles nombreuses, c'est-à-dire une dizaine d'enfants et plus, il se forme des sous-groupes de frères et soeurs. On ne fréquente pas aussi souvent les uns et les autres ; d'ailleurs la probabilité qu'il y en ait quelques-uns à l'extérieur de l'agglomération urbaine de Québec est d'autant plus forte que les frères et soeurs sont nombreux. Les affinités se dessinent alors suivant les âges ou les sexes : les plus vieux ensemble, ou les trois filles qui se suivent... Une famille de 15 enfants par exemple est constituée en trois sous-groupes qu'on observe lors de sorties comme la visite à l'Exposition provinciale ; le premier groupe, ce sont les soeurs et belles-soeurs du centre-ville, un second est formé de ceux habitant les banlieues, enfin un troisième, plus éparpillé géographiquement regroupe les plus jeunes. « *Je peux pas les voisiner les 15 à chaque semaine, je serais jamais là* ». [...] « *Je ne fréquente pas tout le monde dans ma famille, il y en a que je suis plus proche que d'autres ; je ne suis pas en chicane... on est content quand on se voit* ».

Les familles plus réduites sont plus unies. Quand on a une seule soeur ou un seul frère, on fait davantage d'efforts pour garder le contact, on s'accroche. À distance égale (Montréal, Toronto, etc.) on maintient davantage le contact avec une soeur si c'est la seule que si on en a deux ou trois autres à Québec. Ainsi, une femme qui a une seule soeur à Toronto lui téléphone à toutes les semaines ; elles se visitent cinq ou six fois par année. Une autre qui vient de perdre sa mère qui habitait le même immeuble qu'elle, n'a plus pour toute famille qu'une soeur à Rivière-du-Loup : « *ma soeur, j'ai personne en dehors d'elle [...] elle m'appelle 2-3 fois par jour et j'en fais autant* » !

Dans le même esprit, on remarque que *les enfants uniques* ont tendance à garder le contact avec leur-s cousin-e-s et leur-s ami-e-s d'enfance bien plus que les autres. À de rares exceptions près, les cousins sont fréquentés par des enfants uniques ou par ceux qui sont coupés géographiquement de leur parenté, et pas par les autres. Ainsi une femme séparée, habitant à Québec depuis un an seulement, dont la mère est décédée et le père vit en centre d'accueil à Rivière-du-Loup et dont les soeurs sont à Montréal, à Baie Saint-Paul ou au Brésil, fréquente beaucoup une cousine à Québec, la seule famille qu'elle ait dans cette ville. Ou encore ce couple dont les deux membres viennent du Lac Saint-Jean ; ils fréquentent beaucoup de cousins et de cousines, n'ayant pas d'autre parenté à Québec.

Les témoignages de quelques enfants uniques sont, à ce sujet fort éloquents : « *Mes deux cousines avec qui j'ai été élevée, on a toujours été ensemble les trois ; j'y tiens beaucoup, c'est ceux-là à qui je tiens le plus* ».

> *Moi je suis tout seul, j'ai pas de frère, pas de soeur ; mon père venait du Nouveau Brunswick, alors des oncles et des tantes de ce côté-là... je n'ai plus de relations. Sur le côté de ma mère j'en ai plusieurs... une tante et un oncle que je vois souvent, à Noël, au Jour de l'An. Les enfants vont y passer une semaine environ dix fois par année. Disons que c'est ma famille à moi. J'ai un cousin et une cousine ; c'est comme mes frères et mes soeurs ; quand on va là c'est le party. Eux aussi ont des obligations, ils sont mariés. Ils sont plus jeunes que moi de 4, 5 ans ; on est parrain et marraine de la plus jeune fille [de ce cousin].*

Chez les enfants uniques, les cousins et les cousines et plus rarement les amis d'enfance, peuvent donc apparaître dans le noyau de base comme ami-e ou comme substitut de frère ou de soeur, mais on n'a pas observé cela dans d'autres cas ; chez les gens coupés géographiquement de leur parenté, ils sont présents, très importants, mais ne remplacent pas la parenté proche en tant que telle.

On a dit que plusieurs personnes pouvaient jouer le même rôle dans le noyau de base. Si l'absence de parenté ou son éloignement géographique peuvent « promouvoir » une personne d'un statut à un autre, la durée de la relation semble également jouer en ce sens. Ainsi, pour que la relation avec les voisins déborde du « bon voisinage » et de l'entraide mutuelle, cela prend soit des affinités particulières (par exemple que les deux ménages soient coupés de leurs parenté respective) ou un très long temps de résidence. Après plusieurs années, les voisins peuvent même être assimilés à la famille. (Serait-ce la durée de la relation qui en fait la valeur ou le sens de la vie familiale ?) « *Ça fait 24 ans qu'on est voisines, c'est comme une soeur depuis le temps qu'on se côtoie. On se voit tous les jours l'été, l'hiver moins, on s'échange des livres* ». *[...]* « *Les trois voisines d'en bas sont devenues très amies avec moi. [...] Je les considère comme mère et soeurs* ».

En passant, il faut souligner que dans les quartiers populaires, et jusque dans les banlieues moyennes, on utilise l'expression « voisiner » en ce qui concerne les relations avec la famille, quelle que soit la distance réelle à laquelle se trouve cette famille. Ainsi, une femme originaire de la région de Terrebonne, à Québec depuis deux ans, raconte qu'elle a reçu la visite de deux belles-soeurs de la région de Terrebonne la semaine précédente. « *C'était la première fois qu'ils venaient me voisiner* ».

Voilà qui met fin à ces considérations sur le noyau de base où on retrouve les relations les plus intenses au niveau affectif et le dépannage de base. Avant de passer à l'analyse des variations qu'on peut observer dans ce qui s'y greffe, notons que la description du noyau reste qualitative. On ne saurait y associer un nombre fixe de personnes. Ici il faut plutôt penser en termes de fonctions ou de structure ; il y a des places à remplir et elles peuvent être remplies par la même personne (une mère qui serait aussi une voisine par exemple).

SOCIABILITÉS FÉMININE ET MASCULINE

Malgré nos efforts pour rencontrer les pères des jeunes de notre échantillon, nous avons presque invariablement rencontré leur mère. En effet, la famille est encore souvent l'affaire des femmes ; nous l'avons constaté à plusieurs reprises ; dès la prise de contact téléphonique, à l'annonce d'une recherche sur la famille, si c'était le mari qui avait répondu à notre appel, il déclarait souvent « *attendez, je vous passe ma femme* » ; en fait nous avons eu l'impression que ceux qui ne l'ont pas fait y ont été contraints par l'absence de leur conjointe au moment de l'appel. Par ailleurs, comme on l'a déjà mentionné, quelques entrevues commencées auprès de l'homme seul (pendant que la femme, présente dans la maison, vaquait à d'autres occupations) se sont transformées en entrevues de couple devant l'incapacité de l'homme à répondre à des questions sur le lieu de résidence des frères et soeurs de sa femme (ce que les femmes savent très bien faire, même parfois en ce qui concerne les frères et soeurs de l'ex-mari) ou sur les parrains et les marraines de ses enfants. « *Les parrains et marraines des enfants ? Ça, ma femme pourrait te le dire* ».

En ce sens, la famille c'est essentiellement l'affaire des femmes, ce sont elles qui la gèrent; même les relations avec la famille du mari empruntent régulièrement le circuit belle-mère/épouse, ou belles-soeurs/épouse... La famille demeure une affaire de femmes? Il faut lire à ce sujet l'étude de Andrée Roberge [1] qui démontre qu'en dépit de la symétrie des appellations (qui amalgame oncles, tantes, beaux-frères ou belles-soeurs, par exemple, qu'il s'agisse de famille propre ou de belle-famille) et du patriarcat « officiel », les liens de familles sont « gauchis » par les femmes et se construisent essentiellement autour des rapports mère-fille et sororaux. Cela se reflète dans le discours; combien de fois avons-nous entendu nos interlocutrices déclarer qu'elles allaient « voir leur mère » ou « chez maman » quand en fait il s'agissait des deux parents!

Les hommes ne sont pas moins sociables que les femmes, mais leur sociabilité est quelque peu différente.

Toutes choses égales par ailleurs, on fréquente davantage la famille de la femme que celle de l'homme. Bien sûr, si la femme n'a pas de famille à proximité, ou pas de famille du tout (enfant unique, famille décédée, etc.) ou si elle est en chicane avec sa famille, on verra davantage celle de l'homme, mais cela demeure une « option par défaut ». La famille n'est pas qu'une affaire de femmes, mais passe beaucoup par les femmes, elles en sont les pivots. « *Ma belle-mère, on les reçoit...* ». On entend parler des belles-soeurs plus que des frères, leurs époux.

En fait, il n'y a pas que la famille qui soit une affaire de femmes. *L'amitié aussi est vécue différemment chez les hommes.* Le noyau de base comprend une amie de femme, pas d'ami de l'homme. Les hommes sont peu portés sur les confidences.

> *L'amitié c'est ben rare; c'est pas pareil comme les femmes, malgré que les hommes maintenant, on se parle plus qu'avant, même des affaires intérieures, même d'amour; à l'ouvrage des fois on se parle des enfants. C'est rare, mais ça arrive plus souvent qu'avant; avant les gars parlaient pas de ça, d'amour, de leurs chagrins.*

Nous avons rencontré peu d'hommes mais nous les avons quelquefois questionnés explicitement sur l'amitié. Plusieurs se sont déclarés amers, déçus, disent s'être fait jouer dans le dos, avoir été trahis par des amis et restent méfiants. On préfère s'en tenir à la camaraderie.

> *Je m'occupais du syndicat. Je recevais souvent des téléphones longue distance de gars mal pris; j'ai toujours dépanné*

tous mes chums, pour de l'argent entre autres; ça j'appelais ça mes chums; c'étaient pas des amis-amis. À un moment donné, il y a eu des abus; pour des peccadilles ils m'appelaient; il a fallu mettre un frein.

L'amitié entre hommes est rare et semble avoir besoin de conditions exceptionnelles pour naître et s'épanouir.

Ça m'est déjà arrivé assez souvent de donner ma confiance à quelqu'un et je me suis fait avoir à 100 milles à l'heure. La seule personne avec qui j'ai réalisé ça, c'est le gars de Valcartier (dont je parlais tout à l'heure). On a vécu ensemble en Égypte six mois de temps [...]. Là-bas où on était, c'était juste à côté de l'enfer. Dans ce temps-là, tu apprends des choses que t'apprends pas quand t'as une vie stable. T'apprends à vivre ensemble, à te supporter [...]. Tu peux pas forcer le destin pour être amis [...], il faut qu'il se passe quelque chose d'exceptionnel pour resserrer les liens, j'irais même jusqu'à dire, sauver sa vie. [...] — Un vrai ami, c'est quelqu'un qui pourrait faire n'importe quoi pour t'aider [...] on a navigué 6 ans dans le même bateau, dans la même chambre.

C'est ainsi que souvent le meilleur ami d'un homme sera son frère. Les hommes ont des copains de sport, *old-timers* avec qui ils jouent à la balle molle ou au ballon balai, avec qui ils bricolent, mais pour eux, l'amitié telle que vécue entre femmes reste un domaine mystérieux. Ils font peu de confidences, en reçoivent peu sauf de leur conjointe. Les femmes, même celles qui ont des amis de sexe masculin, leur font peu de confidences — sauf s'il s'agit d'un frère considéré comme un ami.

En général, les hommes rencontrés ont moins d'amis que les femmes. Peut-être que les hommes interviewés étaient « spéciaux » puisqu'ils ont accepté de collaborer à une recherche sur la famille! Plusieurs d'entre eux ont aussi été rejoints parce qu'ils travaillaient « sur des shifts » ce qui compromet la vie sociale. Mais cela n'explique pas la méfiance manifestée à plusieurs reprises. « *C'est un terrain glissant l'amitié, c'est dangereux, y a rien de plus dangereux que cela; quand t'as ben des amis, c'est parce que tu es prospère, ça devient des sangsues* ».

Les femmes, très au courant de tout ce qui concerne la vie de famille et la vie de quartier, ne semblent pas au courant d'amitiés que pourraient entretenir leurs maris. Ils peuvent aller manger ou prendre un verre à l'occasion avec des amis de travail, mais ne les invitent pas à la maison et le lien ne résiste pas à un changement d'horaire de travail ou de quartier.

Enfin, en ce qui concerne le voisinage, on remarque que les hommes voisinent différemment des femmes. Au centre-ville, ils fréquentent la parenté qui habite à proximité mais aussi parfois des compagnons de travail. En banlieue, ils voisinent parfois un peu malgré eux, lorsqu'ils travaillent « dehors » : pelletage, tondage de gazon, réparations diverses. Le voisinage est donc lié à « du travail », à des corvées. Que cette relation déborde du bon voisinage et de l'entraide à l'amitié et aux sorties de couple, relève des mêmes conditions qu'en ce qui concerne le voisinage féminin : les affinités personnelles ou professionnelles, l'existence ou la non-existence de la parenté, la distance géographique de celle-ci et le passage des ans.

La sociabilité spécifiquement masculine est pour nous restée en grande partie un mystère que nous n'avons pas su percer, malgré les présences masculines dans notre équipe. C'est le sujet qui a provoqué entre nous les discussions les plus passionnées... pourtant sur la base des données dont nous disposions, nous pouvions difficilement aller plus loin que ce qui est contenu dans cette mince section... On peut peut-être mentionner aussi que chez le seul « monoparental » que nous avons rencontré, le *pattern* de relations était le même que chez les femmes monoparentales : présence d'amis de gars, aussi monoparentaux à qui on fait des confidences par exemple. On peut alors se poser les questions : existe-t-il une dynamique de la monoparentalité qui « transcende » les barrières du sexe ? Est-ce la monoparentalité qui est en cause ici ou la charge familiale ? Ces questions demeurent ouvertes.

VARIATIONS SUR UN THÈME

Sur le noyau de base peuvent se tisser trois types de réseaux qu'on a rapidement évoqués au quatrième chapitre. Le premier, plus « traditionnel » (rappelons que ce qualificatif désigne le réseau et son organisation pas nécessairement les valeurs des gens qui le composent), correspond à peu de choses près à « la famille urbaine d'autrefois ». Dans le chapitre sur le village en ville, on a constaté que cette forme de sociabilité, basée sur le clan, est encore très présente. Le deuxième type de réseau, basé sur le couple, se retrouve surtout dans les classes aisées, et plusieurs indices laissent croire que, dans ces classes, il existe depuis longtemps. Enfin, le troisième type de réseau, basé sur l'individu, est plus nouveau. Nous en avions repéré quelques exemples dans le corpus de Nicole Gagnon, qui faisaient figures d'options par défaut ou d'exceptions qui confirment la règle. Désormais on ne peut plus parler d'exceptions puisque le nombre de personnes connaissant ce type de sociabilité a beaucoup augmenté, soit par la force des choses — encore des options par défaut — mais aussi, ce qui est nouveau, par choix.

On les examinera tour à tour en commençant par le modèle « typique » du clan ; qu'en est-il advenu ? Est-il vraiment encore le même ? Frères, soeurs, belles-soeurs, parents y sont les fréquentations principales ; s'ajoutent quelques oncles et tantes, plus rarement des cousins ou cousines. La mère de la femme joue un rôle primordial ; si on ne la voit pas on l'appelle au moins une fois par semaine, quand ce n'est pas tous les jours. On voisine, mais en dehors des voisins immédiats, c'est la parenté qu'on voisine. En effet, même en banlieue, il est fréquent d'avoir de la parenté dans le secteur, sinon dans la paroisse ou à quelques coins de rue. Souvent c'est une soeur ou une belle-soeur qu'on fréquente assidûment, c'est-à-dire au moins une fois par semaine, et avec qui on échange une foule de services (autrement dit, c'est elle « l'amie de femme »).

Il est remarquable que les gens sont souvent implantés dans le quartier où ils vivent de longue date ; dans le centre-ville, souvent depuis l'enfance. Même en banlieue on rencontre plusieurs personnes originaires du secteur où elles habitent. (Du secteur et pas nécessairement de la paroisse en tant que telle car parfois celle-ci n'existait pas encore.) « *Toute la famille est dans un rayon de quatre milles, mais pas dans la paroisse même* ».

Quand on n'est pas d'un secteur, on ne s'y implante pas au hasard. Que l'on arrive d'une autre région, du centre-ville ou de la banlieue, on ne s'installe pas n'importe où ; on suit plus ou moins ses frères et ses soeurs. Cela peut se faire consciemment, on peut chercher à se rapprocher d'une soeur préférée ; mais cela peut être inconscient : on peut avoir les « mêmes goûts », avoir appris à fréquenter et à apprécier un même secteur dans son enfance, ou s'être familiarisé avec tel ou tel axe routier ; quand vient le temps de s'établir, c'est là qu'on ira voir en premier.

Ceci s'observe aussi, comme on l'a vu chez ceux qui font le retour au centre-ville qui ont souvent un frère ou une soeur nouvellement installés au centre-ville.

Le réseau basé sur le clan est contrôlé ou géré par les femmes. Ce sont elles souvent qui entretiennent même la relation avec leur belle-famille, c'est-à-dire avec la mère ou les soeurs de leur conjoint ; il n'est pas rare que deux frères se rencontrent grâce à l'initiative de leurs épouses...

Les loisirs sont pratiqués en groupe, en compagnie de membres de la parenté. Les sports sont un prétexte à la rencontre plus que le reflet d'un souci pour la forme physique ; plutôt que de sport, il serait plus juste de parler de jeu puisqu'il s'agit souvent de quilles, de balle-molle ou d'autres sports d'équipes, pratiqués plus pour le plaisir que dans un esprit de compétition. Si on participe à des groupes ou associations, ce sera au niveau local, paroissial.

Ce modèle de sociabilité qu'on serait porté à identifier aux quartiers populaires du centre-ville (Saint-Sauveur par exemple) se retrouve jusque dans les banlieues moyennes et plus récentes comme Duberger, Neufchâtel, où on n'a fait que transposer dans un espace urbain différent le *pattern* urbain traditionnel ; cela entraîne des ajustements, mais pas de modifications profondes. On ne saurait s'en surprendre puisque le retour au centre-ville de classes plus fortunées s'accompagne d'une « prolétarisation » des banlieues. Ce modèle traditionnel, centré sur le clan, la parenté, les femmes de la parenté et la proximité de la parenté est le plus largement répandu.

Le deuxième type de réseau est basé sur le couple. À mesure que le revenu augmente, et en particulier celui du mari, un glissement s'opère dans la composition du réseau et dans la « gestion » de celui-ci. L'homme introduit ses amis de travail, ses « relations ». Il n'est pas rare que deux épouses de collègues de travail deviennent de bonnes amies. Le sport est pratiqué davantage dans un souci de forme physique ; les équipes rapetissent : racket-ball, tennis, jogging. Les associations sont professionnelles ou liées à un *hobby* (radio amateur, élevage de chiens de race par exemple). On n'y rencontre plus uniquement la famille, mais aussi le milieu professionnel.

On aurait la tentation, par opposition au précédent de parler d'univers des couples. En effet, ici le couple est l'unité de base de la sociabilité ; il préexiste à la famille. Celle-ci est conçue comme essentiellement la famille nucléaire. Les conjoints, les femmes en particulier, vont mettre l'accent sur leur couple, sur sa réussite ; on fréquente amis et parenté sur une base de couples. On réside souvent plus loin de sa parenté ; les études et le travail forçant à une plus grande mobilité géographique, on s'établit volontiers en banlieue, là où on a un terrain pour les enfants et pour protéger son intimité.

Les rencontres sont plus formelles. Moins de repas improvisés à la bonne franquette et plus d'invitations à l'avance. Si une femme a des amies de femmes « proches », elle sera soucieuse de ne pas les déranger quand leur mari est là. Ici la proximité n'a pas la même importance. Les amis qui habitent près auront été connus par une autre filière que le voisinage, souvent par les études et le travail, et en général ne seront pas des voisins immédiats, c'est-à-dire n'habiteront pas la même rue, même si c'est dans le même quartier et secteur. On va chercher ses amis plus loin, mais dans son monde professionnel.

Ce type de réseau n'est donc pas en tant que tel lié à l'espace. On le dira déterritorialisé. D'ailleurs souvent, on a les moyens financiers de maintenir le lien avec des amis ou des parents lointains (voyages, téléphones interurbains). Il est aussi moins lié à un échange de services matériels.

Pour les femmes au foyer, si elles n'ont pas de parenté ou d'amies à proximité, cela peut être dur. S'identifier à un couple quand l'autre rentre claqué le soir... c'est risqué : on attend beaucoup de l'autre et dans cette mesure, on risque d'être d'autant plus déçu. Ce « problème » peut être aggravé par une situation financière trop prospère. En effet, si on a les moyens de payer pour tous les services, pour le gardiennage comme pour les réparations, on n'a plus de prétexte pour rencontrer parenté ou amis, qu'on ne verra alors que dans des occasions plus formelles.

La maison est le lieu de l'intimité. La maisonnée n'est plus ouverte sur le monde, mais le refuge du couple et des enfants contre le monde. Plusieurs femmes ont donc des projets de retour au travail. Le travail à l'extérieur du foyer est vu ici non pas tant comme une nécessité financière, mais plutôt comme une occasion d'épanouissement, de se réaliser, de rencontrer des gens. Le travail à l'extérieur du foyer offre cette reconnaissance sociale dans la vie quotidienne que les femmes du milieu précédent trouvaient dans le monde familial. « *Avant de travailler, je ne voyais personne* » dira-t-on, par opposition aux femmes des réseaux-clan qui diront plutôt : « *Depuis que ma belle-soeur travaille, on ne la voit plus* ».

Certains auteurs ont voulu départager clairement la famille traditionnelle « matriarcale » ou « matrifocale » d'une famille nucléaire plus moderne. Bien sûr, il existe des cas types, bien démarqués. Mais le plus souvent la coupure entre les deux n'est pas abrupte. Cela se superpose, cela interfère entre le réseau de la femme, plus lié à la parenté, et le réseau de l'homme, plus lié à ses activités professionnelles, plus « sélect » éventuellement, les relations du mari devenant alors des relations de couple, celles de la femme demeurant siennes. Il y a alors l'univers des amis de couple et celui des amies de femmes. Dans le cas de couples en mobilité sociale ascendante, le réseau parental peut servir de levier, d'infrastructure d'échange et de services permettant d'organiser d'autres types de relations. Autrement dit, la parenté peut se liguer pour favoriser l'ascension sociale d'un de ses membres qui, par le fait même, prend un peu de recul par rapport à elle, tout en restant très dépendant en termes de services.

Les relations entre la parenté et les amis sont complexes chez les gens plus riches car ils ne sont pas nécessairement du « même monde ». On se sent obligé envers la parenté, obligé de la dépanner, de la fréquenter dans le temps des fêtes et aux anniversaires. « *Ma belle-famille, carrément je ne veux rien savoir, à part mes beaux-parents ; aucun atome crochu sur quoi que ce soit, éducation des enfants, façons de vivre et de penser* ». Ce qui ne l'empêche pas, de même que son mari, de voler sans cesse à la rescousse de cette belle-famille. « *Plomberie, menuiserie, mon mari dit jamais non, c'est un bricoleur* ».

Ceux dont les revenus sont plus élevés, ont les moyens de payer pour faire effectuer des réparations ou pour la garde des enfants, et ne sont donc pas obligés de recourir à des voisins, amis ou membres de leur parenté pour ces services ; ils ne les verront donc que lors d'occasions formelles, soupers du samedi ou du dimanche soir, réunions du club. Mais l'échange de services n'a pas que des vertus de dépannage et ne fait pas que refléter la « grandeur d'âme » de ceux qui y participent. Si on ne peut nier la dimension économique des échanges de services (souvent impressionnante quand on entreprend de la comptabiliser, comme l'a fait Andrée Roberge [2], dans sa thèse de doctorat en anthropologie), il faut voir qu'ils contribuent aussi à l'entretien des relations, fournissant un prétexte de rencontre. En fait dans les couples fortunés, si la femme n'a pas son réseau bien à elle en plus de celui « du couple », c'est-à-dire du mari, si elle n'a pas de parenté proche — ou pas de parenté du tout —, si elle ne s'implique pas dans la vie de quartier ou dans un groupe, c'est la déprime. C'est parmi les femmes de ces milieux que nous avons rencontré le plus de femmes qui semblent s'ennuyer.

On est ici dans un univers de couples. Typiquement, une rupture chez un couple d'amis signifiera la fin de la relation, sauf parfois entre les femmes, si elles avaient su se créer un lien « autonome » :

> *[...] un couple d'amis qui sont divorcés maintenant. Elle est remariée ; on la voit encore parce que les deux femmes étaient amies. Les deux gars ne se revoient pas, lui est encore dans l'armée et moi je suis sorti de l'armée parce que j'étais tanné.*

On perd ses amis après une rupture ; on perd de vue l'ex-conjoint d'un membre de la famille. Une rupture amoureuse est alors ressentie non seulement au niveau amoureux proprement dit ; en effet, ce n'est pas seulement un conjoint que l'on perd, mais l'accès à cet univers de couples. Une femme qui se sépare a alors le choix entre la déprime à long terme, le « repli » vers le clan (« *Je retourne chez ma mère, ou en tout cas pas trop loin de chez elle* »), ou le saut vers un nouvel univers relationnel.

Notons en terminant que dans ce type de réseau, on a au moins autant l'esprit de famille que dans ceux décrits précédemment, sauf que la famille, ici, c'est la famille nucléaire et non plus la famille élargie.

L'esprit de famille n'est pas moins présent dans le troisième type de réseau dont on a déjà dit qu'il repose sur les individus. Ceux-ci ne sont pas considérés automatiquement comme des moitiés de couples (réels ou potentiels). Les parents seuls trouveront donc ici un espace privilégié. La parenté n'est pas absente de ce type de réseau, mais on la fréquente sous le mode de l'amitié : on se sent moins obligé envers elle, on choisit d'en fréquenter certains membres et moins ou pas du tout d'autres, selon des affinités et non plus seulement au nom des liens du sang ou des souvenirs d'enfance. La vie de quartier et de voisinage prennent alors une grande importance.

> *On s'est connus dans un bar pour se rendre compte qu'on était voisines... j'aime bien le voisinage, je connais bien mes voisines d'à côté; j'avais de bonnes relations avec mes anciens voisins d'à côté ; elle, je la voyais tous les deux jours ou tous les jours ; on faisait de la couture, on se montrait nos patrons, on se donnait un coup de main.*

Le voisinage est important, ne serait-ce que parce qu'on n'est pas nécessairement en couple et qu'une personne dans une maison ne peut pas en faire autant que deux. Il est primordial de se doter de réseaux de dépannage en tout genre (réparations, bricolage, gardiennage, support moral...). Une femme seule aura souvent recours « à la main-d'oeuvre masculine de la rue » c'est-à-dire aux voisins. La vie de quartier peut se tisser autour d'associations, de coopératives d'alimentation ou d'habitation, de copropriétés ; mais même en l'absence de tels regroupements on remarque une vie relativement intense de voisinage débouchant sur des repas communautaires deux ou trois fois par année et regroupant les « gens de la rue » au centre-ville, « les voisins de cour » en banlieue. Que la vie de quartier et le voisinage soient importants n'empêche pas par ailleurs qu'on tienne farouchement à son intimité et à sa vie privée. Le rôle des cafés, des bars ou des brasseries, comme lieux de rencontre est très important dans cette vie de quartier. Ces bars, cafés ou brasseries, on n'y va pas au hasard ; même si on n'y va pas souvent, on fréquente toujours à peu près le même endroit, là où on est susceptible de rencontrer des gens qu'on connaît. La vie de quartier est donc très importante et pas nécessairement liée à la famille. On organise des corvées entre voisins ; on partage entre voisins ou copropriétaires des appareils et des services. La famille peut s'intégrer dans ce milieu, mais elle n'en constitue pas le pivot. « *Ma soeur c'est ma meilleure amie* » entend-on. Et quand on achète en copropriété c'est souvent avec une soeur, une belle-soeur ou même une ex-belle-soeur. En effet, on ne coupe pas systématiquement les liens avec un ex-conjoint et sa famille. Une femme raconte avoir veillé dans le temps des fêtes chez son ex-belle-mère, en compagnie de son ex-époux et de la nouvelle amie de celui-ci. « *Ça a été très agréable* ».

On voit les gens en couple éventuellement, mais on les voit aussi individuellement ; on peut développer une amitié « autonome » pour chacun des partenaires d'un couple, amitié qui résistera à une éventuelle séparation. « *La femme de mon meilleur ami. On a développé une amitié ; on a été sur le même comité 5, 6 ans* ». « *[...] l'ancien ami de ma petite soeur, qui est ami avec nous même après avoir cessé de fréquenter ma soeur* ».

La rupture ne marque donc pas systématiquement la perte des amis « de couple » et on remarque ainsi plusieurs cas d'amitié entre un homme et une femme, amitié qui ne débouche pas nécessairement sur une relation amoureuse et qui dure depuis plusieurs années. On peut rencontrer ainsi des femmes qui sont amies avec un homme dont elles connaissent l'enfant, mais pas la conjointe ! Des ex-conjoints gardent des relations d'amitié, discutent, se font des confidences. Des femmes, brouillées avec leur ex-mari ont comme meilleure amie la soeur ou la mère de cet ex-mari ! En général, on est plus tolérant envers des modes de vie différents ; on peut avoir des ami-e-s homosexuel-le-s.

Ce type de réseau est donc composé d'individus d'abord. On y rencontre beaucoup de personnes seules, séparées ou avec de nouveaux conjoints.

Une séparation ne coupe pas tous les ponts ; des ex-conjoints continuent à s'échanger des services, et pas uniquement au sujet des enfants : on fait du dépannage en tout genre. On a vraiment l'impression d'une rupture culturelle entre ce type de réseau et le précédent. L'appartenance à l'un ou à l'autre n'est liée ni à l'éducation, ni au revenu, ni à la profession... En fait, on remarque deux pôles qui ne sont pas tant liés à la composition ou à la gestion du réseau (dans le deuxième type de réseau, l'augmentation du revenu fait apparaître des amis de travail, ou d'étude pour ceux qui ont étudié ; cependant, en notre période de crise, le lien entre la scolarité et le revenu n'est plus automatique comme il le fut jusqu'à la Révolution tranquille ; même que les mauvaises langues prétendent que désormais « qui s'instruit s'endette »). La différence entre les deux pôles de ce type de réseau est dans la manière d'arriver à ce type de fonctionnement.

Pour certains, il s'agit d'une rupture culturelle à priori : rejet de l'*american way of life*, des valeurs traditionnelles et religieuses, « simplicité volontaire », etc. On pourrait penser ici à des anciens *freaks* des années 60 ou 70 dont les cheveux auraient blanchi et qui au fil des années sont devenus mères et pères de famille. Mais cette rupture peut s'imposer à posteriori, à la suite d'une rupture conjugale ou d'une coupure géographique considérable d'avec sa parenté. On continue alors à valoriser la vie de famille, mais en pratique, on ne peut plus la vivre. Rupture amoureuse ou déménagement forcent à réorganiser le réseau de relations et d'entraide ; on peut avoir un discours familial en dehors de toute pratique ; on peut être amené à adopter des comportements pas tout à fait compatibles avec un système de valeurs familiales auxquelles on adhère. Ainsi quand on n'a pas de soeurs et seulement deux belles-soeurs du côté du mari, on peut bien se permettre de laisser tomber le mari, mais il est plus difficile, semble-t-il, de perdre ses belles-soeurs. Parfois ces belles-soeurs peuvent elles-mêmes être séparées (les ex-épouses de deux frères) et continuer à se fréquenter. On arrive à la conclusion que pour bien des femmes, une belle-soeur ou une soeur, c'est ce qu'il y a de plus précieux au monde ! Une femme séparée, dont la mère est décédée depuis 11 ans nous avoue s'accorder mieux avec sa belle-famille qu'avec sa famille. Elle fait un lapsus, parle de sa mère plutôt que de sa belle-mère. Son ex-belle-soeur et le mari de celle-ci sont ses meilleurs amis, c'est à eux qu'elle fait ses confidences (et c'est réciproque). *La solidarité féminine* serait-elle plus précieuse et plus résistante que la relation amoureuse ? Dans les faits c'est sûr, mais pas nécessairement dans les discours !

Un autre groupe qui développe ce type de réseau sont des femmes qui sont coupées géographiquement de leur parenté. Ce sont souvent des voisines immédiates, qui, ne pouvant compter sur la parenté pour le dépannage s'entraident les unes les autres, développent au fil des échanges, des relations qui vont bien au-delà du bon voisinage. Comme elles habitent tout près les unes des autres, on a utilisé pour les désigner l'expression de « talles de voisines ».

Dans ces nouveaux réseaux, au fond, on a l'impression d'une parenté qu'on se recrée à la pièce. Souvent les relations qu'on développe en effet sont sous le signe du mode typique : les « talles de voisines » ont des relations très similaires à celles des belles-soeurs des villages en ville ; les familles monoparentales s'épaulent au même titre que des veuves ou des femmes au mari absent. Quand on invente, comme dirait Lévi-Strauss, souvent on bricole à partir des matériaux déjà disponibles. Ainsi, les « nouveaux » réseaux, sur bien des points, rejoignent les plus « traditionnels ». Tous les deux, cependant se démarquent de l'univers des couples, plus centré sur la famille nucléaire.

Notons enfin que dans ce dernier type de réseau, l'échange de biens et de services est très important au sens de considérable et de précieux. S'il est plus hétérogène dans sa composition, la dimension d'entraide y est aussi importante que dans les familles qui « se doivent » support mutuel même si elles ne s'entendent pas. Dire qu'on réinvente la famille et la parenté dès qu'elle se disloque serait exagéré, mais on ne « se laisse pas » isoler facilement. En tout cas, dans le troisième type de réseau comme dans le premier, on notera l'importance de l'espace comme ciment de la sociabilité alors que le deuxième type de réseau n'est pas lié à l'espace en tant que tel ; il est déterritorialisé.

En ce qui concerne l'appartenance à l'un ou l'autre type de réseau, les variables « habituelles » : l'âge, le lieu d'origine, la scolarité, l'occupation, ne disent pas grand-chose. Des variables comme la situation conjugale, les valeurs, la distance du lieu d'origine, le nombre de frères et surtout de soeurs et de belles-soeurs seraient plus pertinentes.

CYCLES DE VIE

Les différents types de réseaux décrits ci-dessus sont influencés par le cycle de vie. En effet, une femme qui a trois enfants dont le plus vieux a 6 ans et celle dont le plus jeune en a 11 s'organiseront différemment. De jeunes enfants demandent bien sûr une attention plus soutenue. Souvent, à la question « *Comment occupez-vous vos loisirs ?* », la réponse spontanée était : « *Des loisirs, je n'en ai pas, je n'ai pas le temps* », ce genre de déclaration survenant très régulièrement, inutile de le dire, chez les mères seules ou au travail. En poussant un peu, on découvre bien quelques loisirs, mais liés aux activités des enfants. On va pique-niquer au parc, on va au cinéma (films d'enfants), on patine, on fait de la natation ou du ski de fond... en famille. On n'a pas le temps de participer à des groupes autres que des garderies coopératives ou des associations sportives.

À mesure que les enfants grandissent, ils se détachent de la cellule familiale. Jeunes, on les traîne partout, ils suivent chez les amis et dans les réunions familiales. À partir de 11 ou 12 ans, ils se rebiffent, ne veulent plus aller chez les oncles ou les tantes, ne veulent plus aller au chalet l'été pour ne pas s'éloigner de leurs amis. Comme ils peuvent se garder eux-mêmes ou garder leurs frères et soeurs plus jeunes, cela veut dire plus de liberté pour les parents qui pourront désormais s'organiser des loisirs à eux.

Un phénomène intéressant est celui des parents qui « suivent » le sport des enfants, qui font le taxi à l'aréna ou à la piscine pour la natation, le hockey ou le patin de fantaisie. « *Je suis toujours à l'aréna ; bénévole, je "coache" une équipe. Je suis mes enfants, à une époque, j'y allais 13 fois par semaine* ». Dans un sens, cela semble un esclavage ; les horaires sont bizarres, compromettant le souper familial ou la grasse matinée de fin de semaine. Des familles à un seul parent tiennent mal le coup, même à deux c'est parfois difficile.

> *Les enfants font du sport, mais pas dans des équipes parce que c'est trop accaparant ; je l'ai fait une année, le rentrer dans une équipe de hockey... et quand le mari peut pas aller les reconduire et que ça arrive sur les heures de repas [...]. L'an passé, il jouait au hockey 4-5 fois par semaine. On n'avait plus le temps de faire grand-chose : une heure avant la game, 1 1/2 heure de game, 1/2 heure après. En plus, on transporte beaucoup de jeunes. L'an dernier on a voyagé un jeune que son père était décédé l'hiver avant.*

Le phénomène de covoiturage d'enfants est donc très important : une fois c'est l'un, une fois c'est l'autre. D'autre part, il se produit une autosélection des parents autant que des enfants dans ce sport : les parents qui ne s'adaptent pas aux horaires des enfants, cessent de les reconduire... et automatiquement les enfants cessent de pratiquer le sport. Les parents qui persistent ne le font pas seulement par grandeur d'âme ou dans l'espoir que leur enfant devienne un petit *Guy Lafleur* ou *Gaétan Boucher* ; ils y touvent aussi leur compte. C'est une occasion de rencontre avec d'autres parents. Il y a des parents qui se côtoient ainsi pendant quelques années à l'aréna ou à la piscine, sans jamais se voir en dehors, mais qui en viennent à bien se connaître. (À l'aréna des groupes se forment, on s'asseoit toujours plus ou moins à la même place pendant la partie...). Cela provoque des brassages de gens et de genres ; c'est un point de jonction entre parents de réseaux différents ; par exemple à Neufchâtel, les gens des coopératives ne fréquentent pas du tout leurs voisins d'en face non coopératifs (et vice-versa) mais ils se croisent au hockey. Cela peut être aussi une façon de rencontrer des gens du quartier pour des nouveaux arrivants ; certains s'impliquent dans l'organisation des ligues sportives. Une nouvelle arrivante explique « *[...] trois amies, trois femmes connues au hockey. Ça fait deux ans qu'on est ensemble, l'hiver au hockey, l'été au baseball. On se voit au sport, mais pas en dehors* ». Quand on « coache », cela provoque des foules de rencontres.

> *L'hiver les instructeurs de hockey viennent souvent nous visiter, mon mari fait les trophées de hockey. [...] Un gars qui s'occupe des jeunes, il était toujours ici, mais là il est pire. Il était vice-président de la ligue de baseball ; mon mari est président ; il peut venir 5 fois par semaine.*

Le sport des enfants (tout comme le mouvement guide où les mères s'impliquent) devient occasion de sociabilité pour les parents. N'empêche qu'au détour de l'adolescence, cela prend fin et que les parents doivent réorganiser leurs loisirs. Une mère de deux adolescents de 12 et 16 ans raconte : « *On avait une piscine, on la monte plus ; les enfants sont grands. Du camping on n'en fait plus parce que mon gars de 16 ans ne suit plus [...] mon fils ne nous suit plus nulle part, il ne voit plus mes soeurs* ».

Si on peut parler « d'autosélection » des parents autant que des enfants dans le sport, des *phénomènes d'autosélection* jouent également sur d'autres plans. Ainsi on fréquente souvent des gens qui ont des enfants du même âge que les siens : les enfants peuvent jouer ensemble pendant que les parents jasent. Parmi ses soeurs ou ses belles-soeurs, une femme aura tendance à se rapprocher de celle qui a accouché en même temps qu'elle, dont les enfants ont le même âge.

> *[...] une belle-soeur avec qui je m'adonne ben ; elle a trois filles comme moi, à peu près du même âge. [...] une autre femme qui a accouché en même temps que moi ; on s'est connues aux cours prénataux, on a gardé de bons contacts. [...]*

On se plaint que des gens qui n'ont pas d'enfants ne comprennent pas ce que c'est que des enfants... turbulents. Une mère de quatre jeunes enfants réalise pendant l'entrevue que la plupart de ses amies en ont aussi trois ou quatre, phénomène relativement exceptionnel. Une autre mère de trois enfants parlant d'une amie qui a quatre enfants (pas la même !) dit « *c'est curieux comme j'ai des amies qui ont des enfants* ».

Un autre exemple d'autosélection lié au cycle de vie est celui des femmes seules qui se fréquentent davantage entre elles. Elles se remontent le moral les unes les autres, mais il y a aussi que ça les embête de sortir avec des couples, et vice-versa.

> *Si t'es divorcée, faut que tu te fasses des amis divorcés, sans ça t'es pas acceptée dans les mariages unis. [...] C'est ma voisine d'en bas... c'est une femme seule aussi. C'est celle de mes voisines que je fréquente le plus ; c'est parce que des fois t'es mal quand il y a des couples et que tu veux jaser.*

Parfois aussi c'est parce que le mari ou le *chum* de leur amie de femme n'a pas grand-chose en commun avec elle et les deux femmes s'éloignent graduellement ; parfois à l'inverse c'est l'amie de femme mariée qui a peur que l'autre essaie de lui prendre son homme.

Une dimension importante du cycle de vie est la présence ou l'absence des grands-parents. Les grands-parents sont fréquentés souvent en tant que grands-parents et non en tant que parents des personnes interrogées, ceci étant surtout manifeste en ce qui concerne les parents de l'homme, car la mère de la femme reste sa mère... même si elle devient grand-mère ! Les parents ou plutôt grands-parents servent souvent de gardiens d'enfants ; en cas d'urgence, c'est à eux qu'on demande de garder, c'est eux qui dépannent financièrement, qui viennent donner un coup de main en cas de maladie ou d'accident (si bien sûr ils ne demeurent pas trop loin et ne sont pas malades eux-mêmes). Les grands-parents sont le point de rencontre : on réunit pour eux, et souvent chez eux, les petits-enfants, et par le fait même leurs parents, frères et soeurs qui ne se « donnent pas la peine » de se fixer d'autres rendez-vous que ces rencontres familiales. Souvent, au décès de la grand-mère ces réunions pan-familiales cessent complètement, à moins qu'elles ne soient reprises par la soeur aînée (si elle ne le fait pas, personne ne semble le faire). « *Depuis que mes parents sont décédés, on fait moins de partys de famille dans le temps des fêtes* ».

Il faut dire que le décès des grands-parents coïncide souvent avec le moment où les petits-enfants ont vieilli et ne suivent plus automatiquement et/ou commencent à se partager entre leur propre grand-mère et celle de leur *chum* ou de leur *blonde*. « *D'année en année, il en manque de plus en plus* ». Quoi qu'il en soit, la visite chez les grands-parents est l'occasion pour plusieurs de maintenir un lien proche, fréquent (et facile ?) avec leurs frères et soeurs. De même, c'est chez sa mère qu'on rencontre, parfois par hasard, ses tantes et oncles avec leurs enfants ; ou c'est avec sa mère qu'on va reconduire, qu'on va chez ses tantes. On garde aussi le contact avec les voisins des parents. Après le décès des parents et en particulier de la mère, tout cela s'effrite.

Les réunions de la famille élargie peuvent subsister néanmoins, si la soeur aînée prend la relève, comme on l'a déjà dit, ou si la maison « maternelle » est reprise par une soeur. « *On y va au moins une fois par semaine, chez maman, même si elle n'est plus là ; chaque fois qu'on y va, on en voit au moins un (de mes 15 frères et soeurs)* ».

La maison familiale est un point de ralliement. La sociabilité a besoin d'un lieu pour s'épanouir. On peut toujours louer une grande salle pour les réunions familiales, mais un lieu chargé de signification et de souvenirs d'enfance, c'est encore mieux. « *Et puis papa est mort ; maman reste dans un petit appartement. Avant, ils avaient leur maison, on y allait plus souvent, il y avait plus de place* ».

Un autre lieu important pour les rencontres de groupe, c'est le chalet, le sien ou celui de ses parents. Ce qui nous amène à parler d'autres cycles, les cycles saisonniers.

CYCLES SAISONNIERS

Le temps des fêtes est l'occasion par excellence de rencontrer « la famille ». On voyage, on se déplace ; on réveillonne chez maman et on soupe chez belle-maman, sinon on en voit une à Noël et l'autre au Jour de l'an. On revoit même ses ex-beaux-parents à cette époque. Quand on est loin — géographiquement — de ses parents, on ne les voit qu'une fois ou deux par année, c'est-à-dire dans le temps des fêtes, et éventuellement pendant les vacances d'été. C'est aussi le moment où ceux qui ont coupé avec leur famille pour des raisons diverses (chicanes, repli sur la famille nucléaire, etc.) maintiennent un lien poli.

La tradition de *la bénédiction paternelle* du Jour de l'an est encore bien vivante. « *On est trop nombreux pour se réunir tout le monde à Noël, il faudrait louer une salle [...] mais au Jour de l'an tout le monde est là pour la bénédiction paternelle* ».

On peut même aller jusqu'à demander la bénédiction par téléphone si on ne peut être présent ! Ce n'est pas tout le monde cependant qui a gardé cette tradition. D'autres semblent détester le Jour de l'an et le considérer comme « Le jour des hypocrites ».

Les monologuistes font souvent des farces sur la famille qui débarque au *chalet*... À écouter les gens qui ont des chalets, on a l'impression qu'ils ont de la visite toutes les fins de semaine ; y défilent la famille, les amies des femmes et des enfants, les neveux, les nièces, et les enfants des amis (qu'on garde ainsi pendant les vacances de leurs parents). Le chalet des parents joue un peu le même rôle que la maison maternelle. « *Le chalet de ma mère, c'est le centre, c'est là qu'on voit tout le monde* ».

Une fois par année au chalet, s'organise une grande fête, tournoi de minigolf, tournoi de croquet, *party hawaïen* ou journée de sport d'hiver réunissant « toute » la famille, c'est-à-dire l'ensemble des beaux-frères et des belles-soeurs, mais aussi les oncles, les tantes, etc. On profite aussi des fins de semaine de l'été pour fêter plusieurs anniversaires du même coup, en une grosse fête champêtre.

Les chalets, c'est souvent une affaire de famille. Parfois on s'installe autour du même lac, et c'est là qu'on voit la famille, ses oncles et ses tantes. Ainsi un couple a son chalet, à côté de celui du frère du mari et de quelques oncles paternels « *Ça fait un cercle au chalet [...] il y a un oncle, il joue aux cartes avec nous, un autre, on le voit pas beaucoup mais on peut compter sur lui, il peut compter sur nous* ». Un couple de Saint-Jean-Baptiste possède un chalet sur une terre où la plupart de ses frères et soeurs (à lui) ont aussi leur chalet ; il y a 18 chalets en tout, 5 à 6 personnes par chalet ; on s'y rend beaucoup de services. « *On les connaît assez que notre fille les connaît tous par des petits noms [surnoms]* ». Comme au chalet on est moins bien organisé qu'en ville, on est plus porté à s'échanger des services et à emprunter qu'en temps normal. On rencontre aussi des gens qui achètent un chalet ou une maison de campagne en copropriété.

Le chalet, si ce n'est pas une affaire de famille, c'est souvent une affaire de *gang*. On peut le partager ou en acheter un tout près de ses amis. Les gens qui ont un chalet ont souvent « une double vie », c'est-à-dire qu'ils ont des voisins au chalet avec qui ils voisinent assez intensivement, ils ont des amis dans la région où se trouve leur chalet qu'ils ne voient que quand ils s'y rendent ; « *des amis qu'on ne voit qu'au chalet* ».

Les variations saisonnières n'existent pas que chez ceux qui ont un chalet. En ville aussi on voisine plus l'été, quand il fait beau ; l'hiver rend frileux, on jase moins sur le pas de la porte, sauf en pelletant, les lendemains de tempête. L'été, en ville, on organise des soupers communautaires dans les cours des coops ou entre voisins « ordinaires ». L'été, on invite les voisins à prendre l'apéro au soleil.

C'est l'été aussi qu'à l'occasion des vacances on visite sa famille à l'extérieur, qu'on va passer une semaine « dans le boutte » où réside toute la famille. Quand on retourne « au village natal », on rencontre tout le monde. « *Quand ils savent qu'on y va, mes beaux-parents le disent aux autres, ça fait qu'on se retrouve tous là ; on est les seuls à l'extérieur. [...] Quand je descends, ils se réunissent tous chez maman, si on est là 2 jours, on mange pas 2 fois à la même place* ».

L'été les hommes vont à la pêche, pendant que les femmes papotent. C'est l'occasion de renouer. On va à la pêche avec ses frères et ses beaux-frères, ou avec son père et son beau-père.

L'été on voit donc à la fois plus et moins de monde : plus la famille et les voisins et moins d'amis, également débordés par la famille et le voisinage ; moins aussi les gens qu'on rencontre habituellement dans les groupes et les associations qui espacent ou interrompent leurs activités pendant la période estivale. Les quilles, par exemple cessent l'été, sauf pour les mordus qui organisent des ligues d'été ; mais on peut les remplacer par la balle (balle-molle) sport qui semble se pratiquer beaucoup entre voisins tout en intégrant amis et beaux-frères. Les groupes et associations se dispersent. Le contact peut être maintenu par téléphone avec une ou deux personnes dont on est plus près, ou avec le ou la responsable qui essaient de rapailler leur monde dès le mois d'août.

À Québec, plusieurs fréquentent le festival d'été et reçoivent à cette occasion — comme à celle du Carnaval — la visite de membres de leur parenté ou d'amis qu'ils hébergent quelques jours. L'hiver, quand la maison est située sur le trajet de la parade du Carnaval, on organise un *party* à cette occasion.

Notes

[1] Andrée Roberge, « Réseaux d'échange et parenté inconsciente » dans *Anthropologie et Sociétés*, vol. 9, n° 3, 1985, p. 5-31.

[2] *Idem.*

9

Stratégies de sociabilité

Dans le chapitre précédent, on a vu que plusieurs facteurs influencent la sociabilité ; ainsi les cycles de vie et les cycles saisonniers modulent la vie des réseaux ; ces cycles affectent de façon analogue à peu près tout le monde. Ici, on tentera de repérer les différences, comment la sociabilité s'installe dans des espaces, dans des temps différents, comment s'effectue cette différenciation.

L'ESPACE DE LA SOCIABILITÉ

La sociabilité a besoin d'un lieu investi pour s'épanouir. Selon les espaces, elle s'organise différemment.

Proximité

La proximité géographique joue un rôle crucial dans les fréquentations aussi bien dans le choix des personnes rencontrées que dans la fréquence des rencontres. On voit davantage ceux qui habitent le plus près parmi ses amis ou les membres de la parenté, même si ce ne sont pas toujours ceux que l'on préfère, ceux avec qui on a le plus d'affinités. En général, les couples sont plus près « affectivement » de la parenté de la femme que de celle de son mari. Toutes choses égales par ailleurs, on verra davantage cette moitié-là de la parenté. Bien sûr, si la femme n'a pas de parenté ou si cette parenté est à l'extérieur, c'est celle de l'homme qui prendra la place.

Il n'est pas rare que les membres d'une famille cherchent à se rapprocher, qu'on s'installe à proximité de ses parents, de ses frères et soeurs ; on se rapproche ou on reste souvent aussi dans le quartier où on a grandi. Lors d'une rupture amoureuse, si certaines femmes coupent également le lien avec leur famille, d'autres au contraire en profitent pour s'établir près de leur mère, de leur soeur, pour revenir à leur ville ou quartier natal.

« Proche », ça ne veut pas dire la même chose pour tout le monde. Au centre-ville, on parle de distances que l'on peut faire à pied ; les artères principales, à fort débit automobile constituent des frontières naturelles : on ne va pas de l'autre côté du boulevard Saint-Cyrille, Charest ou de la Première avenue, on ne laisse surtout pas les enfants y aller seuls. Au centre-ville, tout se fait à pied ou à bicyclette. On utilise son automobile, quand on en a une, pour aller travailler ou pour sortir de la ville, pour s'évader les fins de semaines. À revenu égal, même modeste, les gens habitant au centre ont plus souvent une roulotte ou un chalet où ils se rendent fidèlement les fins de semaine ; en banlieue, on passe ses congés et ses vacances à la maison ou on part deux semaines en voyage — pas toujours très loin.

Au centre-ville, les rencontres fortuites dans la rue sont très importantes. On ne planifie que peu ses activités et ses fréquentations, se fiant au hasard des rencontres qui déboucheront sur des rendez-vous, sur des invitations, sur des sorties. C'est ainsi que l'on arrive à « négliger » ceux qui restent plus loin, qu'il faut formellement inviter à l'avance.

En banlieue, la distance se calcule encore en temps de déplacement, mais à pied *ou* en voiture. La proximité a deux paliers. « Proche » à Neufchâtel, cela peut être à l'Ancienne-Lorette, aux Saules ou à Duberger... le tout à une dizaine de minutes en automobile ; c'est à l'intérieur de cette distance qu'on a souvent de la parenté. Mais « proche », c'est aussi les gens de la rue et ceux de la rue derrière (c'est-à-dire ceux dont les terrains se touchent). Les voisins immédiats qu'on peut visiter à pied et chez qui les enfants peuvent se rendre par leurs propres moyens sont plus rares ; il est d'autant plus important de cultiver de bonnes relations... « il faut faire avec ». Un mauvais voisin, une chicane avec un voisin empoisonnent davantage l'existence qu'au centre où le bassin de voisins est plus large et où une fausse note ne se fait pas trop entendre dans l'ensemble. Et en banlieue, avoir de bons voisins, être en bons termes avec eux est d'autant plus important qu'on est loin des services. En cas d'urgence, c'est presque obligatoirement vers la porte à côté qu'il faut se tourner, d'autant plus que certains ménages n'ont qu'une automobile que le mari utilise pour aller travailler. Les femmes au foyer avec jeunes enfants ont tendance — et avantage — à s'organiser avec la voisine pour aller faire leurs commissions. Cette situation n'est pas sans rappeler celle des voisins de rang à la campagne, des solidarités et des chicanes qui les liaient bon gré mal gré. C'est ainsi que Léon Gérin dans sa monographie sur l'habitant de Saint-Justin, insiste sur le voisin de rang qui fait un peu partie de la famille.

Voisiner

Encore une fois, répétons que le terme « voisiner », au sens populaire, concerne uniquement les membres de la famille, quelle que soit la distance réelle où ils se trouvent. Habitant à Québec, on voisine ses belles-soeurs de Montréal. La famille est entendue aussi bien sous le mode de la proximité affective que géographique. En ce sens, le téléphone joue un rôle important. Les femmes qui appellent leur mère tous les jours ne sont pas rares ; ceux et celles qui doivent utiliser l'interurbain appellent souvent une fois par semaine ou une fois par quinze jours. Le téléphone prolonge le voisinage. Ceux et celles qui sont coupés géographiquement de leur famille, dans leurs contacts téléphoniques, utilisent souvent un relais : on appelle sa mère, sa soeur ou sa belle-soeur, soit toujours la même, soit chacune à tour de rôle, et celle-ci se charge de *répandre* les nouvelles à ses « voisines » immédiates c'est-à-dire celles qu'elle peut rejoindre sans passer par l'interurbain. Si les gens s'écrivent peu — en dehors des cartes de souhaits qu'ils s'échangent à leurs anniversaires — ce n'est pas seulement par paresse épistolaire, c'est que la poursuite des échanges de « voisinage » peut difficilement se faire par écrit. Notons en passant que ce sont les femmes qui écrivent. Les hommes que nous avons rencontrés n'écrivent pas, à part d'éventuelles lettres d'affaires. Les femmes correspondent donc entre elles ; on écrit à sa mère, à sa marraine, à sa grand-mère, à sa soeur. Le téléphone semble aussi être utilisé davantage par les femmes.

La cohabitation des générations dans le même logement est assez rare, et se trouve entravée non seulement par les changements de mentalités et un plus grand désir d'indépendance, mais aussi par l'exiguïté des logements. Dans les secteurs à maisons unifamiliales, nous avons rencontré quelques exemples de cohabitation comme par exemple la transformation du sous-sol en appartement semi-autonome pour la mère ou la belle-mère... On peut aussi accueillir une nièce ou un neveu pour ses études « en ville » si on a une chambre à lui offrir, donc, si le revenu permet l'accès à un logement de grande taille. Sinon, la famille peut habiter le même immeuble appartenant aux parents qui louent le logement au-dessus du leur à un de leurs enfants, ou vice-versa. Parfois, dans un même immeuble, on retrouve deux soeurs ou deux belles-soeurs parmi les locataires. On peut se demander si la cohabitation dans un même immeuble, pour des gens à revenus modestes et/ou à logements plus petits et/ou à mentalité indépendante, ne remplace pas la cohabitation des générations dans le même logement qu'on observait « autrefois ».

« Talles » de voisines

Tout au long de l'analyse, on a employé l'expression « talles de voisines » pour désigner ces duos, trios, quatuors, etc. de femmes qui se sont connues en tant que voisines et dont la relation a débordé sur l'amitié ; celles-ci ont développé un réseau d'échanges de biens et de services et s'invitent mutuellement en entraînant parfois leurs maris, si maris il y a, dans leurs rencontres. Ces « talles » de voisines, on les repère surtout dans les banlieues et dans les coopératives d'habitation au centre-ville. *Ce sont des voisines immédiates* (au centre-ville, on peut avoir des voisins qu'on considère comme des amis, mais ils ne sont pas nécessairement la porte à côté ; ils peuvent être à un ou deux coins de rue ; on ne les a pas non plus nécessairement rencontrés en tant que voisins).

Souvent les voisines qui se regroupent en « talles » sont celles qui viennent de l'extérieur de la région. Comme elles n'ont pas de parenté à Québec, elles sont presque « forcées » de créer des liens avec le voisinage car elles n'en ont pas d'autres « en réserve » qu'elles pourraient activer en cas de pépin. Parfois aussi on trouve des « talles » de familles monoparentales, qui s'épaulent moralement et matériellement. Il y a aussi des « talles » de femmes avec de jeunes enfants dont la mobilité est limitée. Plusieurs femmes ont raconté avoir connu une voisine en poussant leur carosse respectif par un bel après-midi... Il peut s'agir de femmes au foyer ou celles qui profitent d'un congé de maternité, la relation se maintenant au-delà du congé.

Dans l'établissement des liens avec le voisinage, plusieurs facteurs interviennent. Si on a une parenté nombreuse et à proximité, si la femme travaille à l'extérieur, bien sûr, on a moins le temps — et le besoin, car on a déjà un réseau de parenté et éventuellement un au travail — de créer des liens avec le voisinage. Mais d'autres facteurs entrent aussi en jeu ; un de ces facteurs en particulier est très important : l'âge des voisins. Un couple dans la trentaine ou la quarantaine peut établir d'excellents rapports avec des voisins retraités, mais aura davantage d'affinités avec des voisins de son âge, ayant des enfants de l'âge des siens ou à peu près. L'âge des enfants est une autre variable importante. Plusieurs parents soulignent que leurs enfants sont leurs « *agents de relations publiques* », qu'à l'arrivée dans un nouveau quartier ou à l'arrivée de nouveaux voisins, ce sont les enfants qui « cassent la glace » les premiers, et ce, d'autant plus facilement que les voisins ont des enfants du même âge qu'eux. Les parents auront ainsi à entrer en contact plus souvent avec les parents des compagnons de jeu de leurs enfants qu'avec les autres voisins. Parfois, ils feront des échanges de gardiennage, garderont un enfant à manger ou à dormir, ce qui implique un téléphone avec les autres parents. Sans que les parents des amis des enfants soient considérés comme de « vrais » amis, on discute souvent avec eux de l'éducation, des problèmes scolaires, des loisirs, etc. *Les échanges au sujet des enfants sont souvent les premiers échanges entre voisins.*

Un autre élément qui a une grande influence sur la vie de voisinage est l'âge du quartier ou de l'immeuble. On pourrait croire que plus un quartier est âgé, plus les gens s'y connaissent et s'y entraident. En fait ce n'est pas si simple. Un immeuble neuf, un quartier neuf, une coopérative neuve, se peuplera de gens à peu près tous au même stade de leur cycle de vie ; ils auront des affinités en tant que groupe d'âge, des besoins semblables en ce qui concerne les enfants et leur installation. Dans les coopératives, surtout celles où les membres collaborent à la rénovation, les relations sont beaucoup plus intenses dans les débuts ; dans les nouveaux développements de banlieue, quand chacun prend livraison de sa maison ou de son logement, souvent les travaux ne sont pas complétés à l'intérieur, mais surtout à l'extérieur : on s'échange des outils pour fignoler tel ou tel détail de finition, on se donne un coup de main pour terrasser, clôturer, planter des arbres. Après, tout « rentre dans la normalité »... on se voisine moins, on profite de son chez soi. À travers l'effervescence de l'installation, des liens se créent, on connaît plusieurs personnes en peu de temps, on repère vite ceux avec qui on a des affinités. Graduellement, un roulement d'habitants se crée ; les nouveaux arrivants seront plus lents à connaître leurs voisins qui sont déjà plus ou moins organisés en « talles », et ils ne seront pas nécessairement rendus au même point dans leur cycle de vie. Sur une même rue, on repère parfois deux « talles » de voisines qui se différencient non seulement par le bout ou le côté de la rue où elles habitent, mais surtout par l'âge de leurs enfants et leur temps de résidence.

Ces « talles » de voisines ne sont pas sans rappeler un phénomène souvent observé à Montréal, mais pas à Québec semble-t-il. Dans la métropole, certains bouts de rue, certains secteurs sont connus comme étant le fief des Gaspésiens, des Madelinots, des Abitibiens sans parler des quartiers grec, italien, chinois, portuguais ou haïtien. La différence c'est que les voisines en question ne viennent qu'exceptionnellement de la même région. De plus, les « talles » de voisines sont un phénomène à petite échelle, regroupant deux, trois ou quatre ménages, et ne s'étendent pas à tout un quartier, ni même à toute une rue.

Il faut retenir que c'est par le voisinage et le voisinage immédiat qu'on commence la plupart du temps à se bâtir un nouveau réseau après la déstructuration du réseau antérieur. En ce sens, on ne s'établit jamais au hasard dans une ville, mais là où on est susceptible de rencontrer des gens semblables à soi. Si ce n'est pas par le voisinage qu'on se reconstruit un réseau, ce peut être par le milieu de travail ; mais plusieurs mères, accaparées par leur vie familiale ou la double tâche n'ont pas le temps de voir leurs ami-e-s de travail en dehors du travail (à moins que ces ami-e-s soient aussi voisin-e-s).

Noyau de fréquentations et espace

Les gens à revenu plus élevé auront un espace de fréquentations plus large que ceux à faible revenu : entretenir une relation, faire des appels interurbains, voyager, cela coûte cher. Chez les gens moins riches — et souvent moins instruits — les relations à l'extérieur sont la plupart du temps des relations avec les membres de la parenté. Les gens plus riches, et ceux qui sont très instruits, quel que soit leur revenu (il y a quelques femmes séparées avec des diplômes universitaires dans des branches « molles » : philosophie, littérature, beaux-arts... qui vivent de l'aide sociale) ont plus de contacts à l'extérieur de la ville, en particulier avec des anciens amis ou des anciennes amies d'étude.

Le noyau de base des fréquentations est souvent plus proche géographiquement dans les milieux populaires. La parenté est proche, voisine. Notons que ceci risque d'être vrai dans tous les milieux, pas seulement dans la ville de Québec. Sont coupés de leur parenté, entre autres, ceux qui partent étudier en ville et qui y trouveront plus tard des emplois de techniciens ou de professionnels. Dans les milieux populaires, on étudie moins longtemps, on est moins spécialisé, le niveau de revenu d'une génération à l'autre demeure équivalent, et on demeure dans le même quartier. Pour les gens issus des milieux populaires qui étudient plus longtemps et qui n'ont pas besoin de se déraciner pour se trouver un emploi, on remarque deux trajectoires : soit qu'on est attaché à son bout de ville et qu'on s'arrange pour y demeurer via des coopératives, des copropriétés, qui permettent une mobilité sociale sans mobilité géographique, soit qu'on le quitte mais selon certains axes de migration bien précis, qui font que si on change de quartier, on le fera pour le quartier « chic » le plus proche possible... (toutes choses qui contribuent à entretenir la coupure entre la Haute-Ville et la Basse-Ville dans la capitale).

Que le noyau de base des relations soit plus près géographiquement chez les habitants des quartiers populaires ne signifie pas pour autant qu'on les reçoive tous chez soi régulièrement. Au contraire, souvent les logements sont exigus ; la parenté, la parenté élargie a besoin de lieux pour se rencontrer au complet, ce qui ne saurait se faire dans les logements de trois ou quatre pièces où habitent ses membres. On pourra alors se réunir éventuellement au chalet de l'un ou l'autre membre de la parenté, ou louer une salle pour Noël, le Jour de l'an, ou à l'occasion d'un anniversaire de mariage. On peut encore profiter d'un loisir pratiqué en groupe pour se rencontrer... ceci nous entraîne vers la section suivante, consacrée aux loisirs.

LOISIRS

C'est dans les loisirs qu'on trouve les plus grandes différences entre classes sociales ou entre sous-cultures, en ce qui concerne la sociabilité. L'habitus, selon le terme de Bourdieu, ne se révèle pas nécessairement à l'examen de la composition du réseau. Trop d'éléments interfèrent : le nombre de frères et de soeurs, la situation familiale (couple ou famille monoparentale), la distance d'avec la famille d'origine. L'influence de ces variables sur la composition du réseau est plus grande que celle du revenu ou de l'éducation.

Mais, là où l'on retrouve les classes sociales, là où les différences sont les plus manifestes, c'est en termes de loisirs et de participation à des groupes ou associations. Ici d'ailleurs, parler de « classes sociales » pourrait induire en erreur puisque la différence ne se joue pas qu'en termes de revenus, ni d'éducation formelle, scolaire. Le terme d'habitus recouvre à la fois le capital économique et le capital culturel ; pour nous il est plus éclairant, d'autant plus que les différences que nous cherchons à mettre ici en évidence se manifestent également en termes de valeurs et de ruptures culturelles qui ne recoupent pas les clivages en termes actuels de revenu ou d'éducation. Dans certains cas, le terme de sous-culture serait probablement le plus approprié. Chose certaine, *c'est dans les loisirs qu'on trouve les différences les plus marquantes entre les réseaux.*

La littérature sociologique des dernières années porte davantage sur le bénévolat ou « l'action volontaire » que sur la vie associative en général... et quand on parle d'associations, ce sont des associations formelles : clubs sportifs, comités de parents, coopératives, etc. dont on parle, mais pas d'associations informelles comme des ligues de quilles ou des ligues de balle-molle de *old-timers*, qui sont apparues dans notre enquête comme une façon privilégiée de maintenir le lien avec la parenté élargie, et dans les réseaux de type traditionnel, centrés sur cette parenté élargie, de nouer et d'entretenir des relations en dehors de la parenté.

En effet, les gens à faible revenu sont ceux qui sont les moins susceptibles d'appartenir à des groupes — autres que syndicaux — mais nombreux et nombreuses sont les joueurs de balle, de quilles, de cartes. Les classes supérieures participent à des organisations très formelles, très encadrées comme des chorales ou des clubs de tennis, de racket-ball. Mais la palme de la participation revient aux « classes moyennes ». Ainsi dans Neufchâtel, au grand total 80 % des personnes rencontrées faisaient partie soit de la coopérative soit de groupes ou associations, soit des deux. De ces associations, plusieurs sont des associations sportives informelles : balles, quilles, volley-ball.

Éloge du jeu de quilles

Nous avons prêté une oreille particulièrement attentive aux propos sur les quilles et sur la balle-molle ; ces activités sont très répandues et la vie sociale de plusieurs personnes semble tourner essentiellement autour d'elles. Il y a des gens qui ne reçoivent à peu près jamais, qui sortent peu... sauf pour aller jouer aux quilles, et même qui ne fréquentent leur parenté qu'à l'occasion des quilles.

Les chercheurs en sciences sociales, à capital culturel — et parfois aussi économique — très élevé, sont en général insensibles aux vertus du jeu de quilles qu'ils considèrent comme un loisir « quétaine » et « même pas bon pour la santé ». C'est à leur intention que nous avons rédigé cet éloge du jeu de quilles, où nous laisserons le plus possible la parole à des fervents des quilles. « *Il y a 150 personnes que je vois au moins une fois par semaine. Tout le monde se connaît, on placote* », déclare une femme. Sa grande amie de femme joue aux quilles avec elle ; c'est là qu'elles se sont connues. Sa mère fait aussi partie de la ligue, ainsi que plusieurs personnes du quartier, des amis de sa mère, le mari de son amie de femme... Elle voit peu de gens en dehors des quilles : « *Je trouve que c'est assez 150 personnes [...] Moi mes vacances, c'est quand je joue aux quilles ; l'hiver, c'est les vacances que je peux me payer. Ma mère joue aux quilles avec nous autres, c'est comme une grande famille* ». Cette année sa fête tombe un soir de quilles : « *on va aller souper après avec les gens des quilles* ».

Une autre explique : « *On joue aux quilles, on joue pas mal de soeurs aux quilles. [...] Tous les vendredis on joue aux quilles, l'hiver, avec ma mère [veuve], son chum, deux de mes soeurs. Les autres soeurs, on se téléphone. [...]* » Après la partie de quilles on va à la Brasserie X. « *Le vendredi ma mère suit avec son chum. On se rencontre là pas mal de soeurs et de frères ; un de mes frères fait de la musique, il joue à la Brasserie X de temps en temps* ». Elle est séparée. Son nouveau chum, elle l'a connu à la Brasserie X il y a un an. « *On fête tous les anniversaires [des membres de la famille] ; on fête toujours à la même brasserie. Je ne suis pas forte d'aller chez ma mère* ».

Une femme raconte l'histoire de sa soeur : « *Ma soeur est toujours ici. Elle habite dans la coop. [...] Elle vient jaser. Elle a rencontré son ami aux quilles ; c'était la première année qu'elle jouait aux quilles* ». Une autre comment elle a connu une amie aux quilles... « *Elle habite à Duberger. On a joué un an dans une ligue et puis on en a parti une ; une ligue mixte, son mari s'en occupe avec nous* ». Son frère s'occupe de la balle (en tant que *coach*) en compagnie de son *chum*. « *C'est quasiment une affaire de famille* ». Il y a une de ses soeurs qu'elle ne voit pas souvent, « *même si son mari joue à la balle avec mon chum ; elle, elle aime pas ça [la balle], on la voit pas trop souvent. Mes parents connaissent mes amis ; ils viennent à la balle eux aussi ; ils suivent partout, aux quilles* ».

On aura remarqué que dans les trois cas, la mère (et son conjoint le cas échéant) de ces femmes joue aux quilles avec ses enfants. Les quilles sont une occasion de rencontre pour la parenté et pour la famille élargie. Pour les gens peu fortunés, voilà un loisir peu dispendieux. Mais il y a plus que cela. Pour des gens qui ont peu d'argent, donc souvent de petits logements où ils pourraient difficilement recevoir leur parenté à supposer qu'ils aient les moyens financiers d'organiser une fête, les quilles sont une façon de maintenir le lien avec la parenté : les ligues sont mixtes, regroupent des gens de tous les âges. Chaque semaine la présidente ou le président de la ligue contacte tout « son monde » pour s'assurer de la présence de chacun et de chacune. S'il y a des désistements, il faut recruter. On fait alors appel en premier aux membres de la parenté, puis, à travers eux, à leurs voisins, aux amis, aux compagnons de travail. On rencontre donc aux quilles une foule (jusqu'à une centaine) de personnes chaque semaine, avec qui on est diversement lié, avec qui on peut échanger idées et services. C'est l'occasion où des réseaux de type « clan » s'ouvrent à des amis ou voisins. La partie se poursuit souvent jusqu'au restaurant du coin ou la brasserie, toujours la même, où tout le monde peut rejoindre même ceux qui n'ont pas participé à la partie.

Les équipes de balle fonctionnent selon la même logique : les équipes sont composées de beaux-frères, voisins, époux de femmes appartenant à une même « talle » de voisines ou association plus formelle (comme les Cercles de Fermières), ou de *old timers*. Les équipes sportives féminines existent également, mais sont un peu plus rares.

Ce qu'il faut retenir ici, c'est que les gens qui n'ont pas beaucoup de sous ni d'espace pour se recevoir les uns les autres, s'approprient un espace public (salle de quilles, terrain de jeu, brasserie X, etc.) à des fins de sociabilité privée : on investit alors cet espace public. Le sport n'est que le prétexte de la rencontre, système informel de maintien des relations. Jamais on n'entend de commentaire sur les quilles ou sur la balle-molle en tant que sport bon pour la santé, exercice physique intéressant ou comportant un intérêt intrinsèque, un *thrill*. Il s'agit bel et bien d'une activité sociale. On ne pratique pas ces sports avec n'importe qui, mais avec des gens qu'on aime et avec qui on souhaite maintenir le contact, comme cette ligue formée d'anciens compagnons et compagnes de travail dont l'entreprise avait fait faillite et qui font du sport ensemble pour ne pas se perdre de vue.

À mesure qu'on s'élève dans l'échelle des revenus, ce qu'on recherche dans le sport, c'est de plus en plus la forme physique. On ne pratique plus les mêmes activités ; on retrouve plutôt le jogging, l'équitation, le racket-ball ou le tennis, sports individuels ou qui se pratiquent à deux (parfois on peut s'inscrire individuellement dans un club qui se charge de trouver des partenaires, d'organiser une rotation de partenaires et des les assortir selon leur « force » respective) et dans des lieux réservés, des espaces privés (clubs) avec une infrastructure ou une organisation matérielle plus complexe et formelle. On n'y rencontre plus la parenté élargie, mais le milieu professionnel.

Groupes et bénévolat

Les associations sportives, formelles et informelles contribuent à la sociabilité plus que les groupes ou associations à caractère militant. Les amis connus dans ces derniers groupes et associations appartiennent en propre au membre du groupe et ne semblent pas « transférables » à son éventuel conjoint ; ils ne se rendent qu'exceptionnellement des visites. On prend souvent une bière ou un café après une réunion mais les amis connus par des groupes viennent rarement en contact avec la famille. D'ailleurs plusieurs des gens très impliqués dans des groupes sont des personnes seules ou qui n'ont pas en permanence la charge de leurs enfants. Selon une phrase célèbre qui circulait il y a quelques années dans le *Rézo* des coopératives d'alimentation saine du Québec : « *Pour s'impliquer dans le Rézo, il faut être célibataire et sans enfants* ».

Le bénévolat est apparu chez plusieurs personnes comme une forme de loisir... qui n'en est pas un. Pour faire du bénévolat, il faut disposer de temps de loisir, c'est évident. D'autre part, pour peu qu'on s'y implique, il apparaît vite comme un travail non rémunéré et très accaparant. Souvent se manifeste une insatisfaction, un essoufflement chez des gens très impliqués, qui sentent que leur implication nuit à leur vie privée, sape toutes leurs énergies. Le bénévolat est vu dans bien des cas non pas comme une source de sociabilité, mais comme une entrave à la sociabilité ; on rencontre beaucoup de gens, mais les relations qu'on noue sont des relations « d'affaires » et le temps qu'on consacre à ces activités c'est autant de temps qu'on ne consacre pas à sa famille, à ses amis. Il ne s'agit pas d'une relation aussi gratuite que le sport, pratiquée pour le plaisir, tout simplement. Et si on persiste dans le bénévolat, c'est certainement qu'on croit à la cause, quelle qu'elle soit, qu'on a envie de changer le monde, qu'on se sente ainsi utile socialement, ou qu'on n'ait absolument pas d'autre réseau.

Une sociabilité invisible

En termes de vie de quartier, le bingo d'une part, les cafés et les bars de l'autre, servent un peu la même fonction de sociabilité, mais pour des populations différentes. Voilà deux endroits où l'on se rend avec un-e ou deux ami-e-s ou membres de la parenté, où l'on rencontre des habitué-e-s et où l'on dépense joyeusement des sous, mais pas trop. « *De temps en temps, je vais faire un tour au bingo. C'est encore du monde que je vois. C'est pas du monde que je connais pour [...] mais du monde que je vois là. Quand on arrive on s'asseoit ensemble pour parler* ».

Il faut en terminant souligner le rôle peu visible mais crucial d'associations informelles jouissant de peu de considération sociale comme les quilles ou le bingo dans la vie de quartier et de famille, et ne pas sous-estimer les échanges de différente nature qui peuvent y être liés.

ÉCHANGES

Les réseaux, qu'ils soient plus ou moins étendus, plus ou moins traditionnels, sont tous traversés d'échanges : échanges de services, de biens, de conseils. Un réseau ne saurait reposer uniquement sur des échanges à moins de se transformer explicitement en réseau marchand ou en réseau de services bénévoles. Néanmoins, un réseau où ne foisonnent pas des échanges de toutes sortes, qui serait purement « social » ou « mondain », s'épuise vite ; les rencontres y deviennent formelles, moins intenses. On disait ci-dessus que les réseaux sont traversés d'échanges, il serait plus juste de dire que les échanges tissent le réseau.

La sociabilité a souvent besoin du prétexte de l'échange. La question : qui avez-vous vu et à quelle occasion? révèle plus souvent qu'autrement un service, un échange « derrière » la rencontre. Mais cet échange, s'il en est le prétexte, n'englobe pas la rencontre qui se prolonge bien au-delà du temps nécessité par l'échange en tant que tel, en un café, un repas, une soirée. On peut bien « arrêter en passant », mais on en « profite pour »... ou « on venait pour » et « tant qu'à y être, on reste un peu ». La gamme des services et des échanges est très étendue : cela va d'une menue réparation, à un conseil, à un prêt d'outil, au gardiennage. Les rencontres liées à des échanges se produisent en dehors des occasions formelles comme les anniversaires ou les fêtes à caractère religieux comme Noël ou Pâques. Plus spontanées, elles alimentent la relation, augmentent la fréquence des fréquentations et la gamme des sujets de conversation. Le syndrome de la ménagère qui s'ennuie, se repère surtout chez les plus fortunées, celles qui ont les moyens de se payer des gardiennes ou des réparations et qui n'ont pas besoin de créer des liens avec des voisines ou de relancer leurs soeurs ou leurs belles-soeurs pour échanger.

Les rencontres à Noël, au Jour de l'an et aux anniversaires sont les dernières qu'on abandonne quand le lien avec la parenté se distend ; cela devient parfois un rituel vidé de sens, à moins que ce ne soit la distance géographique qui empêche la fréquence des rencontres. Dans ce cas, la rencontre, bien que limitée, peut rester aussi intense. Les rencontres du temps des fêtes deviennent parfois de simples rituels : il faut y être même si on n'a plus rien à se dire. C'est un peu comme le couple qui invite une fois par année le patron d'un des deux conjoints : il s'agit souvent d'un rituel de politesse, presque de bienséance, qui peut être fort agréable en plus d'aider au bon climat de travail, mais qui n'a rien à voir avec une relation d'amitié.

Si les *partys* du temps des fêtes sont les derniers qu'on laisse tomber quand pour une raison ou l'autre on s'éloigne de sa famille, l'introduction d'amis à ces *partys* indique qu'il s'agit d'amis très proches puisqu'ils arrivent à détrôner la famille dans son lien le plus résistant, à briser le « maillon le plus fort » du réseau familial.

Un réseau se cimente grâce aux échanges. Allons-y voir de plus près.

Échanges et proximité

On commence toujours par échanger avec les gens les plus près de soi. Avec ceux près physiquement, on peut échanger des biens, des menus services ; avec ceux près affectivement, on échange des conseils et des grands services.

Il semble que l'échange soit plus lié à la proximité affective qu'à la distance géographique. Plus il s'agit d'un bien ou d'un service « rare », plus il vient de « proche ». Autrement dit, c'est seulement à des gens très proches affectivement qu'on peut faire appel en cas grave. On parle des « proches » de quelqu'un pour désigner la parenté immédiate et ses amis les plus intimes. C'est à eux qu'on a recours en tout premier lieu. (Attention, on ne doit pas confondre gravité et urgence. En cas d'urgence, on va au plus proche géographiquement, on frappe à la porte voisine ; si la situation se prolonge, si la vie quotidienne est perturbée, alors on fait appel à sa mère, à sa soeur, à sa meilleure amie...)

Ainsi les vêtements d'enfants peuvent venir de très « loin » ; on peut en recevoir de gens qu'on ne connaît pas ou à peine et leur en donner par personne interposée : une cousine des « États », l'amie d'une voisine. Il faut bien sûr avoir des enfants d'âge compatible ; quand il n'y en a pas dans l'entourage immédiat, on passe par des relais, on active des liens « lâches »... avec la fameuse cousine des « États » par exemple.

Par opposition, ce qui doit venir du plus « proche », c'est l'argent. On n'emprunte qu'à des gens *très très* proches, généralement à ses parents ou à ses frères ou soeurs. Ce n'est qu'une fois les recours familiaux épuisés qu'on va voir des amis, des collègues « en moyens ». (On ne parle pas ici du « dix » ou du « vingt » qu'on emprunte à un copain de travail ou à un voisin parce qu'on n'a pas « sorti » assez de sous pour la fin de semaine.) Une personne à qui on emprunte et qui n'est pas de la parenté est soit quelqu'un à qui on voue respect et considération — un patron, un collègue senior — ou un ami très intime, un quasi-membre de la famille, parfois un ex-conjoint avec qui on est resté en bons termes.

Il y a des échanges intermédiaires, comme venir prendre soin des enfants pendant une maladie ou une hospitalisation du ou d'un parent. Ici on fait appel à des gens « proches », mais disponibles. Il peut s'agir de la mère ou de la soeur qui vient prêter main-forte, si elles ne sont pas trop éloignées géographiquement et si leurs propres responsabilités familiales ne les accaparent pas trop et si leur santé leur permet. Parfois donc on doit avoir recours à une amie ou à une voisine ; la personne qui se déplace ainsi est souvent la grande amie de femme ou du moins une grande amie. Plus elle vient de loin géographiquement, plus c'est une « grande », une « vraie » amie.

Ce qui précède concernait la proximité affective. Il y a aussi des services et des échanges qui sont liés à la proximité géographique. Ce ne sont pas les mêmes.

La première chose qu'on échange entre voisins, c'est la garde d'enfants. Les enfants se font rapidement des amis chez qui ils veulent souper, écouter la télévision ou coucher. Presque tous les parents ont déjà gardé des enfants du voisinage avec qui leur-s enfant-s joue-nt. C'est l'échange minimal. Les parents peuvent très bien ne pas voisiner, mais les enfants, eux, le font, et « forcent » leurs parents à entrer en contact avec d'autres parents. Presque toutes les femmes au foyer ont déjà gardé l'enfant d'une voisine — ou d'une amie — qui travaille à temps plein ou à temps partiel ; presque toutes les femmes qui travaillent et dont les enfants ne vont pas en garderie, ont comme gardienne une voisine. Même les femmes sur le marché du travail gardent à souper ou à coucher les amis de leurs enfants. On parle ici des femmes, car ce sont surtout elles qui « gèrent » la circulation des enfants.

Les hommes, quant à eux, vont nouer d'autres types de relations avec leurs voisins. Ce sont des outils qu'on s'échange ; on s'entraide pour de menus travaux ou des corvées s'il s'agit de propriétaires.

Les relations entre voisins peuvent s'en tenir à du bon voisinage ou déborder sur d'autres types de liens. Mais il est important de noter qu'elles sont présentes chez tous les gens qui ont des enfants... Il n'en tient qu'aux parents de les activer plus ou moins, de les entretenir, de les cultiver ou de les négliger.

Le lieu de l'échange : la maisonnée

Si comme on le mentionnait plus haut, la sociabilité s'épanouit en des lieux privilégiés, il en est de même de l'échange qui s'effectue dans la maisonnée, c'est-à-dire le logement proprement dit, ainsi que ses « dépendances », c'est-à-dire la cour ou le balcon, le cas échéant. Plusieurs personnes font la distinction entre deux sortes de fréquentations : les gens pour qui la porte est toujours ouverte, ceux qu'on peut accueillir en tout temps, et ceux qu'on reçoit sur invitation seulement. Cette partition correspond plus ou moins à celle entre les relations « mondaines » *versus* celles qui se tissent de plusieurs échanges, le tout étant modulé bien sûr par différentes contraintes ; ainsi une femme sur le marché du travail à temps plein incluera possiblement moins de gens dans sa catégorie « amis-porte-ouverte » qu'une ménagère, quoi que cela ne soit pas vrai dans tous les cas. Gare aux généralisations trop rapides.

Dans plusieurs réseaux, il y a des pôles, des personnes clés dont la porte est toujours ouverte à « tout le monde » qui deviennent un lieu de rencontre pour les autres personnes du réseau, un relais dans l'échange de biens et de services. Comme une relative « permanence », une présence régulière dans la maisonnée favorise l'émergence de pôles, ce sera souvent le fait de femmes au foyer ou de grand-mères retraitées, *mais pas tout le temps* ; il peut s'agir tout aussi bien d'un divorcé remarié qui accueille ses enfants les fins de semaine seulement.

Portrait de la ménagère heureuse

On sait que les tâches domestiques ne sont pas toujours enrichissantes et valorisantes et que les mères au foyer sont susceptibles de s'ennuyer dans leur cuisine. Et presque toutes les femmes au foyer que nous avons rencontrées nous ont raconté à quel point elles appréciaient une sortie, qu'il s'agisse de magasinage ou d'aller prendre un café chez une amie ou une voisine, simplement pour changer d'air et de décor. Cependant, cela ne veut pas dire qu'elles se sentent nécessairement toutes aliénées dans leur rôle de mère. La *job* de mère a ses hauts et ses bas, mais ici ce qui doit nous mettre la puce à l'oreille c'est que le marché du travail a aussi ses hauts et ses bas. S'il aliène l'homme, comme l'a bien montré l'analyse marxiste, il aliène également les femmes, d'autant plus que celles-ci sont souvent aux prises avec la double tâche... et que la situation des femmes sur le marché du travail n'est pas non plus toujours valorisante et enrichissante : emplois dans les services, dans certains ghettos d'emplois où les femmes jouent sur le marché du travail leur rôle de mère ou d'éducatrice à plus large échelle. Double tâche à laquelle ne peuvent pas échapper les mères seules, et même certaines vivant avec leur conjoint : il faut aller chercher et reconduire les enfants chez la gardienne ou à la garderie, tenir maison, faire les courses, s'occuper des enfants... ce qui au bout de la ligne devient essoufflant. C'est ainsi que les femmes avec de jeunes enfants qui sont sur le marché du travail, auront souvent une vie sociale assez réduite ; de plus ce n'est que très exceptionnellement qu'elles fréquenteront des amis ou des amies de travail en dehors des lieux de travail. De plus, ainsi qu'une de nos interlocutrices le soulignait, travailler au salaire minimum quand on a des enfants, ça ne vaut pas toujours la peine... même au point de vue financier, quand on calcule les frais de gardienne, de transport, etc. Alors, tant qu'à faire une « job plate » et être toujours à la course, parfois on préfère rester à la maison, du moins tant que les enfants sont petits.

Plusieurs femmes ne se verraient pas dans un rôle de ménagère à temps plein et sont heureuses de travailler à l'extérieur, mais ce n'est pas le cas de toutes et il faudrait probablement étudier la corrélation de cela avec le type d'emploi auquel on peut prétendre d'après sa formation et son expérience... On rencontre donc des ménagères heureuses, parfois un peu gênées de l'avouer, car elles ont l'impression de ne pas être à la mode, et on a tenté d'en dégager ici le portrait type.

Bien sûr, ce sont des femmes qui aiment les enfants ! Elles ont souvent commencé jeunes à garder des enfants. Leur maison est toujours ouverte, leur frigidaire est toujours « plein » : on est toujours prêt à accueillir quelqu'un à la dernière minute, à ajouter un couvert selon le principe que « *s'il y en a pour quatre, il y en a pour cinq* ». Cette prédisposition à garder ses portes ouvertes semble héréditaire. Ainsi le seul homme au foyer que nous avons rencontré qui n'était pas un chômeur, mais un père au foyer « volontaire », qui a choisi de s'occuper de son enfant, raconte que chez lui les portes sont toujours ouvertes :

Ici [...] mon fils amène des amis tout le temps. Chez nous quand j'étais jeune, c'était une maison ouverte. À Ste-Foy, c'était la seule maison où les enfants pouvaient aller jouer. Dans le fond, tu fais, tu reproduis des comportements. Les parents te passent des comportements, des fois inconsciemment, mais celui-là je le fais consciemment. C'est ben l'fun.

Garder ainsi ses portes ouvertes, fait qu'on devient rapidement un pivot de réseau, un pôle de la vie de famille et/ou de quartier : on se retrouve au milieu d'un réseau d'échange de nouvelles, de biens et de services, un peu comme des *dispatchers*. Ces ménagères aux portes ouvertes sont bien intégrées dans leur quartier où elles ont de la parenté ou des amies parmi les voisines. Leur maison est pleine d'enfants dont on tolère le bruit et le va-et-vient — compliquant parfois la transcription d'entrevues réalisées à travers un bruit de fond de jeux enfantins... Souvent, au sens de la « mère traditionnelle » elles ne définissent pas leur bonheur seulement en termes d'épanouissement personnel, mais aussi en termes de bonheur, de gaieté de communication dans la maisonnée. On pourrait les qualifier « d'altruistes » ce qui ne veut pas dire pour autant qu'elles se négligent. Qu'elles s'identifient au bonheur et à la gaieté de la maisonnée, ne veut pas dire non plus qu'elles n'en sortent jamais et ne se préoccupent pas du reste de l'univers.

Ce qui est le plus surprenant quand on trace le portrait de cette ménagère heureuse, c'est qu'elle n'a pas ou peu besoin d'un homme dans sa vie ! S'il est là, tant mieux, mais qu'il ne devienne pas trop envahissant, qu'il lui laisse sa marge de manoeuvre dans la maisonnée. Elle ne s'identifie pas à un couple, ne se considère pas comme une moitié de couple ! Un cas extrême que nous avons rencontré est celui d'une femme séparée, qui garde des enfants chez elle. Elle a un *chum steady*, marié, qu'elle ne voit pas souvent. Elle dit qu'ainsi elle ne se sent « pas dans une cage ». C'est le cas extrême du modèle typique qui veut que la maisonnée soit le territoire des femmes, qu'elles aient le contrôle de la sphère domestique. C'est ainsi que l'on entend souvent les gens dire « *je vais chez maman* » quand il vont rendre visite à leurs parents.

Par opposition à la ménagère heureuse, celle qui a le plus de chances d'être malheureuse, c'est celle qui se considère comme une moitié de couple ! Celle qui définit la famille comme la famille nucléaire, qui mise beaucoup sur sa relation de couple et qui souvent se retrouve dans un milieu assez aisé. Ou celle qui est encore dans le deuil d'une séparation qu'elle n'a pas choisie, pas assumée. Les femmes qui viennent de se séparer vivent souvent un repli, qui peut durer de quelques semaines à quelques années, avant de redémarrer. Il s'agit souvent d'une période très difficile, qui laisse des souvenirs amers ; mais ce n'est pas la situation de femme au foyer qui est en cause ici, mais plutôt la séparation récente qui s'accompagne souvent de problèmes financiers.

Une dernière précision : la ménagère heureuse n'est pas nécessairement sous-scolarisée, elle peut avoir un diplôme universitaire, mais peut quand même trouver la maisonnée un lieu de vie plus épanouissant que le marché du travail !

Les échanges, les réseaux : une affaire de femmes

De ce qui précède, faut-il conclure que la sociabilité et l'échange sont avant tout des affaires de femmes ? Non ! Et il ne faudrait surtout pas nous faire dire que toutes les femmes au foyer sont heureuses !

Pour avoir une maison ouverte, il faut être intégré dans un quartier, dans un réseau. Ici joue un processus de *feed-back* positif... Mais les gens qui arrivent dans une ville ou un quartier éloigné de leur quartier d'origine, qui n'y ont pas de réseau et/ou dont tous les membres féminins du réseau travaillent à l'extérieur ne peuvent, même s'ils le veulent, adhérer à ce modèle de ménagère heureuse. Ainsi une femme à Québec depuis moins d'un an déclare « *quand je ne travaillais pas, je ne voyais personne* » alors qu'une autre, bien intégrée dans « un village en ville » dira « *depuis que ma belle-soeur travaille, on ne se voit plus* ».

La situation des femmes au foyer est loin d'être vécue par toutes de la même façon. À noter qu'il s'agit de plus en plus dans l'esprit — et dans les statistiques — d'une situation transitoire, liée à l'âge des enfants et qui est peut-être d'autant plus appréciée par certaines à cause de son caractère transitoire.

Sens des échanges

On a parlé des échanges, mais pas encore du sens dans lequel ils s'effectuent. Les échanges ne sont pas toujours réciproques et symétriques. L'échange est réciproque entre égaux ; les gens qui donnent le plus sont souvent en position de supériorité dans la relation, cela est connu depuis longtemps.

Quand on considère les réseaux familiaux, on remarque que le sens des échanges s'inverse dans le temps. Quand les enfants sont jeunes, les parents leur donnent « tout » ; les activités des parents s'organisent beaucoup en fonction des activités des enfants, de leurs sports, du rythme scolaire. À mesure que les enfants grandissent, ils ne veulent plus suivre ; les parents peuvent et doivent réorienter leurs activités et leur réseau, et parfois sont un peu désemparés à l'heure de cette réorganisation qui implique une redéfinition de leur rôle ; la mère redevient femme avant mère, rôle qu'elle avait parfois oublié...

À mesure que les parents vieillissent, car ils n'y échappent pas eux non plus, leur santé s'affaiblit, leur énergie diminue. Les enfants adultes prennent soin de leurs vieux parents ; on les couve, on les dorlote. Ce ne sont pas tous les adultes qui s'occupent ainsi de leurs parents âgés, ceux qui le font évoquent parfois — pas toujours — une relation aussi accaparante que le soin de jeunes enfants. Ce peut être le sens du devoir qui prime ; on voit ses parents parce qu'ils sont devenus grands-parents et qu'on veut leur faire la joie de voir leurs petits-enfants, même si on n'a pas grand-chose à leur dire par ailleurs.

De « jeunes » parents vont compter souvent sur l'aide de « jeunes » grands-parents pour du gardiennage, des conseils, mais à mesure que les grands-parents prennent de l'âge, on les ménage de plus en plus. On fait désormais appel plus souvent aux soeurs et aux belles-soeurs et on filtre les nouvelles pour ne pas leur causer de soucis.

On parlait tout à l'heure de femmes au foyer qui deviennent des pivots de réseau. Leur présence à la maison leur permet d'offrir certains services, de participer à plus d'échanges. Elles n'attendent pas de totale réciprocité de la part de celles qui sont sur le marché du travail cependant, si elles ont le sentiment qu'on abuse d'elles, que leur tour revient vraiment trop souvent, elles s'aigrissent... Pour qu'une ménagère soit heureuse, il faut qu'elle soit entourée de ménagères heureuses...

Conclusion : vie et mort de la famille et des réseaux

Des réseaux naissent et meurent, des relations changent, s'éteignent, de nouvelles se mettent en place. Les changements dans les réseaux peuvent être liés à des ruptures amoureuses, à des déménagements, au retour aux études, à des chicanes de famille. Il s'agit d'un processus complexe qui se déploie dans l'espace et le temps ; il ne faut pas chercher de causes ou d'effets ponctuels, clairement identifiables. Ces changements peuvent être subis ou souhaités. On peut avoir l'impression de tourner en rond et avoir envie de faire de nouvelles choses avec du nouveau monde ; on peut avoir envie d'échapper à l'emprise d'un groupe, à son regard, à ses valeurs et à ses jugements. Si ne pas avoir de réseau, c'est risquer de s'ennuyer ou de se retrouver démuni en cas de pépin, certains réseaux, par la pression normative et intégratrice qu'ils exercent sur leurs membres peuvent entraver leur épanouissement. C'est ainsi que certains cherchent à mettre une distance géographique entre leur famille d'origine et eux, entre leur région natale et leur lieu de vie et de travail. Mais « abandonner » de la sorte un réseau, c'est presque automatiquement s'en reconstruire un nouveau sur une base différente et qui favorisera, espère-t-on, son propre épanouissement, son autonomie. « *La famille juge, les amis jugent pas* ».

On a rencontré quelques personnes en période de redéfinition de réseau. Presque toujours cette restructuration des relations était liée à un déménagement (et il serait vain de se demander s'il s'agit d'une cause ou d'un effet), ne serait-ce qu'à quelques coins de rues. Les tactiques de création de réseau sont très diversifiées, mais on commence souvent par créer des liens dans le voisinage, ou bien on s'installe dans un voisinage où on a déjà des relations qu'on « activera ». Quand on change de région et qu'on atterrit dans une nouvelle ville, on active tous les liens familiaux potentiels en commençant par les plus près : les frères et les soeurs, les cousins et les cousines, les oncles et les tantes éventuellement. Ces liens de départ qui aident l'intégration sont susceptibles d'être « désactivés », négligés quand on s'est créé un réseau dans le voisinage immédiat, dans son milieu de travail. Les activités sportives semblent être une bonne « source » d'amis, alors que le militantisme et le bénévolat, s'ils font rencontrer une foule de gens ne débouchent pas systématiquement sur des amitiés.

Changer de réseau, ce n'est pas nécessairement en changer la composition, y ajouter de nouvelles personnes, c'est parfois davantage un rebrassage de cartes : on se met à voir plus fréquemment certaines personnes et moins d'autres. Ainsi le lien avec la parenté n'est que très rarement coupé même s'il est souvent difficile. Les chicanes de famille quand elles éclatent peuvent prendre prétexte de valeurs religieuses avec lesquelles les plus jeunes veulent rompre, d'histoires d'argent, d'héritages ou de copropriétés qui tournent mal. Sans qu'il y ait chicane de famille, il peut y avoir tension quand il y a des problèmes d'alcoolisme par exemple. Plus simplement, au décès des parents et surtout de la mère, les rencontres entre frères et soeurs s'espacent, chacun formant désormais sa propre cellule familiale avec ses enfants et même ses petits-enfants : on ne va plus chez sa mère, ce sont les grands enfants qui viennent rendre visite... La vie roule et déroule ses cycles...

QUI SORT DU MODÈLE « TRADITIONNEL » ?

Sortent du réseau « traditionnel » ceux et celles qui sont coupés géographiquement de leur famille d'origine et qui doivent se donner sur place un réseau d'échange de biens et de services; souvent la parenté continue à tenir une place privilégiée « dans son coeur », mais on ne peut plus compter sur elle pour garder un enfant à la dernière minute, se confier, aller faire un tour pour se changer un peu les idées, demander un conseil financier ou culinaire. Il semble qu'on ne puisse pas dissocier clairement le réseau d'échange de biens et de services du réseau « affectif ». Proximité effective et affective se court-circuitent et se renforcent mutuellement. À force d'échanger des services avec une voisine, insensiblement et inconsciemment, on crée un lien qui survivra à un déménagement.

Par ailleurs, il est clair que les familles monoparentales n'ont pas le même type de réseau que les couples ; elles ont tendance à se fréquenter davantage entre elles, à s'épauler, à se remonter le moral les unes les autres dans les moments difficiles, à s'échanger biens et services, à sortir ensemble. Mais il faut regarder « plus finement » ce qui se passe. Dans les réseaux de type « traditionnel » comme à Saint-Sauveur ou à Saint-François d'Assise, les familles monoparentales s'intègrent au réseau « familial » et communautaire, au clan. Il y avait toujours eu une « place » pour elles : celle des veuves ou des femmes au mari absent (celui qui travaillait à l'extérieur ou celui qui traînait à la taverne plus souvent que chez lui), de sorte que si les familles monoparentales ont tendance à se fréquenter entre elles, elles ne sont pas exclues de leurs anciens réseaux après une séparation ou un veuvage (relations centrées souvent autour de la parenté). Dans les réseaux qualifiés de « nouveaux » les familles monoparentales sont nombreuses et passent plus ou moins inaperçues puisque les gens y sont considérés avant tout comme des individus et non comme des « moitiés de couple ».

Si le réseau est construit sur et dans la parenté élargie, les femmes et les hommes seuls y ont une place, tout comme si le réseau se tramait à partir d'individus. Là où les familles monoparentales ne s'intègrent pas, c'est dans l'univers des couples, celui des gens plus aisés, on serait tenté de dire celui de la classe moyenne, la rupture les catapultant bon gré mal gré dans un autre type de réseau. Si un couple se reforme, on ne retourne plus dans l'univers des couples, on y est en porte-à-faux puisqu'on a déjà vécu un processus d'autonomie, ou du moins amorcé un processus d'autonomisation.

On vient de parler des « nouveaux » réseaux comme construits à partir des individus et non plus de la parenté élargie ou du couple. On a l'impression à première vue d'un processus de déstructuration croissante des réseaux, de l'identité de membres du réseau ; par ailleurs, comme on l'a dit, ces « nouveaux » réseaux présentent de nombreuses analogies avec les réseaux de type clan, autrement dit du modèle de la famille urbaine d'autrefois. Au point que l'on se demande parfois s'il ne s'agit pas d'un même *pattern* de relations appliqué à des gens différents à cause de contraintes « externes », géographiques et surtout démographiques. Et puis ce qu'on a tendance à oublier, c'est que les divorces et les séparations ne frappent pas que la génération des parents, mais aussi celle des grands-parents ! Autrefois, on parlait du « premier lit », du deuxième, etc. des veufs et des veuves remariés. Maintenant, on parle des « ex »... Et si les relations familiales des personnes remariées semblent parfois très complexes de l'extérieur, les gens qui vivent ces relations — et en particulier les enfants — s'y retrouvent très bien et ne vivent pas nécessairement la relation comme douloureuse et conflictuelle.

Les changements démographiques les plus manifestes sont, bien sûr, ceux qui concernent la taille des familles, le nombre d'enfants par famille. Par moments, le sentiment d'observer et de décrire des comportements à la toute veille de disparaître nous a animés d'un sentiment d'urgence semblable à celui de ces anthropologues cherchant à recueillir le témoignage du « dernier des Mohicans » ou des « Bororos »...

Ainsi, dans les familles nombreuses, il se forme des sous-groupes de frères et soeurs ayant des affinités particulières ; en cas de brouille, on a d'autres frères ou soeurs vers qui se tourner ; dans 30 ans, en cas de brouille entre soeurs, il n'est pas évident qu'on pourra se tourner vers une autre... il n'est même pas évident qu'on ait une soeur avec qui se chicaner... Ces affinités ou atomes crochus existent — ou non — entre frères et soeurs quel que soit leur nombre. On observe ainsi des soeurs qui ne sont que deux et qui sont très liées l'une à l'autre, même si elles résident dans des villes différentes ; on a l'impression qu'elles sont d'autant plus unies et solidaires qu'elles ne sont que deux (ceci s'observe aussi bien sûr entre frère et soeur ou entre deux frères). Par ailleurs, si on n'a qu'une soeur ou un frère et qu'on n'a pas d'atome crochu... les relations s'espaceront rapidement pour disparaître avec le décès des parents, la rencontre devenant purement rituelle et vidée de sens. Dans les familles de deux enfants la relation entre enfants serait du genre « tout ou rien » : ou les deux enfants restent très unis en vieillissant, ou s'installe une relation rituelle médiatisée par les parents. Simple hypothèse qu'il resterait à vérifier.

En ce qui concerne la taille des familles, il est remarquable qu'on rencontre le plus de « petites » familles aux deux pôles socio-économiques, aux extrêmes. La forte proportion de gens provenant de « petites » familles et qui en sont « coupés » dans des quartiers comme Saint-Louis-de-France et Maria Goretti suggère un lien entre la taille de la famille d'origine et la classe sociale, ou entre taille de famille d'origine et mobilité sociale... on pousserait davantage ses enfants aux études s'ils sont moins nombreux, même si cela entraîne un éloignement géographique. On n'a par ailleurs rencontré aucun enfant unique — dans la génération des parents — dans le quartier Saint-Sauveur ; s'il y en a eu, ils ont quitté le quartier... Dans Saint-Roch, cependant, quartier défavorisé *et* déstructuré en termes d'habitat et de tissu communautaire, on en a rencontré plusieurs ayant été adoptés plus ou moins formellement par des membres de la parenté élargie, et ce dans une proportion nettement plus forte que dans les autres quartiers. Le pattern ici serait plutôt celui de gens « mal pris », trop mal pris pour mettre au monde plusieurs enfants, ou n'en ayant mis au monde que peu et n'ayant pas pu leur donner « un élan » dans la vie. La taille des familles rapetissant dans tout le Québec, on « investit » davantage sur chaque enfant, on attend beaucoup de lui.

SE RECRÉER UNE FAMILLE ?

Les gens qui n'ont pas de « capital familial » pour parler à la Bourdieu, n'auront-ils pas tendance à s'en donner un ? Les valeurs familiales sont encore très fortes même si elles se sont transformées, même si elles sont véhiculées par des familles nucléaires coupées de leur famille élargie, même si elles sont vécues dans des familles monoparentales. On entend des « professions de foi en la famille » de la part de gens qui semblaient très éloignés dans leur vécu de la « vie de famille traditionnelle ».

La famille reste une valeur importante... Mais qu'est-ce que la famille ? Parfois clan, parfois noyau, parfois outrepassant les liens du sang, parfois survivant à la rupture amoureuse... *La* famille n'existe plus — à supposer qu'elle ait déjà existé — on en trouve plusieurs versions. Si on cherche une définition de la famille, comme on l'a dit au tout début de cette démarche, il est impossible d'en donner une autre que « un ou des adultes vivant avec un ou des enfants »... Cependant, on peut caractériser la famille autrement que par une définition formelle.

La famille, lieu privilégié des échanges. Ces échanges peuvent se faire entre membres du groupe familial : la communication, l'apprentissage, la socialisation, le contrôle social... mais aussi, ils peuvent se nouer entre différentes unités familiales. On ne peut dissocier conceptuellement, la proximité affective et la proximité géographique ; l'affection, l'amour qu'on ressent pour quelqu'un, les échanges de toutes sortes qui s'établissent avec cette personne. La famille est un lieu « d'obligation ». On « doit » assistance à sa famille, ce qui ne va pas sans poser des problèmes de logistiques quand la famille rapetisse ou s'éparpille. Quand on n'est que deux enfants à s'occuper de parents vieillissants et lointains géographiquement, le tour de chacun revient vite ! Mais, même quand on ne s'entend pas très bien avec un membre de la famille, même si on ne se voit que très rarement, cela n'empêche pas le lien familial de se réactiver au moment où survient un cas grave.

En ce sens, établir de nouveaux liens où proximité affective et effective se court-circuitent, n'est-ce pas non seulement se faire des amis, « s'épanouir » personnellement, mais aussi se recréer des obligations ? L'identité se pose en s'opposant, dit-on et l'autonomie ne s'acquiert qu'à travers un réseau relationnel. La famille est par définition le premier groupe d'appartenance, le premier lieu de définition de l'identité. On est « obligé » par les relations d'échanges diverses qui se nouent dans les familles. Le dictionnaire ne nous dit-il pas : « obligé : attaché, lié (par un service rendu) ; voir reconnaissant, redevable ». « Attacher (quelqu'un) par une obligation en rendant service, en faisant plaisir ; voir aider, secourir ».

On rend service et on fait plaisir. On se fait plaisir. L'échange n'est jamais qu'utilitaire, il entretient la relation, maintient le lien. On revient ici à des considérations très semblables à celles que Marcel Mauss développe dans son classique « Essai sur le don » [1], sur l'entrecroisement de l'échange matériel et de l'échange symbolique. Dans la famille, les liens sont intenses et fréquents ; la proximité devient cause et effet des liens.

On ne se surprendra pas d'après ce qui précède, que des gens qui n'ont pas de famille tendent à s'en donner une grâce à des amis, souvent des amis qui résident à proximité. Si la maisonnée est le lieu de la famille, le voisinage est celui de la famille élargie, et les « bons voisins » peuvent facilement être intégrés sous le mode familial. Quand on est ami avec ses voisins, il n'est pas rare que ceux-ci connaissent la famille élargie.

Les réseaux « clans » s'appuient essentiellement sur la parenté et on va chercher ses « meilleurs amis » souvent parmi ses frères et soeurs et ce, d'autant plus facilement que la famille est nombreuse et que l'on est moins scolarisé. Mais il n'est pas — ou plus — exact de dire que ce ne sont que des « bourgeois » qui ont des amis en dehors de la famille et qui fréquentent des voisins. D'ailleurs, dans les quartiers plus aisés, on fréquente des voisins... du quartier, pas nécessairement ceux de la porte à côté comme c'est le cas dans les milieux plus modestes.

Le voisinage, et le voisinage immédiat, prend davantage d'importance dans « la classe moyenne ». C'est dans le voisinage immédiat que se nouent des relations intenses. On a parlé uniquement des familles ; les célibataires auraient probablement mis davantage d'emphase sur le travail et les loisirs. Dans la vie de voisinage, les enfants sont les principaux agents de liaison. Et en ce sens, on ne s'établit pas au hasard dans la ville ; on remarque une autosélection ; on choisit sa demeure beaucoup en fonction de la vie de quartier et de famille dont on a envie et on déménagera quand le quartier ne correspond plus à son mode de sociabilité.

Si les valeurs familiales ne sont pas nécessairement en perte de vitesse, leur définition même se transforme, les pratiques que ces valeurs engendrent se transforment sous la pression démographique. Un lieu important où les gens qui ont des enfants créent des liens en dehors de la parenté est le voisinage immédiat. La sociabilité actuelle repose en grande partie sur la fécondité des grand-mères. Le modèle traditionnel perdra donc sa place prépondérante au cours des prochaines années. Mais la solution de rechange existe. On n'est pas coincés entre la famille élargie et la solitude.

ET LA DÉSINSTITUTIONNALISATION ?

On ne peut se contenter de ce mot de la fin, plutôt optimiste quant à l'existence de réseaux et à la création de nouveaux.

Au cours des années, les familles et les réseaux ont évolué, mais les moments de transformation n'ont pas été ceux qu'on aurait pu croire à priori. Ainsi, le passage du rural à l'urbain n'a pas correspondu au passage d'une famille « traditionnelle » à une famille « moderne ». Celle-ci a été davantage amenée par l'apparition des paiements de transfert qui ont, non seulement permis aux défavorisés de toutes sortes de survivre même indépendamment de tout support familial, mais aussi libéré les familles de certaines obligations envers les malades, les chômeurs, les orphelins, les personnes âgées. La participation croissante des femmes — de toutes les classes sociales — au marché du travail bouleverse les rôles sexuels traditionnels, oblige un (relatif) partage des tâches, domestiques et sociales. Plusieurs femmes jouissant d'une autonomie financière, rompent avec un époux auquel plus aucun lien ne les unit. De plus en plus, on n'a que les enfants que l'on veut.

Bref, ce qui cimente les relations familiales, les relations de couples et les relations entre les parents et les enfants, ce n'est plus un ensemble de droits et de devoirs, mais beaucoup plus l'amour. On choisit désormais beaucoup plus librement qu'autrefois les gens avec qui l'on vit et le type de relations qu'on entretient avec eux.

Bien sûr, les échanges sont nombreux et ne sont pas que de nature affective... mais la famille et la parenté ne comportent presque plus d'obligation contraignante sur le plan matériel et financier. Le soutien et l'entraide familiale ne sont plus des questions de vie ou de mort.

Au fil des années 50, 60 et 70, l'État a pris en charge les affaires sociales (et culturelles, mais c'est une autre affaire). Or, vers la fin des années 70 et dans la décennie suivante, surtout, il est soumis à une double pression :

— ses moyens financiers ne lui permettent plus d'assurer tous ces services ;

— une foule de groupes et de mouvements, critiquent son action institutionnelle, bureaucratique, à la fois inefficace et tendant vers « le quadrillage de la vie quotidienne ». Ces groupes réclament la prise en charge par les usagers, par les régions, c'est-à-dire l'autogestion.

Ces deux phénomènes se renforcent mutuellement... C'est ainsi que l'on en vient, même « centralement » à prôner la décentralisation, la déconcentration. Désormais, il faut maintenir à domicile les personnes âgées, intégrer les handicapés, sortir les malades de l'asile, causes louables qu'il ne s'agit nullement de remettre ici en question. La critique de la prise en charge étatique des affaires sociales n'est plus à refaire.

Cependant, en luttant pour la désinstitutionnalisation, n'oublie-t-on pas pourquoi on avait dû institutionnaliser ? L'État avait pris en charge les « laissés pour compte », les isolés, les démunis, ceux qu'aucun réseau ne soutenait. Dans le discours actuel tenu jusqu'au ministère de la Santé et des Services sociaux, désinstitutionnaliser, cela s'accompagne du recours aux réseaux « naturels ». En effet, on les avait un peu oubliés dans l'enthousiasme de la prise en charge étatique.

Cependant, à la lumière des réflexions précédentes sur les réseaux, leurs forces et leurs faiblesses, on peut soulever plusieurs questions.

Tout d'abord, les réseaux « naturels » sont en pleine transformation... ne serait-ce qu'au point de vue démographique. La taille des familles... et donc des parentés, s'amenuise. Les gens qui n'ont que deux enfants, par exemple, ne pourront pas autant compter sur eux que ceux qui en avaient cinq ou six ; à deux, la charge de parents vieillissants, malades, est très lourde... que dire des enfants uniques ? Les personnes âgées de demain auront peu de frères et soeurs ; leur isolement sera encore plus grand que celui que connaissent leurs parents et grands-parents. Ils auront développé au cours de leur vie des relations avec des amis, des voisins ; mais seront-elles aussi « résistantes » dans les coups durs que les relations avec la parenté ? Ces amis se sentiront-ils « obligés » les uns envers les autres ? À supposer qu'ils le soient, les relations développées au cours des ans, en dehors de la parenté, le seront surtout avec des personnes de même génération qui connaîtront les problèmes du vieillissement en même temps. Ce qu'il y a « d'intéressant » dans les relations familiales, c'est qu'elles unissent des gens de générations différentes... des gens « dans la force de l'âge » qui peuvent prêter main forte à leurs aînés pour différentes corvées.

Et puis, on a vu que les réseaux d'entraide reposent en grande partie sur les femmes ; même quand ce ne sont pas elles qui rendent un service, souvent, elles le gèrent, elles l'organisent. On sait aussi qu'elles s'y impliquent souvent plus à cause du partage traditionnel des tâches domestiques qui ne se transforme que très lentement. Or, leur participation au marché du travail s'accroît. Comment arriveront-elles à jongler avec le soin des enfants (même moins nombreux), leur vie de couple, leur travail à l'extérieur et à l'intérieur du foyer et leurs responsabilités envers leurs parents (qui n'auront souvent pas ou peu d'autres enfants qu'elles) !

Comment se surprendre que se multiplient le *burn-out* chez les *super-women* sur le marché du travail... et les « dépressions » chez celles au foyer ? Les pressions et les attentes sociales sur les femmes sont très lourdes, trop ? On parle souvent de ce que le vieillissement de la population coûtera aux travailleurs, aux payeurs de taxes... mais on oublie que cela va « coûter » cher aussi en termes de responsabilité, de solidarité.

Les hommes s'impliquent de plus en plus dans les « nouveaux » réseaux et dans leurs familles, ce qui ne veut pas dire encore qu'en moyenne, ils aient la moitié des responsabilités... Mais le partage intégral des tâches équivaudrait-il pour eux à leur quote-part de tensions, de *burn-out* et de dépressions ? Ne faudrait-il pas repenser les responsabilités ?

Le soin des malades, des handicapés et des personnes âgées était autrefois une responsabilité familiale, puis le flambeau est passé à l'État ; cela est devenu une responsabilité gouvernementale. Il est impensable de repasser, tel quel, le flambeau aux familles et aux individus... les réseaux « naturels » sont déjà essoufflés dans bien des cas.

Responsabilité non uniquement familiale, non uniquement gouvernementale, les affaires sociales ne sont-elles pas, justement une responsabilité sociale, c'est-à-dire communautaire ? Les réseaux « naturels » ne suffisent plus ; l'exemple des ex-patients psychiatriques qui constituent une proportion considérable des « personnes itinérantes », « des sans-abri » est fort éloquent. Sortir les gens de l'asile pour qu'ils deviennent clochards? Si tel est le sort qui les attend, c'est que bien souvent les ponts ont été coupés avec famille et amis, cause ou effet du désarroi psychologique, peu importe... Actuellement, la communauté est démunie face à ces problèmes, il n'y a pas de structure communautaire pour accueillir ces laissés pour compte de l'État et des réseaux.

REPENSER LE COMMUNAUTAIRE

Repenser le communautaire. Voilà un mot d'ordre qui risque de s'imposer au cours des prochaines années... non pas pour des raisons théoriques... mais très terre-à-terre. Il y a déjà plus d'un demi-million de Québécois vivant seuls (c'est-à-dire 1 personne sur 12 ; 1 ménage sur 5). Bien sûr, il ne faut pas confondre le fait d'habiter seul et l'isolement social. Une personne âgée peut habiter le même immeuble qu'un de ses enfants. Mais, il y a aussi la femme qui vit seule avec de jeunes enfants dans une ville où elle n'a pas de parenté et pas (encore ?) d'amis. Les prospectives démographiques laissent entrevoir que le nombre de personnes seules et isolées... ne fera qu'augmenter.

Pourquoi repenser le communautaire ? On a vu que souvent l'espace était un lieu privilégié pour la création de réseaux ; l'échange, sous toutes ses formes, est lié à la proximité... Il faut donc repenser l'habitat, inventer des formes d'habitat communautaire, juste ce qu'il faut de communautaire pour assurer à chacun son espace privé, tout en favorisant la rencontre des générations... et la rencontre tout court.

Il ne s'agit pas non plus de verser dans le pessimisme, mais de repenser le rôle de l'État, celui des réseaux... et de les réinventer ; pourquoi pas ?

Note

[1] Marcel Mauss, « Essai sur le don », dans *Sociologie et Anthropologie*, Paris, PUF, 1950.

Table des matières

Achevé d'imprimer
en août 1991 sur les presses
des Ateliers Graphiques Marc Veilleux Inc.
Cap-Saint-Ignace, Qué.